घर वापसी

घर वापसी

अजय कुमार

प्रलेक प्रकाशन

प्रलेक प्रकाशन

PRALEK PRAKASHAN

(an Imprint of "PRALEK PUBLISHING HOUSE PVT. LTD.")

मुख्य कार्यालय : 702, जे-50, ग्लोबल सिटी, विरार (वेस्ट), मुम्बई, महाराष्ट्र-401303
दिल्ली एनसीआर ऑफ़िस पता : 03/सी, ज्ञान खण्ड-4 इंदिरापुरम गाजियाबाद, उ.प्र.-201014

E.mail : pralek.prakashan@gmail.com
Website : www.pralekprakashan.com
दूरभाष : +91 7021263557

घर वापसी : अजय कुमार
Ghar Vapsi : Ajay Kumar

ISBN : 978-93-5869-63-63

प्रथम पेपरबैक संस्करण : 2024

मूल्य : 299/-

मुद्रक : रेप्रो इंडिया लिमिटेड
आवरण एवं पुस्तक सज्जा : प्रलेक स्टूडियो

(प्रलेक प्रकाशन का लोगो मिक्की पटेल की तूलिका से।)

भारत माता को समर्पित

भूमिका

सन् 712 ईस्वी से देश पर मुस्लिम आक्रमण की शुरुआत हुई जो 1761 ईस्वी तक विभिन्न रूपों में होती रही। देश के हिंदू इस पाशविक अत्याचार को सदियों सहते रहे और अपने हिसाब से उसका प्रतिकार भी करते रहे, लेकिन इस दौरान मुस्लिम आतताईयों के द्वारा दी जाने वाली असहनीय पीड़ा को बहुत से हिंदू नहीं सह पाये और अपना धर्म छोड़कर मुस्लिम पंथ अपना लिए, लेकिन भयवश हुए इस पंथातरण के बाद भी मन से वह हिंदू धर्म से दूर नहीं हो पाये थे। लंबे काल तक परतंत्र में रहते-रहते हिंदू समाज की आत्मसात करने वाली प्रवृत्ति धीरे-धीरे क्षींण होती गयी और सनातन धर्म की मुख्य धारा से जो लोग अलग हुए वह मुस्लिम जीवन पद्धति अपनाने लगे और बहुतों को अछूत बना दिया गया। हिंदू समाज की इस कमजोरी को लाल मुख वाले यूरोपीय विशेष कर अंग्रेज और बढ़ा दिये, इस प्रकार से अलगाववादी भावना हिंदू से मुसलमान बने लोगों में बढ़ने लगी। यदि हम भारत की पिछले लगभग सौ वर्षों के इतिहास पर एक दृष्टि डालेंगे तो हमें देश में एक ही समस्या सबसे विकट दिखाई देती है, और वह है मुस्लिम अलगाववाद, जिसको कम करने के लिए अनेक संगठन, नेता, प्रबुद्धजन, महापुरुष, समाजसेवी अपने-अपने ढंग से दसकों तक प्रयासरत रहे, लेकिन यह समस्या दिनों दिन बढ़ती गयी। 1947 ईस्वी में देश के रक्तरंजित विभाजन के बाद भी जब इस समस्या को बढ़ने से कोई हिंदू नेता या संगठन नहीं रोक पाया उल्टे इस अलगाववादी मुस्लिम समाज का और तुष्टीकरण होने लगा, तब इस देश के मुसलमानों में जिहादी प्रवृत्ति और बढ़ने लगी, अपनी संख्या बल बढ़ाने के लिए उनके द्वारा अनेक खतरनाक कदम उठाए जाने लगे जिनमें सर्व प्रमुख है- लव जिहाद। जिस हिंदू धर्म की नारियाँ कभी अपने धर्म और सतीत्व की रक्षा के लिए जौहर व्रत धारण कर लिया करती थी, उसी हिंदू परिवार में धर्म का इतना लोप होने लगा कि हिंदू लड़कियां स्वत: मुस्लिम बन

जाने में जरा भी संकोच नहीं कर रही हैं। प्यार कभी भी अपने मूल धर्म व संस्कृति से अलग होकर नहीं किया जा सकता है। भारत माता व हिंदू धर्म से किया जाने वाला प्यार ही वास्तविक प्यार माना जा सकता है। अपनी कोख से अलगाववादियों की संख्या बढ़ाने वाली भारत माता की बेटी नहीं हो सकती वह देश की परम शत्रु ही कही जायेगी।

क्या वामपंथ अपने देश में धर्म से अलग हो जाने की शिक्षा दे रहा है। जब अपना हिंदू धर्म नहीं रहेगा, राष्ट्र नहीं रहेगा, राष्ट्रीय भाव तिरोहित हो जाएगा, तब इस देश में कोई भी पंथ नहीं बचेगा। चहुँदिशि केवल और केवल मुस्लिम कट्टरता फैली हुई दिखाई देगी। लोगों में धर्म का जागरण हो, हिंदू-मुस्लिम कट्टरता व अलगाववाद को पहचाने इसके लिए हिंदू अपने को कमजोर न समझे तथा अपने मजबूत भाव को और मजबूती दें, उसी निमित्त एक उपन्यास "घर वापसी" लिखी गई है। जिसमें मुख्य पात्र वह है जिसे दुर्भाग्य से हिंदू समाज का अछूत वर्ग कहा जाता है, जबकि धर्म की प्रधानता जिसके अंदर होती है वह जन्मना चाहे कुछ भी हो अछूत तो नहीं हो सकता है। और मुस्लिम समाज में जन्म लेने के बावजूद कैसे कोई व्यक्ति राष्ट्र और राष्ट्रीय धर्म सनातन धर्म के प्रति अपने को समर्पित कर सकता है तथा शुद्धिकरण नहीं बल्कि स्वयं की घर वापसी कर सकता है साथ ही इस मार्ग पर चलने के लिए अन्य लोगों को प्रेरित भी कर सकता है यही इस उपन्यास के लिखने के पीछे का मेरा मूल उद्देश्य है। "हितेन सह तस्य भावः इति साहित्यम" की मूल सोच को प्रदर्शित करने वाला यह उपन्यास है जिसे आदरणीय पाठकगण जब बिना किसी पूर्वाग्रह की भावना से पढ़ेंगे और अपने को राष्ट्रीय भाव में तिरोहित कर लेंगे तो मैं समझूँगा कि मेरा प्रयास सार्थक हो जायेगा। शेष ईश्वर की कृपा तथा आप सभी के आशीर्वाद पर ही सब कुछ निर्भर है।

-अजय कुमार
वाराणसी

आभार

कुछ भी लिखना लिखते रहना प्रारंभ से ही मेरी आदत रही है राष्ट्रीय स्वयंसेवक संघ जैसे संगठन के विभिन्न दायित्व ने मेरे इस प्रबोधन को और बढ़ा दिया है। माता-पिता, बड़े भाई, छोटे भाई, बहनों, पत्नी, बच्चों व अपने प्रिय शुभेच्छुओ का मुझे इस लेखन कार्य में बराबर उत्साह वर्धन मिलता रहा है। छोटे-छोटे लेखों के बाद जब कहानी व उपन्यास लिखने की इच्छा मेरे अंदर आई तो मुझमें देश और समाज के ज्वलंत समस्या पर ध्यान केंद्रित करने का भाव जागृत हो गया, जिसकी प्रेरणा मुझे बंकिमचंद्र चटर्जी, गुरुदत्त और वीर सावरकर जी के उपन्यासों से मिली। और मैं कहानी और उपन्यास को कोरोना काल में लिखना प्रारंभ कर दिया इसमें हमारे क्षेत्रीय साहित्यकार कैलाश जी और सर्वजीत जी का उत्साह वर्धन विशेष है, लेकिन लिखने के बाद उसके टंकण कार्य व प्रकाशन की समस्या मेरे सामने आयी तो सौभाग्य बस मुझे इलाहाबाद विश्वविद्यालय के हिंदी विभाग में शोध छात्र प्रशांत जी व स्वयंसेवक भरत जी का सहयोग प्राप्त हो गया। भरत जी ने अथक परिश्रम करके उपन्यास का टंकण कार्य पूरा किया और प्रशांत जी ने पांडुलिपि में सुधार किया तथा प्रकाशन कार्य के लिए मुझे बराबर उत्साहित करते रहे। और इस प्रकार उन्होंने प्रलेक प्रकाशन के स्वामी श्रीमान जितेंद्र पात्रो जी से संपर्क किया जिन्होंने इस उपन्यास को पढ़ते ही इसके प्रकाशन की जिम्मेदारी अपने ऊपर ले ली जिसके लिए मैं उनको बारंबार धन्यवाद देता हूँ।

आज यह 'घर वापसी' उपन्यास यदि प्रकाशित हो रहा है तो उसके लिए मैं सर्वशक्तिमान ईश्वर की कृपा ही मान रहा हूँ और साथ ही परिवारजनों और अपने शुभेच्छुओ का प्रेम और आशीर्वाद का फल समझ रहा हूँ विशेष तौर पर श्रीमान प्रशांत जी और भरत जी को बार-बार धन्यवाद देता हूँ और उनके प्रति अपना आभार व्यक्त करता हूँ।

-अजय कुमार

प्रथम भाग

काशी के पूरब दिशा में एक गाँव बसा है हरिहरपुर, जनसंख्या और क्षेत्रफल की दृष्टि से इसे बडागाँव कहा जा सकता है। यहाँ के लोगों का मुख्य व्यवसाय खेती ही है। भूमिहीन लोग ज्यादा है, जो गाँव से बाहर निकलकर कहीं मजदूरी करके या कोई छोटा मोटा व्यवसाय के द्वारा अपने जीवन का गुजारा कर रहे है। बड़ा गाँव होने के कारण हरिहरपुर में प्राथमिक पाठशाला और जूनियर हाई स्कूल के दोनों विद्यालय खुल चुके थे, जहाँ आस-पास के गाँवों के बच्चे भी पढ़ने चले आते थे। यह गाँव बाबा जागेश्वर नाथ और बाबा कालेश्वर धाम के मध्य स्थित है, इसीलिए यहाँ के लोगों में भक्ति भावना अधिक दिख रही है। लोग अर्थाभाव के बावजूद आपसी सौहार्द बनाये हुए है और इसी कारण जातिगत भेद भाव और ऊँच-नीच का भाव लोगों में यहाँ कम ही दिखाई देता है और यहीं गाँव की और भारत देश की विशेषता भी है।

माँ-माँ मैं विद्यालय जा रही हूँ, हरिहरपुर गाँव की कक्षा तीन की छात्रा रीना भारती अपने पीठ पर बैग रखकर घर से बाहर निकलती हुई बोली, उसकी माँ उसे कुछ हिदायत देती तब तक वह बालिका तीर की भांति घर से बाहर निकल गई, वह उछलती-कूदती, दौड़ती हुई विद्यालय जाने वाले सभी बच्चों की बातों को अनसुना करती हुई सबको पीछे छोड़ती हुई उस स्थान पर पहुँच जाना चाहती थी, जहाँ पास के केशवपुर गाँव से आने वाला मार्ग मिलता था। लड़की रीना भारती को प्रतिदिन यह उत्साह रहता था कि विद्यालय का उसका सबसे प्यारा मित्र सहपाठी केशवपुर वासी रेहान सिद्दकी कहीं उससे पूर्व ही वहाँ न पहुँच जाय? उसे प्रतिदिन उस स्थान पर पूर्व पहुँचकर रेहान का इन्तजार करना बहुत प्यारा लगता था।

आज भी रीना वहाँ पहले पहुँचकर केशवपुर से आने वाले सभी बच्चों को ध्यान से देखने लगी तभी उसका चेहरा खुशी के मारे खिल गया, जब दूर से

उसका प्यारा दोस्त रेहान दौड़ता हुआ आता दिखायी दे गया। पास आते ही रीना बोली देखो रेहान आज भी मैं पहले आ गयी, तू फिर पिछड़ गया। रेहान बोला रीना, तुम्हारा गाँव और घर पास में ही है इसलिए तुम जल्दी आ जाती हो, मैं दूर से आता हूँ न! रीना बोली कुछ भी हो रेहान आने में तुम मुझसे पिछड़ तो गए ही। रेहान रीना की बात पर मुस्कुराते हुए बोला दोस्ती में कोई आगे तो कोई पीछे रहता ही है। ये सब चलता है रीना चलो तुम्हीं आगे रहो। आपस में इतनी बातें कहकर दोनों हँसते हुए एक-दुसरे का हाथ पकड़कर चलने लगे। विद्यालय जाने वाले बच्चों को रीना चलते-चलते कभी किसी को पीछे से ठोंक देती तो कभी किसी साथी को धक्का दे देती। लेकिन रेहान ऐसा नहीं करता। वह रीना के इस चुहलबाजी पर केवल हँसता और रीना का हाँथ पकड़े उसके साथ-साथ चलता रहता था। रीना कक्षा में पढ़ने में सबसे तेज थी, इसीलिए विद्यालय में सभी साथी छात्र और अध्यापक उसका सम्मान करते थे।

इस प्रकार रीना और रेहान दोनों हँसते-खेलते एक साथ पढ़ते-लिखते प्रारम्भिक शिक्षा के बाद जूनियर वर्ग की शिक्षा भी साथ-साथ पूरा कर लिए। कक्षा 8 की बोर्ड परीक्षा में रीना पुरे विद्यालय में प्रथम स्थान प्राप्त की। रेहान ने भी प्रथम श्रेणी का अंक पाया पर रीना से वह पीछे था। अंक पत्र लेने के बाद रीना ने रेहान से कहा रेहान अब तुम्हारी आगे की शिक्षा कहाँ से होगी? तुम शहर तो नहीं न चले जाओगे। मैं तो ऐसे परिवार से नहीं हूँ कि मेरे माता-पिता मुझे शहर पढ़ने के लिये भेज पाएँगे। रेहान बोला अरे नहीं रीना मेरे अब्बा ने भी मुझे यहीं कस्बे में स्थित राजकीय विद्यालय में नाम लिखाने को कहा है, उनका कहना है कि इंटरमीडिएट तक घर और विद्यालय दोनों के अनुशासन में रहकर बच्चे संस्कारित और अच्छे निकलते है। रीना रेहान की बात सुनकर खुश हो गई और बोली इसका मतलब है कि हम दोनों का साथ अभी चार वर्ष और रहेगा, क्योंकि मैं भी पिता की आज्ञा से आगे की पढ़ाई वहीं से करने वाली हूँ। तभी स्कूल के अन्य साथी भी वहीं आ गये, सबने कहा तुम्हीं दोनों क्यों अभी हम सभी एक साथ वहीं पढ़ेंगे।

कुछ ही दिनों में हरिहरपुर और केशवपुर के आठ पास करने वाले सभी बच्चे पास के कस्बे में स्थित राजकीय इंटर कालेज में प्रवेश ले लिए। इच्छानुसार किसी ने विज्ञान वर्ग को तो किसी ने कला वर्ग को चुना। गांव अलग-अलग होने के बावजूद विद्यालय जाने का मार्ग एक ही था साइकिल से लगभग सभी बच्चे चार-पांच किलोमीटर की यात्रा एक साथ ही करते थे। बचपन पीछे छूटा तरुणाई में सभी प्रवेश करने लगे सभी लड़कों का सामाजिक अनुभव भी शिक्षा

के साथ बढ़ने लगा विद्यालय के विज्ञान कक्षा में सब मिलाकर पाँच ही लड़कियाँ थी सब अलग-अलग स्थानों से आती थी लेकिन चूँकि उम्र के साथ लड़के लड़कियों में बात-चित खुलकर करने में आपसी झिझक भी बढ़ने लगती है। इसलिए विद्यालय में लड़कियाँ एक साथ ही रहती थी। इसी कारण रीना विद्यालय में रेहान के साथ अब उतना नहीं बैठ पाती थी लेकिन आपसी मित्रता होने के कारण रास्ते में और समय पड़ने पर विद्यालय में भी दोनों में बातचीत हो ही जाती थी। रीना पढ़ने के साथ-साथ वाद-विवाद प्रतियोगिता में भी बढ़-चढ़कर भाग लेती थी इसलिए वह विद्यालय में धीरे-धीरे सबसे अधिक लोकप्रिय होने लगी रेहान संकोची स्वभाव का था इसलिए वह पढ़ने के अलावा और किसी अन्य कार्यों में हिस्सा नहीं ले पाता था।

यह प्रकृति है कुछ भी हो समय तो चलता ही रहता है। लड़कों की शिक्षा राजकीय इंटर कॉलेज की पूरी हो गयी। कक्षा बारह की परीक्षा देने वाले सभी छात्र-छात्राएँ विद्यालय छोड़ने के पूर्व आपस में एक दूसरे से इस प्रकार से मिल रहे थे मानो अब जीवन में उनसे दोबारा मिलन होना असंभव है। लेकिन इतना तो तय है कि अगर वे आपस में दोबारा कभी मिले भी तो इस रूप में तो नहीं ही मिलेंगे। भविष्य में सब की राहें अलग होंगी उनकी मंजिले अलग होंगी एक मित्र छूटे तो कहीं दूसरे मित्र मिल जाएँगे। परीक्षा परिणाम आया रीना विद्यालय में ही नहीं जिले की मेरिट लिस्ट में थी।

अंकपत्र लेने वाले दिन रीना, रेहान मिले विद्यालय से निकलते वक्त दोनों साथ-साथ अपनी-अपनी साइकिल से धीरे-धीरे पैदल ही चलने लगे रीना थोड़ा उदासी में बोली रेहान अब तुम आगे कहाँ शिक्षा प्राप्त करोगे? रेहान बोला अब्बा चाहते हैं कि मैं इंजीनियर बनूँ इसलिए अब एक वर्ष मैं उसी की तैयारी के लिए शहर चला जाऊँगा। उसने रीना की तरफ प्रश्न भरी निगाह से पूछा और तुम्हारी शिक्षा रीना? अगर हो सके तो तुम भी शहर में चलो। रीना बोली नहीं रेहान मैं एक गरीब घर की लड़की हूँ मेरे पिता और माता मजदूरी करके मुझे और मेरे दो भाई बहनों को किसी प्रकार पढ़ाते हैं इसलिए मेरा तो शहर में जाना मुश्किल है पर मैं अध्ययन छोडूँगी नहीं यही पास के महाविद्यालय में प्रवेश ले लूँगी। रेहान बोला रीना तुम पढ़ने में बहुत तेज हो, क्या विज्ञान छोड़ दोगी? रीना बोली तो क्या हुआ वैसे भी विज्ञान में मेरी कोई विशेष रूचि नहीं है मैं इतिहास और राजनीति शास्त्र में ही अध्ययन करके देश और समाज के लिए कुछ अलग से करना चाहती हूँ। पर तुम अपने माता-पिता की इच्छा का ख्याल रखकर शहर से इंजिनियरिंग जरूर करो और एक अच्छे इंजीनियर के साथ-साथ देश के एक

अच्छे नागरिक भी बनो। मेरी शुभकामनाएँ तुम्हारे साथ हमेशा रहेंगी। पर भूलना मत मुझे रेहान। रेहान भावुक होकर बोला अरे रीना ऐसा कैसे सोच लिया तुमने? मैं कहीं भी रहूँ ख्यालों में ही सही तुमसे जरूर मिलता रहूँगा। और हो सका तो भविष्य में कभी न कभी ऐसे मुलाकात हो ही जाएगी।

मित्रता किसी भी प्रकार के भेद-भाव से परे होती है। लिंग-भेद और अन्य प्रकार के सामाजिक भेद से भी अलग। पढ़ाई के दौरान रीना और रेहान की मित्रता बिल्कुल ही स्वाभाविक थी, लेकिन दोनों की पारिवारिक पृष्ठभूमि में काफी अंतर था। रीना एक सामान्य हिंदू परिवार की संतान थी जिसके यहाँ सनातन परंपरा के समस्त पर्व, व्रत, उपवास, पूजा-पाठ नियमित रूप से होते थे। रीना पर बचपन से माँ का संस्कार पड़ा था। इसलिए वह भी वर्ष में पड़ने वाले दोनों नवरात्रि के समय नौ दिन का व्रत रखती थी और प्रतिदिन स्वयं श्री रामचरितमानस का पाठ भी करती थी। उसके माता-पिता पढ़े लिखे तो बहुत कम थे पर चूँकि अब गांव में कर्मकांडियों का अभाव था इसलिए ईश्वर को ध्यान में रखकर हवन इत्यादि वे स्वयं कर लिया करते थे। इसे ईश्वर की कृपा ही माना जाए कि रीना हर दृष्टि से प्रतिभाशाली थी। पढ़ाई-लिखाई के अलावा घर में माता-पिता के काम में हाथ बटाना उसके स्वभाव में था, उसके पिता सुक्खु एक अच्छे राजगीर मिस्त्री थे। तथा माँ सुभागी गांव में ही मजदूरी करके जीवन यापन करती थी। रीना अपने छोटे भाई-बहनों के पढ़ाई पर भी समय निकालकर विशेष ध्यान देने लगी कि कहीं शिक्षा में ये दोनों पिछड़ न जाएँ। प्रतिभा और स्वभाव में विशेषता होने के कारण गांव के सभी बड़े-बुजुर्ग उसकी तारीफें किया करते थे और आपस में बात-चीत के दौरान कहते थे कि सुक्खु मिस्त्री के घर रीना का आगमन एक देवी के रूप में हुआ है।

केशवपुर का रेहान एक मुस्लिम परिवार का लड़का था जिसकी गिनती गांव के अच्छे लड़कों में होती थी पढ़ने में रीना की तरह प्रतिभाशाली तो नहीं था पर अपने माता-पिता का आज्ञाकारी और परिश्रमी अधिक था। हिंदू बाहुल्य गाँव केशवपुर में जाति से अयाचक ब्राह्मणों की संख्या अधिक थी और सब अच्छे खेतिहर थे। मुस्लिम परिवारों का भी मुख्य पेशा खेती ही था। ऐसा देखा जाता है कि कृषि कार्य करने वाले लोग अधिकतर सामाजिक जीवन जीने के आदती होते हैं। और इसी कारण वे एक दूसरे के सहयोगी भी होते हैं और वैसे भी हिंदू इतने सहिष्णु और उदार होते हैं कि बहुसंख्या में होने के बावजूद केशवपुर गांव में मुसलमानों को उनके कारण किसी प्रकार की भी तकलीफ कभी नहीं होती थी और मुसलमान भी हिंदुओं के साथ समरस थे। हाँ इधर जब से कुछ बाहरी

मुसलमान गाँव में आने लगे तब से गांव में इन सामान्य मुसलमानों में भी कुछ कट्टरता व अलगाववादी भाव के चिन्ह दिखाई देने लगे थे, लेकिन हिंदू पर्वों के बहुत अधिक प्रभाव के कारण यहाँ के मुसलमान अपने को अब तक बहुत अधिक बदल नहीं पाए थे।

अर्थाभाव के कारण रीना ने अपनी परिस्थिति से समझौता किया और स्थानीय राजकीय स्नातकोत्तर महाविद्यालय में प्रवेश ले लिया। उसका विषय इतिहास, समाजशास्त्र और राजनीतिशास्त्र था। हर तरफ से ध्यान हटाकर उसने अध्ययन पर विशेष ध्यान देना प्रारंभ कर दिया। इतना है कि खास दोस्त रेहान का अभाव उसे रह-रह कर अब खटकने लगा था। वह जानती थी कि सांप्रदायिक भेद-भाव के कारण रेहान से मित्रता से अधिक और किसी प्रकार का संबंध होना असंभव है। फिर भी उसे ऐसा लगने लगा था कि हम दोनों के बीच उत्पन्न दोस्ती अटूट है।

समय बीतने लगा और रीना ने अपना अध्ययन जारी रखा। उसके प्रतिभा की चर्चा पूरे विद्यालय में होने लगी पढ़ाई के साथ-साथ उसने विभिन्न विषयों पर अपने वक्तृत्व शैली से शिक्षकों पर भी विशेष प्रभाव डाल दिया, स्वअध्ययन से हिंदी साहित्य पर उसकी पूरी पकड़ हो गई थी इसलिए वाद-विवाद के लिए उसने कई बार विद्यालय का प्रतिनिधित्व भी किया। और अनेक पुरस्कार भी प्राप्त किए।

स्नातक की शिक्षा उसने प्रथम श्रेणी में पूरी कर ली, स्नातकोत्तर का उसका विषय इतिहास था। देश के इतिहास को वह पूरी तरह से जान लेना चाहती थी, इतिहास की पुस्तकें पढ़ते वक्त उसे उन पंक्तियों से घृणा होने लगी जिसमें विदेशी आक्रमणकारियों के विजय का ही विशेष वर्णन रहता था। उसने इन सबसे अलग पुस्तकालय में बैठकर कई लेखकों की पुस्तकों का अध्ययन किया और भारतीय इतिहास में भारतीयता की दृष्टि से विशेष सामग्री इकट्ठा करने लगी। इस दौरान उसने अन्य लेखकों के अलावा गुरुदत्त, सावरकर, पी०एन० ओक, विवेकानंद, अरविन्द घोष, दयानंद सरस्वती आदि के लेखन सामग्रियों का भी गहराई से अध्ययन किया और देश के पौराणिक इतिहास और धार्मिक साहित्य को आधुनिक इतिहास से जोड़ने के काम में लग गई। उसके पास इतिहास विषय का एक स्वयं का शोध पत्र तैयार होने लगा था जिसे विद्यालय प्रशासन द्वारा विश्वविद्यालय में भी भेजा जाता था।

एम०ए० कि परीक्षा में रीना को पूरे विश्वविद्यालय में तीसरा स्थान प्राप्त हुआ। आगे उसे इतिहास विषय पर शोध करने की इच्छा हुई पर घर की आर्थिक

स्थिति दयनीय होने के कारण उसे अब चिंता होने लगी कि मेरी पढ़ाई आगे हो पाएगी कि नहीं। इधर उसके माता-पिता यह सोचने लगे कि बेटी की शादी अब कर देनी चाहिए। एक दिन शाम को उसकी माँ सुभागी रीना को पास बुलाकर पूछी बेटी मैं चाहती हूँ कि तेरी शादी हो जाए, रीना माँ के इस प्रश्न से अचानक घबरा गई वह अपनी माँ की तरफ एकटक देखने लगी उसे समझ में नहीं आ रहा था कि माँ के इस प्रश्न का उसे क्या उत्तर देना चाहिए? वह शिक्षा के क्षेत्र में इतना ध्यानावस्थित हो चुकी थी कि उसे शादी का अभी ख्याल तक नहीं आया था। सुभागी बेटी को इस तरह मौन रहते देखकर फिर बोली बेटी हम लोग बहुत गरीब परिवार के हैं, देख रही हो किसी तरह मेहनत मजदूरी करके जीवन-यापन कर रहे हैं तुम पढ़ने में तेज थी इसलिए हम लोग तुम्हें अब तक पढ़ाते रहे। वो भी इसलिए की पास में स्कूल और विद्यालय था। शहर में जाना होता तो वो भी संभव नहीं होता। हमारी जाति में इतनी पढ़ाई करने वाले लड़के बिना दहेज के हमारे घर में शादी कर भी पाएँगे कि नहीं यही चिंता तुम्हारे बाबू और मुझे प्रतिदिन सताती रहती है। फिर भी शादी तो करनी ही है लेकिन जब तुम हाँ कहोगी तभी न हम लोग कहीं बात आगे चलाएँगे बेटी।

मां की बात सुनते-सुनते रीना भावुक हो गई वह माँ से अपनी नजर हटा कर जमीन की तरफ देखने लगी। सुभागी ने देखा कि रीना की आंख में आंसू आ चुके हैं वह जमीन पर देखते हुए कुछ सोच भी रही हैं और साथ ही उसके आंसू उसके गालों से होते हुए जमीन पर भी गिर रहे हैं। वह रीना को इस रूप में देखकर अत्यंत दुखी हो गई रीना को बाहों में पकड़ कर बोली बेटी क्यों रो रही हो जो मन में तुम्हारे हैं उसे बताओ न, रोओ मत तुम मेरे कलेजे का टुकड़ा हो इस तरह से रोओगी तो तुम्हारे मन की बात मैं कैसे जान पाऊँगी। शादी नहीं करना चाहती हो, आगे पढ़ना चाहती हो तो खुल कर बताओ तुम्हारे लिए मैं और तुम्हारे बाबू इस गरीबी में भी कुछ भी करेंगे ही पैसे की चिंता तुम बिल्कुल ही छोड़ दो। माँ सुभागी के सांत्वना भरे प्यार का सहारा पाकर रीना को बहुत साहस मिला और आपने आँसू पोछते हुए बोली माँ इस समय मैं अपने गरीबी पर विचार कर रही हूँ कि गरीब होना कितना अभिशाप है? देखो मानव अपनी इच्छाओं का बिना अर्थ के कितना दमन करता है। स्वाधीनता के 75 वर्ष हो गए गरीबी के नाम पर लोग नेता बन गए, शासन में चले गए, गरीब नेता बनकर स्वयं धनी हो गए पर देश की गरीबी नहीं गई, क्या हो गया सोने की चिड़िया को? किसकी नजर लग गई इस देश को? रीना की इस बात को अशिक्षित सुभागी सुन रही थी और केवल उसके मुख की तरफ लगातार देखे जा रही थी, वह सोच रही

थी कि उसकी बेटी क्या बोल रही है। मैं तो कुछ समझ नहीं पा रही हूँ, तभी बोलते-बोलते रीना ने सुभागी से कहा माँ आप और बाबू ने मेरे लिए इस गरीबी में जितना प्रयास किया पढ़ाने में सहयोग किया वह तुम दोनों जैसे माता पिता के ही बस की बात है माँ अब मैं खुलकर कह रही हूँ कि अभी मेरे शादी की चिंता आप दोनों ना करें क्योंकि मैं जानती हूँ मेरी जाति का कोई पढ़ा-लिखा लड़का और उसका परिवार हम जैसे गरीबों के यहाँ बिना भारी-भरकम दहेज के कभी भी विवाह नहीं करेगा। माँ ये जाति-जाति की रात-दिन बात करने वाले कभी भी अपनी जाति के गरीबों की भलाई नहीं चाहते हैं और ना ही उनसे किसी प्रकार का रिश्ता रखना चाहते हैं। यह जातिवाद शब्द उनके लिए अपनी नेतागिरी चमकाने का एक माध्यम मात्र है। माँ मैं आगे और विशेष शिक्षा प्राप्त करना चाहती हूँ। जो विषय मैंने अब तक पढ़ा है उस पर एक शोध करना है। बस तुम और बाबू मुझको आशीर्वाद देते रहें ताकि मैं अपने उद्देश्य में सफल हो जाऊँ।

अंधेरा हो रहा था आंगन में माँ बेटी आपस में बात कर रही थी तभी सुक्खु अंदर आ गया माँ-बेटी को साथ बैठे देखकर बोला माँ-बेटी क्या बात कर रही हो भाई? रीना सुक्खु के अंदर आते ही उठ गई और बोली पानी पीने के लिए कुछ लाऊँ बाबू? सुक्खु कुर्ता-धोती उतारते हुए बोला, हाँ बेटी जरूर प्यास लगी है थोड़ा गुड़ और पानी लाना। लुंगी पहनकर सुक्खु आंगन की चारपाई पर हाथ मुँह धोकर बैठ गया तभी रीना मीठा और एक लोटा पानी लेकर आ गई। चारपाई पर रखकर सुक्खु के पास ही बैठ गई। सुक्खु रीना का उदास चेहरा देखकर कुछ समझा और बोला बिटिया आगे और पढ़ने की इच्छा है न? रीना बाबू की तरफ देख कर बोली हाँ बाबू।

सुक्खु बेटी के सर पर हाथ रख कर बोले बिटिया मैं और तुम्हारी माँ लगभग अशिक्षित ही है गरीबी और नासमझी के कारण हमारे माता-पिता शिक्षा पर ध्यान भी नहीं दिए लेकिन अब मैं समाज के बदलते स्वरूप को देख रहा हूँ जो जितना शिक्षित है वही आगे बढ़ रहा है जाति-वर्ग की बाधाएँ अब टूटती दिख रही हैं अब बड़ा वही है जो शिक्षा से समाज को प्रकाशित कर रहा है। रीना अपने पिता को खड़ी बोली में इस तरह की ऊँची बातें करते हुए अवाक देखती रह गई और बोली बाबू तुम तो शायद कक्षा पाँच या छः तक ही पढ़े हो फिर भी इतने अच्छे ढंग से बातें कर रहे हो आपको तो अध्यापक होना चाहिए था बाबू? सुक्खु मायूसीयत से बोला सही कह रही हो बिटिया। मैं भी पढ़ने में तेज था कक्षा में तुम्हारी तरह हमेशा आगे रहता था पर अपने बाबू की अचानक मृत्यु हो जाने के

कारण मेरी पढ़ाई कक्षा सात में ही रुक गई। धनाभाव के कारण मुझे मजदूरी और फिर यह राजमिस्त्री का काम करना पड़ा और अपनी पत्नी की तरफ देखते हुए हंसते हुए बोला सोलह-सत्रह वर्ष की उम्र में तुम्हारी माँ से मेरा जल्दी ही विवाह भी हो गया उसके बाद तो देख ही रही हो कि यही मुझको जो पढ़ाती है वही मैं पढ़ता हूँ। रीना हंसते हुए अपनी माँ की तरफ देख कर बोली क्या माँ तुम इतनी पढ़ी हो कि बाबू को शादी के बाद पढ़ाने लगी। सुभागी बोली घत और आंचल से अपना मुंह छुपा कर सुक्खु से बोली अरे कुछ तो शर्म करो बच्चों के सामने यही सब बातें करोगे। और उसके बाद रीना से बोली सच कहूँ बिटिया शादी के बाद मुझे यही पढ़ाते थे जिसके कारण आज मैं कुछ लिख पढ़ लेती हूँ। सुक्खु बोला हाँ वो तो है पर दुनियादारी और घर को संभालने में तुम्हारी माँ का बड़ा सहयोग मिला बेटी। सुभागी उठते हुए बोली सब भगवान की कृपा है बिटिया।

रीना अपने बाबू और माँ की बातें सुनकर बहुत खुश हुई और अपने बाबू से बोली मैं आगे विश्वविद्यालय में इतिहास विषय पर शोध करना चाहती हूँ। सुक्खू खुश होकर बोला शोध को ही शायद आंग्ल भाषा में पीएचडी कहते हैं न बिटिया? रीना बोली हाँ बाबू। सुक्खु खुश होकर बोला जरूर करो बिटिया मैं अपनी पूरी कमाई तुम भाई-बहनों की पढ़ाई पर खर्च कर दूँगा तुम जरूर शहर जाओ और आगे पढ़ो। रीना बोली बाबू बस आप लोगों का मुझे आशीर्वाद चाहिए हो सकता है विश्वविद्यालय से ही मुझे इसके लिए धन का सहयोग मिल जाय? सुक्खु बोला चाहते हुए भी जब शिक्षा अधूरी रह जाती है तो मन को बड़ा कष्ट होता है बेटी इसलिए तुम कभी भी धन के लिए मायूस मत होना बस अपना ध्यान आगे पढ़ाई पर लगाओ और अपने साथ-साथ हम सबका और गाँव का भी नाम रोशन करो।

कुछ दिनों बाद जब रीना महाविद्यालय गई तो उसे इतिहास के प्रोफेसर कृष्ण कांत मिश्र जी मिल गए, मिलते ही बोले रीना तुम आगे पीएचडी करोगी न? रीना ने स्वीकृत में अपना सर हिलाया और बोली जी गुरुजी मन में तो यही भाव है पर आगे हमारे समक्ष अनेक कठिनाइयाँ हैं। प्रोफेसर कृष्ण कांत मिश्र रीना की प्रतिभा को पहचानते थे और उसके घर की स्थिति को भी जानते थे इसलिए बोले मैं जानता हूँ बेटी उसको कहने की जरूरत नहीं है। पर तुम्हारा आगे शोध कार्य करना जरूरी है। काशी हिंदू विश्वविद्यालय में इतिहास विभाग के मेरे एक सुपरिचित प्रोफेसर हैं प्रोफेसर मनोज सिन्हा, मैं चाहता हूँ कि तुम उनके अंडर में अपना शोध कार्य का रजिस्ट्रेशन करा लो। इच्छा हो तो एक दिन चलो मेरे

साथ, मैं उनसे तुम्हारा परिचय करा देता हूँ। रीना प्रोफेसर कृष्ण कांत की बात सुनकर खुश हो गई। उसे ऐसा महसूस होने लगा कि लगता है कि उसकी अभिलाषा पूरी हो जाएगी।

रविवार का दिन था प्रोफेसर मिश्र रीना के साथ काशी हिंदू विश्वविद्यालय के कैंपस के अंदर प्रोफेसर मनोज सिन्हा के आवास पर लगभग आठ बजे सुबह पहुँच गए। प्रोफेसर सिन्हा आवास के बाहरी बरामदे में बैठकर आराम से सुबह का अल्पाहार ले रहे थे अचानक उनकी निगाह मेन गेट पर गई जहाँ एक स्कूटर आकर अभी-अभी रूका था। फुलवारी में काम कर रहे आदमी को उन्होंने गेट खोलने के लिए कहा, गेट खोलते ही देखा कि यह तो उनके सहपाठी मित्र प्रोफेसर मिश्र जी हैं खुश होकर अल्पाहार छोड़कर तेजी से आगे बढ़े और प्रोफेसर मिश्र को गले लगाते हुए साथ में बैठाए और घर में अपनी पत्नी को आवाज दे दी नाश्ते के और दो प्लेट लाने के लिए। रीना ने प्रोफेसर सिन्हा का चरण छुआ और खड़ी रही। प्रोफेसर सिन्हा ने प्रश्न भरी निगाह से रीना की तरफ देखते हुए प्रोफेसर मिश्र की तरफ देखने लगे। प्रोफेसर मिश्र ने रीना का परिचय विधिवत ढंग से प्रोफेसर सिन्हा से कराना शुरू किया तभी घर के अंदर से 14-15 वर्ष का प्रोफेसर सिन्हा जी का लड़का दो प्लेट में अल्पाहार लेकर बाहर आ गया, नाश्ते का ट्रे टेबल पर रखकर प्रोफेसर मिश्र का पैर छूने लगा और बोला बहुत दिनों बाद आए चाचाजी। प्रोफेसर मिश्र ने उसे आशीर्वाद दिया और बोले हाँ बेटा अंबरीश जरूर काफी दिन तो हो ही गया है कारण वहीं व्यस्तता का ही है। पर आज तुम्हारे पिताजी से एक काम के लिए आया हूँ। प्रोफेसर सिन्हा बोले और मिश्रा जी काम तो होता रहेगा भाई पहले नाश्ता करिए हाल-चाल हो फिर भोजन तब कुछ और बातें।

अल्पाहार समाप्त होने के बाद प्रोफेसर मिश्र ने रीना के साथ आने का मूल उद्देश्य प्रोफेसर सिन्हा को बताया प्रोफेसर सिन्हा ने रीना से विषय पर कुछ बात-चीत की और उसकी शैक्षणिक योग्यता के सब अंकपत्र वगैरह भी देखें। पहले तो रीना को प्रो० सिन्हा से बात-चीत करने में झिझक महसूस हुई थी पर कुछ ही देर में उसने उनके हर बात का सही जवाब देना प्रारंभ कर दिया। रीना से बात-चीत करके सिन्हा जी समझ गए की यह लड़की काफी प्रतिभाशाली है। उन्होंने कहा रीना बेटी ये मिश्रा जी और मैं दोनों साथ-साथ इसी महामना की बगिया में अध्ययन किए हैं, यह संयोग था कि ये राजकीय स्नातकोत्तर महाविद्यालय में पहले ही अध्यापन कार्य करने लगे और मैं इनके एक वर्ष बाद इसी विश्वविद्यालय में नियुक्त हो गया पर आज भी मैं इनसे इतना अभिन्न हूँ

कि इनकी बात को टाल ही नहीं सकता बेटी इस समय मेरे अंडर में सात छात्र-छात्राएँ शोध कर रहे हैं पर इस वर्ष आवेदन के लिए तुम पहली छात्रा हो और वो भी दूसरे विश्वविद्यालय की हो तुम्हारे विचार और तुम्हारी शैक्षणिक योग्यता यह बताती है कि तुम्हारे अंदर कुछ विशेष है। जो औरों से तुम्हें अलग करती है, मुस्कुराते हुए प्रोफेसर सिन्हा आगे बोले मैं तुम्हें शोध के लिए अनुमति तो देता हूँ पर वादा करो कि तुम इतिहास में शोध कार्य से एक नई सोच विकसित करके एक नई जानकारी देकर विभाग में अपना विशेष स्थान अवश्य बनाओगी। प्रोफेसर सिन्हा की यह उत्साहजनक बात सुनकर रीना भावुक हो गई वह कुर्सी से उठी और प्रोफेसर सिन्हा तथा प्रोफेसर मिश्र का चरण छूते हुए बोली गुरुजी यदि आप लोगों का आशीर्वाद ऐसे ही मिलता रहा तो ईश्वर की कृपा से मैं अवश्य ही ऐसा करने का प्रयास करूँगी। प्रोफेसर सिन्हा आगे बोले वैसे इतिहास में किस विशेष कालखंड पर अपना शोध करना चाहती हो रीना? रीना बोली गुरुजी अगर देखा जाए तो भारतीय इतिहास के विषय तो सभी कालखंड के विशेष हैं। वह चाहे प्राचीन इतिहास के हों, मध्य काल के हो अथवा आधुनिक काल के पर मेरे दृष्टि से भारतीय जनमानस को सबसे निर्णायक और प्रभावित करने वाला समय सन 1857 से लेकर 1947 तक था। इसलिए मेरे मन में है कि देश के प्रथम स्वतंत्रता-संग्राम से लेकर देश के विभाजन तक की तत्कालिक परिस्थितियाँ, नेतृत्व की स्थिति और अपने मातृभूमि के विभाजन जैसा कुपरिणाम क्यों? और कैसे? विषय पर आप के निर्देशन में कुछ शोध कर सकूँ तो कैसा रहेगा? प्रोफेसर सिन्हा रीना की वक्तृत्व शैली पर मंत्रमुग्ध होकर उसे बोलते देखते रहे जब रीना ने अपनी बात पूरी कर ली तो सिन्हा जी थोड़ा भावुक होते हुए कुर्सी से उठ गए और अपना दाहिना हाथ रीना के सर पर आशीर्वाद के रूप में रखते हुए बोले कि रीना तुम्हारे विचार और बातों से मैं प्रसन्न हुआ यद्यपि तुम्हारा विषय इतिहास और राजनीति दोनों का है फिर भी तुम अध्ययन करो, परिश्रम करो मेरा आशीर्वाद सदा तुम्हारे साथ रहेगा बेटी, मै तुम्हारे इस शोध कार्य में पूरा सहयोग करूँगा। प्रो० मिश्र अब चलना चाहते थे लेकिन तभी प्रो० सिन्हा की पत्नी श्रीमती उर्मिला सिन्हा घर के अंदर से बाहर आ गई। प्रोफेसर मिश्र ने उनका अभिवादन किया श्रीमती सिन्हा ने उन्हें तुरंत अभिवादन का जवाब दिया और बोली अरे भाई साहब आप बड़े हैं पहले मुझे प्रणाम करना चाहिए प्रोफेसर मिश्र जी बोले अरे नहीं भाभी जी हमारी संस्कृति में नारी शक्ति को हमेशा ऊँचा स्थान दिया गया है इसलिए कर्तव्य मेरा ही बनता है पहले अभिवादन का। प्रोफेसर सिन्हा हंसते हुए बोले अरे

मिश्रा जी अपनी भाभी को इतना मत बढ़ाओ नहीं तो कल से मुझे घर में बैठा कर यही विभाग जाने लगेगी और पूरे विभाग में नारी शक्ति का जागरण करने लगेंगी। इस पर रीना सहित सभी लोग हंसने लगे। श्रीमती सिन्हा मिश्रा जी से बोली लगता है एक दिन इनके विभाग मुझे चलना ही पड़ेगा तभी ये मानेंगे, मेरा हमेशा ऐसे ही मजाक उड़ाते रहते हैं। प्रोफेसर मिश्र कुर्सी से उठते हुए बोले जी बिल्कुल सही भाभी जी इसीलिए आपके सहयोग के लिए मैं आपको एक पुत्री सौंप रहा हूँ, फिर उन्होंने रीना की तरफ इशारा करके उसका परिचय कराया कि यह मेरी शिष्या रीना भारती है जो चंदौली के पास स्थित गांव हरिहरपुर की रहने वाली है। इतिहास से एम०ए० कर ली है और अब आप लोगों के सानिध्य में रहकर इसी विषय पर शोध करेगी और साथ ही आपकी कृपा से नारी शक्ति का जागरण भी करेगी। यह सुनते ही प्रोफेसर सिन्हा बोले लो भाई मिश्रा जी, लगता है तुम माँ-बेटी को एक करके मेरे पर ही नारी शक्ति का आक्रमण करवा दोगे क्या? रीना चपलता से उठकर तुरंत श्रीमती सिन्हा का चरण छूते हुए बोली अरे नहीं गुरु जी मैं माता-पिता दोनों के मध्य रहकर दोनों से हमेशा आशीर्वाद की आकांक्षी ही रहूँगी और माँ-बेटी मिलकर पिता पर आक्रमण नहीं बल्कि उनकी सेवा और सहयोग ही हमेशा करती रहेंगी। श्रीमती सिन्हा रीना की बात सुनकर उसके द्वारा चरण छूते ही उसे मातृत्व भावना से अपने अंक में भर लिया और बोली बेटी सदा खुश रहो और आगे बढ़ो, लग रहा है तुम एक अच्छे संस्कार वाली लड़की हो यहाँ अध्ययन के दौरान जब भी तुम्हें कोई कठिनाई हो तुम्हें कोई जरूरत महसूस हो यहाँ निःसंकोच चली आना तुमको यहाँ माँ की कमी कभी भी महसूस नहीं होने दूँगी।

दोपहर होने वाला था मिश्रा जी को भी कहीं जाने की जल्दी थी इसलिए सबका एक बार पुनः अभिवादन करके रीना प्रोफेसर मिश्र के साथ उत्साहित होकर घर वापस आ गई। और एक दिन स्वयं काशी हिंदू विश्वविद्यालय इतिहास विभाग में जाकर उसने शोध कार्य के लिए अपना पंजीकरण करा दिया। प्रोफेसर मनोज सिन्हा ने उसका व्यक्तिगत सहयोग करके उसके रहने के लिए छात्रावास दिलवा दिया तथा विश्वविद्यालय अनुदान आयोग में रिसर्च फेलोशिप के लिए प्रार्थना पत्र भी भरवा दिया। विश्वविद्यालय शोध कार्य के लिए घर से जाते वक्त रीना ने अपने भाई-बहनों को व्यक्तिगत रुप से पढ़ाई पर विशेष ध्यान देने की हिदायत दी साथ ही माता-पिता के आशीर्वाद लेकर वह छात्रावास में आ गयी। शोध के लिए जिस विषय को उसने सुना था उस पर उसका एम०ए० की शिक्षा के दौरान ही काफी हद तक अध्ययन हो चुका था, लेकिन अब विश्वविद्यालय

में समय-समय पर अनेक विशिष्ट इतिहासकारों के व्याख्यान सुनने से भी उसकी और अधिक जानकारी बढ़ने लगी थी विभाग में अध्ययन के लिए उसे अब बड़ी पुस्तकालय भी उपलब्ध हो गया। जिससे उसे विषय की गहराई में जाने का शुभ अवसर प्राप्त हो गया।

रीना अध्ययन के दौरान यह सोचती रहती थी कि इस देश के वे हिंदू जो गांवों और नगरों में सामान्य रूप से रहते थे, मुस्लिम आक्रमण और शासन के दौरान भयानक क्रूरता का शिकार हुए परिणामस्वरूप उनमें से बहुतों ने भय व लोभ के कारण मुसलमान बनना स्वीकार तो कर लिया था लेकिन उसके बाद भी लंबे समय तक उनकी जीवन पद्धति तब भी नहीं बदली थी और न ही उन्होंने अपने संबंध हिंदू भाइयों से तोड़े थे, उनकी घुल-मिलकर रहने की आदत पहले की तरह ही बनी रही। पर क्या कारण हुआ कि मुस्लिम शासन हटने के बाद वे पुनः हिंदू समाज में घर वापसी नहीं किये? हिंदू समाज उनको पुनः अपने साथ जोड़ा क्यों नहीं? ऐसा तो नहीं कि कोई बाहरी शक्तियाँ हिंदू से पथान्तरित मुसलमानों को बरगला रही थी? उनको अलगाववाद के रास्ते पर ले जा रही थी, या स्वयं हिंदू ही आडंबर के कारण उनको अपना नहीं बना सके? रीना जब भी अपने शोध के मार्गदर्शक प्रोफेसर सिन्हा से इस विषय पर वार्ता करती तो प्रोफेसर मनोज सिन्हा भी सोच में पड़ जाते थे कि आखिरकार वे हिंदू जो मुसलमान बने और बनने के बाद भी विभिन्न हिंदू रीति-रिवाजों को मानते ही थे तो फिर स्वयं प्रेरणा से पुनः हिन्दू क्यों नही बने? यह सत्य है कि उन्नीसवीं शताब्दी के पूर्वार्ध तक देश का आम मुसलमान जिनके पूर्वज हिंदू ही थे सनातनधर्मी रीति-रिवाज पर जीवन-यापन करते हुए अलगाववादी तो बिल्कुल ही नहीं बने थे तो फिर अधिकतर अगले लगभग सौ वर्षों में अलगाववादी कैसे बन गए? प्रोफेसर सिन्हा जी ने रीना की बातों पर विचार करते हुए अपना भी अध्ययन बढ़ाना प्रारंभ कर दिया, विषय बिंदु समझाने की कला रीना में अद्‌भुत थी इसलिए सिन्हा जी स्नातक की कक्षा में रीना को अध्यापन कार्य के लिए सप्ताह में तीन दिन भेज दिया करते थे जहाँ रीना धीरे-धीरे शिक्षार्थियों में लोकप्रिय होने लगी।

एक दिन प्रोफेसर सिन्हा अपने चेंबर में बैठे अध्ययन कर रहे थे तभी रीना ने उनसे वार्ता के लिए अनुमति माँगी तो प्रो० साहब ने हंसते हुए उससे बैठने को कहा और रीना के विषय पर ही चर्चा प्रारंभ कर दी, कहने लगे देखो रीना अंग्रेज तो विदेशी थे और इस देश में बराबर विदेशी भाव के रूप में ही रहे, उन्होंने यहाँ के लोगों में हमेशा फूट ही डाला एक तरह से देखा जाए तो इस देश में जातिगत, वर्गीय और सांप्रदायिक अंतर उत्पन्न करने और बढ़ाने में उनका

ही योगदान अधिक रहा है। लेकिन उस दौरान हमारे देश में कुछ समाज सुधार के भी काम प्रारंभ हुए थे जिनको प्रेरित करने वाली यही यूरोपीय शक्तियाँ थी। रीना बीच में हस्तक्षेप करते हुए सिन्हा जी से बोली गुरु जी जब विदेशी दृष्टि से हम अपनी समस्याओं का पूर्णतया समाधान ढूंढेंगे तो वह हमारे देश के लिए कितना सार्थक होगा? प्रो० सिन्हा बोले तुम ठीक कह रही हो पर हमारे समाज में जो बाल-विवाह, अस्पृश्यता और सती प्रथा जैसी बुराइयाँ व्याप्त थी उनका तो अंत होना ही चाहिए था। रीना ने कहा कि गुरु जी मुझे यह बताएँ यह सब बुराइयाँ सदियों व्याप्त विदेशी सत्ता के पूर्व भी थी क्या? प्रोफेसर सिन्हा रीना की तरफ आश्चर्य से देखते हुए बोले नहीं बेटी पूर्व के भारतीय समाज में ऐसा उदाहरण देखने को तो नहीं मिलता है। समाज कर्मों के आधार पर विभाजित दिखाई देता है, उस समय अछूत जैसे उदाहरण सामान्य रूप से नहीं दिखाई देते हैं केवल सामाजिक अपराधियों के साथ भेद-भाव होता था। सती होना कोई प्रथा नहीं थी, पति परमेश्वर हैं इस भाव को हृदय में रखकर विधवाएँ अपना जीवन सादगी पूर्ण जीने की अभ्यास करती थी। रीना प्रोफेसर सिन्हा से बोली गुरु जी क्या हमारे इतिहास में इस बात का उल्लेख नहीं करना चाहिए कि जब महाराज दशरथ की पत्नीयाँ, बाली की पत्नी, रावण की पत्नी, शांतनु और विचित्रवीर्य की पत्नियाँ तथा कुंती राजपरिवार की होने के बावजूद जब सती नहीं हुई तथा बाद में भी अनेक राजवंशों का कुछ इस तरह का उदाहरण नहीं दिखाई देता है तब केवल कुछ स्त्रियों के सती होने के आधार पर अपने देश में सती प्रथा था ऐसा वर्णन क्यों किया गया? ऐसा तो नहीं न की मुस्लिम काल में स्त्रियों के साथ किये जा रहे दुर्व्यवहार और अत्याचार के अमानुषिक व्यवहार से बचने के लिए जो हमारी माताओं-बहनों ने जौहर(जयहर) का व्रत धारण करके अपना शरीर अग्नि को समर्पित करना प्रारम्भ कर दिया था, विदेशीयों ने उसी को सती प्रथा मान लिया था? और उसका दुष्प्रचार करना शुरू कर दिया। रीना आगे बोलती रही गुरूजी छुआ-छूत, सती प्रथा, बाल-विवाह, स्त्री अशिक्षा, पर्दा प्रथा और बिभिन्न प्रकार के विकृत सोच हमारे देश में केवल और केवल लम्बे मुस्लिम काल की ही देन है। हमारा हिंदू दर्शन, प्राचीन भारतीय संस्कृति इन सब कुरीतियों को कभी अनुमति नहीं देता है। यूरोपीय जीवन-शैली से प्रभावित लोगों ने इसे हम पर थोपा है। इतिहास के माध्यम से हमें देश के समक्ष इसे अवश्य रखना चाहिए था। प्रोफेसर सिन्हा को रीना की तर्क शक्ति पर गर्व महसूस हुआ उन्होंने पूछा बेटी आज के मुस्लिम अलगाववादी समस्या पर क्या विचार रखती हो? रीना ने तुरंत बोलना शुरू किया गुरुजी इसका एक ही निदान है, मुसलमानों

की घर वापसी। उनका पुनः हिंदू के रूप में आ जाना क्योंकि जब तक वे मुसलमान रहेंगे कोई ना कोई बाहरी आता रहेगा उन को बरगलाएगा और इस देश के नेता और स्वयं हिंदू भी उनका तुष्टीकरण करते रहेंगे परिणाम स्वरुप उनका अलगाववादी बने रहना जारी रहेगा। आज घर वापसी का विषय यद्यपि कठिन है पर जब देर-सवेर देश में होना यही है तो क्यों न इसके लिए आज से ही सभी प्रयासरत हों। प्रोफेसर सिन्हा ने कहा सही कह रही हो रीना। उन्नीसवीं शताब्दी में देश में अनेक सुधारक पैदा तो हुए पर इस समस्या पर केवल दयानंद सरस्वती का ही ध्यान गया और उन्होंने आर्य समाज की स्थापना करके शुद्धिकरण की प्रक्रिया भी प्रारंभ कर दी लेकिन मूर्खों ने उसे भी सांप्रदायिक रंग देना प्रारंभ कर दीया परिणाम स्वरुप यह प्रक्रिया प्रारंभ होकर पुनः रुक गयी। रीना बोली गुरुजी उन्हें इसे 'शुद्धिकरण' शब्द नहीं देना चाहिए था 'घर वापसी' शब्द सबसे अच्छा है। क्योंकि आज के मुसलमान पूर्व में हिंदू ही थे मुसलमान बनने के लिए घर छोड़े तो अब पुनः घर उनका इंतज़ार कर रहा है। वे ससम्मान आवें हिन्दू बने और राष्ट्रीयधारा में शामिल हो जाएँ।

शाम होने को था इसलिए प्रोफेसर सिन्हा घड़ी की तरफ देखते हुए बोले अब चलते हैं रीना इस विषय पर और आगे अध्ययन करती रहो और चर्चा भी करती रहना। रीना सिन्हा जी का चरण छूकर चेंबर से बाहर निकली और अपने कक्ष में से शोध पत्र व पुस्तक लेने चली गई। रीना छात्रावास पैदल ही आती जाती थी पैसे के अभाव में उसने अब तक एक साइकिल भी नहीं खरीदा था। छात्रावास जाने के लिए वह जैसे ही इतिहास विभाग से बाहर निकली प्रोफेसर सिन्हा अपना स्कूटर स्टार्ट करते पुनः मिल गए और बोले आओ रीना मेरे आवास पर आज भोजन हम सभी एक साथ करते हैं। विश्वविद्यालय में मेरा आवास उसी तरफ है ही भोजन करके अपने छात्रावास चली जाना। मेरी पत्नी भी तुमसे मिलना चाहती है कई बार कहीं भी पर मैं ही भूल जाता था आज संयोग है याद आ गया आओ बैठो स्कूटर पर।

श्रीमती उर्मिला सिन्हा रीना को देखकर खुश हो गई रीना ने उनका चरण छुआ, आशीर्वाद देती हुई उर्मिला बोलीं क्या बेटी माँ का रिश्ता जोड़ कर माँ को ही भूल जाती हो? रीना बोली नहीं माँ जी बस अभी अपने को अध्ययन में और छात्रावास में सेट कर रही हूँ इसलिए इधर रुख नहीं किया गलती को क्षमा करिए आज गुरु जी की कृपा से ही आना हुआ अगर ये नहीं कहते तो आपका आज भी दर्शन नहीं होता। श्रीमती उर्मिला रीना कि बिना लाग-लपेट के स्पष्टवादिता पर काफी खुश हुई। भोजन करते वक्त यह तय हुआ कि अब हर

शनिवार को रीना यही भोजन करेगी। भोजन जल्दी करके रीना रात्रि लगभग आठ बजे तक छात्रावास आ गयी। भोजन के बाद भी उसे लगभग एक घंटा पढ़ने की आदत थी। पढ़ते वक्त उसने मनन किया कि अंग्रेजी शासन के दौरान मुस्लिमों में बढ़ती अलगाववादी विचार की तत्कालीन समाज सुधारकों और शीर्ष नेतृत्व द्वारा अनदेखी करना अंततोगत्वा देश को बहुत भारी पड़ा, रीना इस महत्वपूर्ण विषय को अपने शोध का अंग बनाने का निश्चय कर लिया। इस दौरान उसको अपने गांव भी जाने का मौका नहीं मिलता था। विश्वविद्यालय आने के बाद वह केवल एक बार ही घर जा पाई थी। चूँकि माता-पिता को रीना पर पूर्ण विश्वास था इसलिए वे लगभग रीना से निश्चिंत हो गए थे। अब उसे रिसर्च फेलोशिप भी मिलने लगी थी, इसलिए उसके अध्ययन के अर्थ का भार माता-पिता पर से अब समाप्त हो चुका था। रीना की उम्र इस समय लगभग तेईस वर्ष की हो चुकी थी, लेकिन इतिहास पर एक नवीन पुस्तक लिखने में वह इस कदर अति व्यस्त हो चुकी थी कि वह अपने व्यक्तिगत जीवन को इस समय लगभग भूल ही गयी। फिर भी परिवार और व्यक्तिगत जीवन के लिए भी उसके मन में सपने थे।

कहते हैं न जीवन में अपनापन का अभाव कभी-कभी बहुत खलता है रीना अध्ययन करते-करते ऐसी सुखद यादों में अक्सर खो जाया करती थी, माता-पिता भाई-बहन के साथ-साथ रेहान का ख्याल आते ही उसके मन और शरीर में अजीब सुखद अहसास होने लगता।

द्वितीय भाग

छुट्टी का समय था एक दिन रीना अपराह्न 3:00 बजे के बाद अपने छात्रावास से निकलकर अकेले ही लगभग 1:30 किलोमीटर दूरी पर स्थित संकटमोचन हनुमान जी के मंदिर पर जाने का मन बनाई वह हल्के पीले रंग का कुर्ता सफेद सलवार पहनी हुई और गले में केसरिया साफा डाले हुयी थी। वह पैदल ही लंका बाजार होते हुए मंदिर जाने लगी। युवावस्था में आ चुका उसका संपूर्ण शरीर इस परिधान में बहुत आकर्षक दिखाई दे रहा था, रीना के इस स्वाभाविक सौंदर्य को बाजार में आते जाते सभी लोग एक बार देख लेना चाहते थे, लेकिन इन सबसे बेखबर रीना के हृदय में इस समय अपने अध्यात्म के केंद्र बिंदु हनुमान जी का ही ध्यान था उसके मन में उन्हीं के दर्शन की ललक थी। चलते-चलते अचानक रीना को यह आभास हुआ कि एक मोटरसाइकिल उसके ठीक सामने आकर रुकी है, उसका ध्यान भंग हुआ, अगर वह तुरंत संभलती नहीं तथा अपना एक कदम और आगे बढ़ाती तो सीधे उस मोटरसाइकिल से टकरा जाती। मोटरसाइकिल वाले की यह हरकत उसे बहुत अटपटी लगी वह उसके बगल से निकलना चाही, तभी उसकी निगाह उस मोटरसाइकिल वाले पर पड़ी, उसने देखा एक सुंदर और आकर्षक युवक उसकी तरफ देखकर मंद-मंद मुस्कुरा रहा है। वह मंदिर जाने की जल्दी में थी युवक का यह अप्रत्याशित व्यवहार उसे बुरा लगा, युवक के चेहरे पर अधकटी दाढ़ी थी, उसे एक बार पुनः देखकर बगल से वह निकलना चाही, तभी युवक बोला रीना क्या मुझे पहचाना नहीं? रीना चौंककर पुनः उसकी तरफ देखने लगी और सोचने लगी कि यहाँ मेरा नाम लेकर पुकारने वाला कौन अपरिचित आ गया, लेकिन आवाज उसे पुरानी जानी पहचानी लगी, उसके चेहरे पर मुस्कुराहट के भाव आ गए और उस युवक को पहचानते हुए बोली अरे रेहान तुम? कितना बदल गए हो? यह दाढ़ी कब से रख लिया तुमने? कितने साल हो गए मिले? अचानक सामने आ

गए इस रूप में कैसे पहचाना तुमने मुझे? मैं तुम्हें दूर से ही देख रहा था और पहचान लिया इसीलिए चौकाने के लिए तुम्हारे समक्ष ऐसे अचानक आ गया। रीना, रेहान को देखकर अत्यंत खुश हुई वह कई प्रश्न एक साथ ही रेहान से पूछ लेना चाहती थी, लेकिन रेहान बोला रास्ते पर कितनी बातें होंगी आओ किसी रेस्टुरेंट में बैठ कर बातें करते हैं। रीना तुरंत बोली नही रेहान मैं मंदिर दर्शन को जा रही हूँ, पहले दर्शन फिर रेस्टुरेंट चलते हैं। रेहान बोला आओ बैठो मोटरसाइकिल पर वहाँ तक एक साथ चलते हैं। रीना बोली तुम भी दर्शन करोगे क्या? रेहान बोला क्यों नहीं दर्शन कराओगी तब न? रीना खुश होकर बोली तो चलो थोड़ी ही दूर पर मंदिर है। रीना और रेहान हनुमान जी के मंदिर पहुँचे, रीना तुरंत मंदिर में प्रवेश करने लगी, लेकिन रेहान रुक गया, रीना बोली क्या हुआ रेहान? गंभीरता में भी एक फीकी मुस्कान के साथ रेहान बोला मैं मुसलमान हूँ रीना, मंदिर में प्रवेश और मूर्ति पूजा मेरे लिए हराम है। रीना, रेहान के इस शुष्क जवाब से अत्यंत गंभीर हो गई और माथे पर बल लाकर बोली घर वालों ने मना किया है क्या? रेहान बोला घर वालों ने तो नहीं पर कुछ धर्मगुरुओं ने जो अक्सर बाहर से आते रहते हैं उन्होंने ही ऐसा करने से सख्त मना किया है। कौन बाहरी लोग हैं और कैसे धर्मगुरु तुमसे मिलते हैं रीना का पुनः प्रश्न हुआ? रेहान ने कहना शुरू किया मैं पिछले कई सालों से जहाँ रहता हूँ वही ये वहाबी और जमाती लोग अक्सर आते रहते हैं और युवा मुस्लिमों को ये सब बातें बताते रहते हैं कि बुत परस्ती मुसलमान के लिए हराम है केवल अल्लाह का नाम लो। पूछा नहीं क्यों, रीना ने तुरंत प्रश्न किया? रेहान ने जवाब दिया क्या पूछता? और क्यों पूछुं? वे मुसलमान है और मैं भी मुसलमान हूँ उन लोगों से पूछने का कोई मतलब नहीं है क्योंकि वे लोग तार्किक नहीं होते हैं। समस्त जिज्ञासाओं को मजहब, सरियत, कुरान, हदीस का हवाला देकर दबा देते हैं और कहते हैं कि यही अंतिम है। मन में केवल कट्टरता भरते हैं और गैर मुसलमानों को काफिर कहते हैं और उनके साथ किसी प्रकार के संबंध को खराब बताते हैं तब तक जब तक उसे भी मुसलमान न बना लो। रीना, रेहान के इन सब बातों को सुनकर अवाक हो गई, इतने दिनों बाद रेहान से मिलने की खुशी उसकी क्षण भर में गायब हो गयी। वह बहुत दुःखित होकर बोली, रेहान मुझे तुमसे इस बात की कतई उम्मीद नहीं थी। तुम लगभग पाँच-छः वर्षों बाद मुझसे मिले हो, मैं तो तुम्हें देखकर बहुत खुश हुयी कि चलो बचपन का साथी इतने दिनों बाद आज मिला है। रीना आगे बोलती रही बारह-तेरह वर्षो तक हम दोनों एक साथ, एक ही विद्यालय, एक ही कक्षा में पढ़े, साथ में खेले-कूदे, आपस में हंसी मजाक,

छिना-छपटी सब कुछ होता था और ये सब मित्रता की गहराई के कारण हुआ इसमें हिंदू मुसलमान का भाव कभी आया ही नहीं, लेकिन अब जब तुम इतने पढ़-लिख लिए अपनी संगत बदल दी तो अब तुम्हारे शब्दों में मैं गैर मुस्लिम अर्थात काफिर मतलब शैतान हो गई? क्रोध में आकर रीना बोली तुम चेहरे से ही नहीं वाकई ह्रदय से भी बदल गए हो रेहान। मैं कितनी बातें तुमसे करने वाली थी और पूछने वाली भी थी पर तुमने और तुम्हारे उस जाहिल मुस्लिम पंथ के मुल्लाओ ने सब कुछ खत्म कर दिया। रीना आवेश में पहली बार रेहान से इतना कटु वचन बोलती चली गई। उसे यह भी समझ में नहीं आया कि इसका रेहान पर क्या असर पड़ेगा? पर जब क्रोध अपनों पर आता है तो उसे व्यक्त करने में व्यक्ति सारी बंदिशें तोड़ ही देता है, शायद इसी को अपनापन कहते हैं, पर इस भाव को भी जो अपना होता है वही समझ भी पाता है। रेहान रीना की बातों को सुनकर और उसके तमतमाए हुए चेहरे को देखकर थोड़ी देर के लिए सहम गया फिर भी अपनापन दिखाते हुए बोला रीना तुमने कैसे यह अर्थ निकाल लिया कि मैं बदल गया हूँ। तुम्हें देखकर और तुम्हारी बातें सुनकर! रीना की आवाज में वही कठोरता थी, तुम्हारे चेहरे पर की दाढ़ी का जो स्वरूप है वह बता रहा है कि तुम एक कट्टर मुस्लिम हो चुके हो। रेहान पुनः नरमी भरे अंदाज में ही बोला नहीं रीना यह दाढ़ी तो बस उन लोगों के संगत के असर के कारण रख लिया हूँ। उनको दिखाने के लिए, सोचो रीना अगर मैं पूर्णतया बदल गया होता तो तुमसे ये सब बातें नहीं करता। रेहान की प्रिय बातें सुनकर रीना थोड़ा नरम हुई और बोली तो ऐसे अलगाववादियों के संगत में तुम रहते ही क्यों हो रेहान? रीना के प्रश्न पर रेहान ने पलटकर उसी से प्रश्न कर दिया, रीना अब मैं तुमसे पूछता हूँ कि तुम देश की सरकार से यह क्यों नहीं पूछती हो कि ऐसे अलगाववादी इस देश में आते ही क्यों हैं, वे यहाँ रहते ही क्यों हैं, और इस देश में पैदा ही क्यों किए जा रहे हैं? सरकार इनको इतनी सुविधा क्यों दे रही है उनके अलग से मदरसे क्यों चल रहे हैं? जिसके कारण यहाँ कोई वहाबी है, कोई जमाती है, कोई बरेलवी है, तो कोई देवबंदी है। कोई सिमी से जुड़ा है, तो कोई पी एफ आई से जुड़ चुका है और आश्चर्य है कि सब के सब इस देश का खाते हैं और इस देश का खाकर अराष्ट्रीय विचार इस देश के ही मुसलमानों को परोसते हैं, अब बताओ मुसलमान जब अपने धर्म से ही जुड़े रहेंगे तो कट्टर और अलगाववादी ही होंगे न? शांत रेहान के शब्दों में अब थोड़ी तल्खी आई पर क्षणिक हीं। रीना, रेहान की कटु किंतु सत्य वाणी सुनकर बिल्कुल शांत होकर रेहान से पूछी रेहान तुम क्यों जुड़ रहे हो इनसे? क्यों न जुंडू रीना? ऐसा कहते

हुए रेहान के चेहरे पर पीड़ा का भाव आ गया और बोला मैं भी मुसलमान हूँ। हिंदू मुझे मुसलमान समझकर दूरी बनाते हैं कोई-कोई तो मुझे पाकिस्तानी कहकर व्यंग भी करता है। सोचो इसकी पीड़ा क्या मुझको नहीं होती होगी? रीना सब मुसलमान एक जैसे नहीं हैं, हाँ मैं मानता हूँ यहाँ के मुसलमान अधिक संख्या में कट्टर और अलगाववादी हो चुके हैं पर तुम ही बताओ इस देश में हर जाति वाले अपने को दूसरों से श्रेष्ठ समझते हैं, इस देश में इतने पंथ हैं सब एक दूसरे से अपने को बड़ा ही मानते हैं तो वो मुसलमान जो यद्यपि देश भक्त है क्यों न अपने को प्रथम रूप में मुसलमान ही समझे? रेहान की इस उक्ति को सुनकर रीना थोड़ा संयत होकर बोली नहीं रेहान ऐसा नहीं है जैसा तुम सोच रहे हो हिंदू इस देश में इतना अत्याचार झेल चुका है कि उसके अंदर की वि। मान सहिष्णुता अब दरकने लगी है और उसी कारण कभी-कभी उसकी प्रतिक्रिया बहुत खराब दिखाई देने लगती है और उसके अंदर से दूसरों को स्वीकार करने की क्षमता अब धीरे-धीरे लुप्त होने लगी है। लेकिन हिन्दुओं में ऐसा परिवर्तन केवल अलगाववादियों के कारण ही हो रहा है। इतना कहकर रीना बीच में अपनी बात रोककर अचानक बोली अच्छा छोड़ो ये सब बातें मैं मंदिर के अंदर जाकर दर्शन करके आती हूँ। रेहान तुरंत बोला रूको रीना मैं भी चलूँगा तुम्हारे साथ दर्शन करने। नहीं रेहान रीना बोली तुम रुको मैं आती हूँ अभी। ऐसा कहकर रीना तुरंत मंदिर के अंदर चली गई।

रेहान बाहर ही सड़क के किनारे अपने मोटर साईकिल के पास खड़ा रीना को मंदिर के अंदर जाते देखता रहा। रेहान रीना के बाहर आने का इंतजार करते-करते यह सोचने लगा कि इस अति प्राचीन देश में मैं मुसलमान क्यूँ हूँ? क्या इसी कारण से यहाँ के मूल वासी हिंदुओं से मैं अलग हूँ? जब यह देश भारतवर्ष या हिंदुस्थान बोला जाता है तो उस लिहाज से तो मुझे भारतीय या हिंदू ही कहा जाना चाहिये पर मुसलमान होने मात्र से किसी में अलगाववादी भाव क्यों आ रहा है? मुसलमान के रूप में जन्म लेने मात्र से मुझे अलग क्यों समझा जा रहा है? इस देश के मुसलमान अलग क्यों हो रहे हैं? इतने सारे प्रश्न एक साथ रेहान के मन में थोड़ी ही देर में आ गया। उसने स्वयं से कहा इन प्रश्नों का निराकरण होना ही चाहिए, रीना की बातों में कुछ तो दम है। उसने मोटरसाइकिल के शीशे में अपना चेहरा देखा, चेहरे पर एक विशेष प्रकार की दाढ़ी देखी, उसके मन में प्रश्न उठा क्या मैं वास्तव में मुसलमान लगता हूँ? फिर मन में ही स्वीकार किया कि जरूर मेरे चेहरे से तो ऐसा ही दिखता है। वह सड़क पर आने-जाने वालों को देखने लगा कई नौजवान दिखे उनके भी चेहरे

पर दाढ़ी थी, पर उसने महसूस किया कि उनकी दाढ़ी मेरे जैसी तो नहीं है। अब उसकी नजर मंदिर में आते-जाते लोगों पर गयी, हर कोई मंदिर में जाते-जाते उसे एक बार जरूर घूर रहा है क्योंकि मैं ही एकमात्र यहाँ मुसलमान दिख रहा हूँ, लोग सोच रहे होंगे कि एक मुसलमान मंदिर के बाहर क्यों खड़ा है? रेहान फिर सोचने लगा और स्वयं से पुनः प्रश्न किया कि एक मुसलमान होने के कारण ही क्या मैं मंदिर के अंदर नहीं जा सका? उसके अंदर से ही जवाब आया रेहान, तुम मंदिर के अंदर नहीं जा सकते हो क्योंकि तुम एक मुसलमान हो, एक कट्टर मुसलमान हो, यह काफिरों का मंदिर है, जिनसे तुम्हें घृणा करनी है, दूरी बनानी है, मूर्ति को बुत कहते है और मुस्लिम पंथ में बुत-परस्ती की सख्त मनाही है। ऐसा सोचते-सोचते रेहान को वहाँ अकेले खड़े-खड़े डर लगने लगा, उसे स्वयं मुसलमान होने पर घृणा होने लगी, वह घबरा गया और तुरंत पास स्थित एक चबूतरे पर बैठ गया और अपनी आंखें बंद कर लिया, उसे क्षण भर के लिए उस समय बहुत ही मानसिक थकान का अनुभव होने लगा था। आंखें बंद करने के बाद रेहान धीरे-धीरे अपने पिछले जीवन को याद करने लगा। उसके जीवन की बीती हुई घटनाएँ उसके समक्ष चलचित्र की भांति क्रमशः घूमने लगी, वो ग्रामीण जीवन, गांव के समस्त जातियाँ हिंदू-मुस्लिम के साथ बिना भेद-भाव के समरसता पूर्ण व्यवहार, रीना के साथ कक्षा 12 तक का स्कूली जीवन और फिर आगे की पढ़ाई और अब नौकरी तथा उन अलगाववादियों का संगत और उनकी कट्टरता से भरी सब बातें एक क्षण में उसे सब याद आ गई, वह उसी में खो गया। अचानक उसे रीना की मधुर आवाज सुनाई दी वह कह रही थी रेहान क्या सोचने लगे? रेहान अचानक अपनी बंद आंखें खोला तो देखा रीना सामने खड़ी थी, उसके एक हाथ में हनुमान जी का प्रसाद था और माथे पर सिंदूर का तिलक लगा था। दर्शन, पूजा और तिलक के कारण, रीना के चेहरे की आभा और बढ़ गई थी, उसने बिना पूछे ही रेहान के मस्तक पर अपने दाहिने हाथ से हनुमान जी के सिंदूर वाला टीका लगा दिया। उस समय रेहान एकदम एक आज्ञाकारी बालक की भांति रीना के समक्ष खड़ा रहा, उसे अपने मस्तक पर तिलक के साथ रीना के अंगुली का स्पर्श बहुत अच्छा लगा। रीना बोली रेहान देखो अपना चेहरा दर्पण में जो हनुमान जी के प्रसाद से अब कितना सुंदर हो गया है। रेहान झटपट मोटरसाइकिल के दर्पण में अपना चेहरा देखने लगा और बोला वाकई रीना इस सिंदूरी तिलक ने तो मेरे चेहरे का रंगत ही बदल दिया, बहुत अच्छा लग रहा है तुम्हारा व्यवहार रीना। रीना ने बिना झिझक तुरंत हनुमान जी के प्रसाद का एक पेड़ा रेहान के मुंह में डाल दिया। पुनः रेहान को रीना का

प्रसाद इस तरह से खिलाना बहुत अच्छा लगा। दोनों प्रेम भाव में एक दूसरे को कुछ देर तक ऐसे ही देखते रहे।

शाम होने लगा था, रेहान को लगभग 15 किलोमीटर दूर अपने गांव भी जाना था, उसने रीना से कहा, रीना दिन ढलने को है आओ जहाँ रहती हो वहाँ तक तुम्हें छोड़ दूँ। रीना बोली अरे ऐसे कैसे रेहान इन पाँच-छः वर्षों में तुमने क्या किया पहले उसे तो बताओ, रेहान बोला मैं तो बताने ही वाला था पर तुमने तो बिल्कुल मुझे ऐसे विषय में उलझाया कि अपने बारे में बताने और तुम्हारे बारे में जाने का मुझे मौका ही नहीं मिला। रीना हंसते हुए बोली तो आओ अभी अंधेरा होने में लगभग 1 घंटे का समय है पास के एक (रेस्टोरेंट) जल-पान गृह में चलते हैं थोड़ा नाश्ता भी कर लेते हैं और साथ ही एक दूसरे का हालचाल भी कर लेते हैं।

जल-पान गृह में ये दोनों बचपन के साथी प्लेट में रखे मीठा को खाते वक्त एक दूसरे से बात करने लगे, रेहान बोला रीना तुम तो जानती ही हो कि मुझे इंजीनियर बनने का शौक था इसलिए कक्षा 12 के बाद अपने एक रिश्तेदार के यहाँ दिल्ली चला गया, कुछ महीने उसकी तैयारी की और उसके बाद आई०आई०टी० रुड़की में मेरा प्रवेश हो गया, वहाँ इंजीनियरिंग की पढ़ाई पूरी करने के बाद दिल्ली के पास स्थित एक इंटरनेशनल फर्म में मुझे पंद्रह लाख वार्षिक पैकेज की एक नौकरी कुछ महीने पहले ही मिली है। इस प्रकार दिल्ली में ही रहकर वही जॉब भी कर रहा हूँ। इधर घर आए बहुत दिन हो गया था इसलिए चार दिन की छुट्टी पर कल ही घर आया हूँ। घर के लिए कुछ सामान खरीदना था इसलिए आज शहर आ गया था और संयोग हुआ कि तुमसे मुलाकात हो गई। रीना रेहान की 6 वर्षों की जीवन-गाथा बहुत ध्यान से सुन रही थी और पूछी यहाँ भीड़ में अचानक कैसे पहचाना मुझे रेहान? इस पर रेहान थोड़ा भाव में बोलने लगा रीना जब हृदय में मिलन की चाह रहती है तो भीड़ में भी अपने अपनों को खोज ही लेते हैं। रीना हंसते हुए बोली अच्छा अब एक इंजीनियर साहित्य की भाषा बोलने लगा है। रेहान रीना की बात पर उलझा नहीं बोलता गया, पहचाना तो बाद में, पहले दूर से ही तुम पर निगाह पड़ी मेरा ध्यान सामान खरीदने पर था, मैं सोच भी नहीं सकता था कि तुम यहाँ अचानक मिल जाओगी, फिर मैंने दोबारा तुम पर ध्यान दिया तो लगा कि यह जाना-पहचाना चेहरा है, उसके बाद मुझे विश्वास हो गया कि यह रीना ही है तब मैं मोटरसाइकिल लेकर अचानक तुम्हारे समक्ष आ गया और तुमसे मेरा इस तरह एक सुखद मिलन हो गया। रीना व्यंग में बोली इतने दिनों बाद मिले भी तो इस बदले रूप में। रेहान

तुरंत रीना को टोका, छोड़ो रीना उस बात को अपने बारे में कुछ बताओ। रीना ने अपने जीवन की इस दौरान बीती सब बातें रेहान को बता दी और आगे अपने जीवन के उद्देश्य को भी बता दिया। तुमने शादी किया कि नहीं रेहान? रीना तुरंत रोमांटिक मुद्रा में होकर अपने व्यक्तिगत जीवन पर आ गई। अभी तो नहीं रेहान ने भी उसी अंदाज में जवाब दिया और तुरंत प्रश्न भी किया और तुमने रीना? रीना बोली, बता दिया न शोध कार्य के बाद ही शादी। रीना प्यार भरे अंदाज में फिर बोली अपने जीवन से संतुष्ट हो रेहान? रीना रेहान के अंदर छिपे भाव को समझने का प्रयास करने लगी। रेहान कहने लगा अभी जीवन ही क्या है मेरा रीना, हाँ इतना है कि यह इंजीनियर की नौकरी मुझे बहुत लंबी नहीं करनी है। फिर क्या सोचा है रेहान? रीना ने प्रश्न किया। रेहान बताने लगा मुझे इस शहर में एक विद्यालय खोलने की इच्छा हो रही है। रीना तुरंत रेहान को टोकी शहर में क्यों, गांव में खोलो। रीना की यह बात सुनकर रेहान ने रीना के चेहरे पर अब गहराई से ध्यान देने लगा जहाँ उसके प्रति अपनत्व का भाव साफ दिखाई दे रहा था। रीना बोलती रही शहर में तो बहुत विद्यालय है आवश्यकता गांव में है। जहाँ लड़के लड़कियों को दूर-दूर तक पढ़ने जाना होता है इसलिए अर्थाभाव के कारण उनकी शिक्षा अधूरी रह जाती है। तो विद्यालय वहाँ हो जहाँ उसकी अधिक आवश्यकता हो। रेहान थोड़ा भाव में बोला तुम ठीक कह रही हो रीना पर यह काम बिना तुम्हारे सहयोग के नहीं हो सकता है। तुम मेरे जीवन को बदल सकती हो रीना, माता-पिता के बाद एक तुम ही हो जो मुझे अच्छी तरह से समझती हो और मेरे जीवन में बदलाव ला सकती हो कहते-कहते रेहान का हाथ कब रीना के हाथ पर चला गया उसे पता ही नहीं चला। रीना रेहान की आंखों में आँखे डाले प्यार भरी नजर से उसके चेहरे को देखने लगी उसे रेहान के हाथों का स्पर्श अच्छा लगने लगा उसने अपना हाथ खीचा नही, वह रेहान की बातों के तह में जाना चाहती थी। वह समझने लगी कि रेहान अब वो बात करने लगा है। जो हम दोनों के जीवन का अहम् हिस्सा होने वाला है। जिसे हम एक दूसरे के लिए सोचते भी हैं पर कह नहीं पाते। रेहान रीना से पूछा क्या हम दोनों का जीवन दोस्ती से आगे बढ़कर एक दूसरे के लिए हो सकता है? हम लोगों का भावी जीवन क्या अब साथ-साथ चल सकता है? रेहान के इस बेहद आत्मीय प्रश्न पर रीना एक बारगी मौन हो गई उसने नजरे दूसरी तरफ घूमा ली। रेहान ने ही मौन तोड़ा रीना क्या तुम मेरी जीवन संगिनी बन सकती हो? रीना ने भी अब मौन तोड़ा और बेझींझक बोली रेहान तुम मेरे बचपन के साथी हो तुमसे अच्छा मेरे लिए और कोई दूसरा जीवन साथी नहीं हो सकता है पर......

...? आगे वह अपना हाथ रेहान के हाथ से हटाते हुए मौन हो गई। रीना के मौन पर रेहान घबराहट में आगे बोला पर क्या रीना? फिर भावुक होकर वह आगे बोला हम दोनों के बीच धर्म आड़े आ रहा है क्या? रेहान के इस प्रश्न पर रीना के चेहरे की मुद्रा अचानक बदल गई उसने सख्ती से बोला धर्म नहीं रेहान तुम्हारा मजहब आड़े आ रहा है। रेहान की नजर रीना के चेहरे से हटकर झुक गई और शुष्क चेहरे से बोला तो क्या करूँ रीना अपना घर छोड़ दूँ? अपने माता-पिता को छोड़ दूँ? रीना उसी गंभीरता में बोली यह मैंने कब कहा कि तुम अपने माता-पिता को छोड़ दो। रेहान के चेहरे पर दर्द का भाव स्पष्ट दिखाई दे रहा था वह बोला जब तुम अपने धर्म को नहीं बदल सकती और न मैं अपने धर्म को बदल सकता हूँ तो हम दोनों जीवन में कैसे एक साथ रह सकते हैं? रीना संयत होकर बोली मुस्लिम पंथ धर्म नहीं वह एक पूजा पद्धति है जिसके अनुयायियों को मुसलमान बोला जाता है धर्म छोड़ा नहीं जाता है बल्कि लोगों को अच्छा बनने के लिए, मानव बनने के लिए धर्मानुसार आचरण करने की प्रेरणा हमारे सनातन धर्म में दी जाती है। कहा जाता है 'सत्यं वद धर्म चर' ऐसा बोलते हुए रीना प्यार से रेहान का हाथ पकड़कर बोली एक बात मेरी मानोगे रेहान? रेहान ने प्यार से ही कहा तुम्हारी हर बात मानूँगा रीना कहो तो। रीना बोली मेरी बात का बुरा मत मानना पर तुम एक मुसलमान हो एक कट्टर पंथ के अनुयायी मात्र हो लेकिन अब तुम्हें धार्मिक बनना पड़ेगा। रेहान रीना की बातों से थोड़ा झुझला गया अपना हाथ रीना से छुड़ाते हुए बोला तो क्या मुसलमान धार्मिक नहीं होते हैं? रीना ने पुनः रेहान का हाथ पकड़ा और उसे समझाने लगी मेरी बात समझो रेहान जहाँ तक इस देश के मुसलमानों की बात है इस देश की संस्कृति और सभ्यता के संस्कार से कोई एकाध मुसलमान धार्मिक तो हो सकता है पर पूरा का पूरा मुस्लिम समुदाय वहाबियों, जमातियों के प्रभाव में कट्टर अलगाववादी और अधार्मिक ही होता है जैसा कि तुम्हें स्वयं भी अनुभव है। रेहान अब रीना की बातों के प्रभाव में आ चुका था वह रीना से बच्चों जैसी बातें करने लगा क्योंकि उसे इन सब विषयों की कोई विशेष जानकारी नहीं थी। उसने रीना से प्रश्न किया तो क्या इस देश के लिए मुस्लिम समाज का कोई योगदान नहीं है? रीना इस समय रेहान को एक शिक्षिका की भांति समझाने लगी और बोली रेहान यहाँ जब तुम पूरे मुस्लिम समाज की बात करोगे तो तुम्हें बहुत ही निराशा हाथ लगेगी क्योंकि इस पुण्य भूमि पर जब से मुस्लिम पंथ ने पग धरा है तब से वे यहाँ की स्त्रियों, बच्चों पर अत्याचार ही किए हैं। उनके द्वारा यहाँ के पवित्र स्थलों को बार-बार तोड़ा गया है। डर और भय दिखाकर बहुत से हिंदुओं को

जबरदस्ती मुसलमान बनाया गया है। और उन्हें कट्टर बनाकर अलगाववादी इस कदर बना दिया गया कि 1947 में वे देश का रक्त-रंजित विभाजन करा लिए। सोचो! रेहान मातृभूमि का क्या कभी विभाजन होता है? फिर भी मैं मानती हूँ कि इस दौरान भी कुछ मुसलमानों का इस देश के लिए अद्‌भुत योगदान रहा है उनका त्याग और बलिदान अविस्मरणीय है। लेकिन वह भी व्यक्तिगत स्तर पर ही। रीना रेहान को आगे समझाती रही, पता है रेहान मुस्लिम शासन से लेकर अंग्रेजी शासन तक इस देश में असंख्य हिंदू बलात मुसलमान बनाए गए, हिंदू स्त्रियों के साथ मुसलमानों ने बलात्कार किया और पाकिस्तान बनाने के लिए यही पथांतरित मुसलमान अपने ही भाई हिंदुओं की हत्या की और अपनी ही माताओं बहनों की इज्जत लूटी। रेहान बीच में पुनः बोला तो क्या हिंदुओं ने मुसलमानों की हत्या नहीं की? रीना का तुरंत जवाब आया तो क्या हिंदू प्रतिक्रिया भी ना करें? रीना थोड़ा आवेश में आते हुए बोली कैसी बात करते हो रेहान, हिंदुओं को इतना शांत और अहिंसा का पुजारी मत समझो, उन्हें अपनी ही मातृभूमि पर अत्याचारियों के अत्याचार का क्या बदला नहीं लेना चाहिए? रीना आगे चेतावनी भरे अंदाज में रेहान से बोली यह मत भूलना रेहान हिंदुओं को भी मुस्लिम अत्याचार का बदला लेने आता है। रीना का क्षड़िक रौद्र रूप देखकर रेहान थोड़ा सहम कर अगल-बगल देखने लगा और बोला पता नहीं रीना जो तुम कह रही हो उस पर मेरा कोई विशेष अध्ययन नहीं है और न ही जिनके बीच में बैठता हूँ उन्होंने इस पर कुछ मुझे बताया है। रीना उसी भाव में बोली तो करो अध्ययन रेहान, जिनके बीच तुम बैठते हो यह विषय वे कभी भी तुम्हें नहीं बताएँगे, वे केवल हिंदुओं पर अत्याचार करने के लिए ही तुम्हें उकसाएँगे। रेहान रीना की बातों पर गंभीर होकर बोला जरूर करूँगा अध्ययन रीना तुम्हारे लिए ही करूँगा। रीना ने तुरंत रेहान की बात काट दी मेरे लिए नहीं रेहान देश के लिए अध्ययन करो। जब देश के लिए कुछ करोगे तो वह स्वाभाविक रूप से मेरे लिए भी हो जाएगा।

बात करते-करते रेहान ने घड़ी देखी समय अधिक हो गया था, ठीक है रीना वह पानी पीकर उठा रीना भी कुर्सी से उठी और नाश्ते का पैसा वेटर को देना चाही पर रेहान ने रीना को रोका और बोला अरे रीना यह अधिकार तो मत छीनों मुझसे, नौकरी के बाद पहली बार हम दोनों मिले हैं तुम्हारा मुंह मीठा कराना मेरा पहला कर्तव्य बनता है। रीना बोली उम्मीद करती हूँ आगे भी तुम अपने इस कर्तव्य का निर्वहन करते रहोगे। जी, रीना जी रेहान ने काउंटर पर पैसा देने के बाद झुककर मजाकिया अंदाज में रीना से बोला और फिर दोनों गंभीरता

छोड़कर हंसते हुए जलपान गृह से बाहर आ गए। अंधेरा हो गया था रेहान बोला चलो तुम्हें छोड़ देते हैं, रीना बोली नहीं रेहान तुम सामान लेकर घर जाओ तुम्हें देर हो रही है। मैं छात्रावास में रहती हूँ बाजार से कुछ सामान खरीद कर पैदल ही वहाँ चली जाऊँगी। संपर्क सूत्र (मोबाइल) एक-दूसरे का लेकर दोनों एक-दूसरे से विदा होने लगे। चलते-चलते रेहान बोला रीना अब मैं गहन विचार करके ईद पर तुमसे पुनः मिलूँगा। रीना बोली ईद पर नहीं अब मुलाकात हमारी होली के पर्व पर होगी। रेहान हंसते हुए बोला ठीक है ठीक है रीना चलता हूँ खुदा हाफिज, रीना ने अभिवादन का जवाब दिया नमस्ते रेहान जय राम जी की। रीना के अभिवादन शैली पर रेहान मुस्कुराया और घर को चल दिया।

रीना के छात्रावास आते-आते काफी अंधेरा हो गया था, वह छात्रावास अपने कमरे में आते ही हाथ-मुंह धोकर तुरंत अध्ययन करने बैठ गई क्योंकि भोजन में अभी दो घंटे का समय था। रेहान भी लगभग 15 किलोमीटर दूर अपने गांव लगभग आधे घंटे में पहुँच गया पर उसका ध्यान बार-बार रीना की कही हुई बातों पर विशेष रूप से चला जाता था। वह समझ नहीं पा रहा था कि मुस्लिम समाज आखिरकार इतना क्रूर और अराष्ट्रीय कैसे हो गया है? वह तबलीगी जमातियों और उलेमाओं की बातों से रीना की बातों का मिलान करने लगा, उसने गौर किया कि उलेमाओं और मुल्लाओं की बातों में कहीं भी राष्ट्र प्रेम की भावना का दर्शन नहीं दिखाई देता है। इसलिए उसे रीना की कटु बातों में भी सत्यता नजर आने लगी, रेहान के मन में दृढ़ता से यह बात घर करने लगी कि इस देश में यदि मुस्लिम धर्मगुरु हिंदुओं के अधिकारों को समाप्त करके केवल मुस्लिमवाद फैलाने की बात करेंगे तो इस बात की हिंदुओं में प्रतिक्रिया तो होगी ही, जिसे कोई नहीं रोक सकता है।

घर पहुँचते-पहुँचते रेहान को भी काफी अंधेरा हो गया था, अपने माता-पिता का वह इकलौता संतान था, माता-पिता और उसके चचेरे भाई-बहन सभी देर होने के कारण उसी की राह देख रहे थे। घर में दाखिल होते ही रेहान के चेहरे पर सब की नजर पड़ी उसके माथे पर हनुमान जी के प्रसाद के रूप में सिंदुरी तिलक लगा था, जिसे रेहान ने अभी तक मिटाया नहीं था। क्योंकि उसकी परम प्रिय दोस्त ने उसे स्वयं अपने हाथों से यह तिलक लगाया था। रेहान की चचेरी बहन आयशा उससे छोटी पर चुलबुली थी बोली, भाई मंदिर गए थे क्या? रेहान आयशा से मुस्कुराते हुए बोला हाँ मंदिर दर्शन के लिए चला गया था, आयशा भी रेहान के मुस्कुराहट पर मुस्कुराई और बोली कुछ विशेष बात तो नहीं है न भाई। रेहान आयशा के मजाकिया अंदाज पर उसके सर पर धीरे से एक चपत

लगाते हुए बोला अरे नहीं रे मंदिर जाने में विशेष बात क्या होगा? रेहान हल्के अंदाज में विषय को गौड़ करना चाहा पर परिवार के अन्य सदस्य उसके इस स्वरूप से थोड़ा नाराज दिखे। रेहान के स्वभाव से वे लोग परिचित थे इसलिए किसी ने कुछ कहा नहीं लेकिन उसके चाचा अब्दुल्ला से नहीं रह गया बोल ही दिए रेहान, मुसलमान को मूर्ति पूजा की मनाही है। तार्किक स्वभाव के कारण और रीना की अकाट्य बातें सुनने के बाद दृढ़ विचार वाले रेहान ने अपने चाचा से तुरंत प्रश्न किया कब से चचा जान? आप लोग मुसलमान कब बन गए और मूर्ति पूजा करना कब से छोड़ दी? रेहान द्वारा पलटकर इस प्रकार के प्रश्न करने की उम्मीद परिवार के लोगों को कत्तई नहीं थी क्योंकि रेहान परिवार के बड़ों के समक्ष प्रायः कम ही बोलता था, आज उसके इस प्रश्न से सभी लोग एक बारगी मौन हो गए, मौन होने के पीछे एक कारण यह भी था कि उनके समझ में नहीं आ रहा था कि रेहान को इस प्रश्न का वे लोग क्या जवाब दें? सभी लोग उस समय तो हट-बढ़ गए, पर रेहान को तो इस प्रश्न का उत्तर ढूंढना ही था।

दूसरे दिन रेहान अपने पिता बिस्मिल्लाह सिद्दीकी के साथ बैठकर घर के विषय पर बात-चीत करने लगा। बात करते-करते उसे कल वाली जिज्ञासा का ख्याल आया वह पूछा अब्बा यह बताएँगे हमारा परिवार पूर्व में कब मुसलमान बना होगा? कुछ पता है आपको? उसके पिता ने कहा नहीं रेहान इस संबंध में मुझे बहुत स्पष्ट जानकारी नहीं है, पर बाप-दादा के कथनों के अनुसार इतना मैं कह सकता हूँ कि मुगलकाल में ही किसी समय हमारे पूर्वज मुस्लिम पंथ स्वीकार किए होंगे, पीढ़ी दर पीढ़ी से आई जानकारी के आधार पर मैं इतना कह सकता हूँ कि हम सब के पूर्वज ब्राह्मण थे। हमारा केशवपुर गांव जैसा तुम देख रहे हो ब्राह्मण बाहुल्य है पर सभी मुसलमान नहीं बने या तो ये शेष लोग अपने धर्म पर अडिग रहे हों, या बाहर से आए हों। यह भी हो सकता है कि हमारे पूर्वजों को प्रलोभन दिया गया हो, भयभीत किया गया हो। क्योंकि यहाँ भूमि सबसे अधिक हम मुसलमानों के पास ही थी, धीरे-धीरे हमी लोगों से खरीद कर और लोगों को भी भूमि होती गई। इसलिए रेहान, कहा जा सकता है कि केवल अत्याचार ही नहीं प्रलोभन भी हिंदुओं के पथांतरण का कारण बन सकता है। रेहान अपने पिता की बात गंभीरता से सुन रहा था उसने पूछा अब्बा यह बताइए हमारे पूर्वज क्या अपने हिंदू भाइयों से तुरंत दूरी बना लिए या यह अलगाव धीरे-धीरे हुआ, उसके पिता बोले अरे नहीं रेहान मेरे अब्बा के जीवन काल तक हम सभी लोग हिंदुओं के साथ समरस थे। सब तीज त्यौहार हम मिलकर ही

मनाते थे यह तो जब देश में वहावी आंदोलन का फैलाव होने लगा, अंग्रेजों का तुष्टिकरण प्रारंभ हुआ तब धीरे-धीरे हमें शुक्रवार को नमाज आदि करने की आदत पड़ी, मुल्ला मौलवियों की बात सुनते-सुनते हमारे अंदर कट्टरता आने लगी और फिर हम मुसलमान जैसा दिखने लगे। पाकिस्तान बनने के बाद तक तुम्हारे दादा यानी मेरे अब्बा कभी भी नमाज नहीं पढ़े थे। वे हमेशा पाकिस्तान का विरोध करते रहे और हिंदुओं तथा इस देश के साथ रहे और इसीलिए वे पाकिस्तान गए भी नहीं। विभाजन के बाद भी सरकार का और हिंदू संगठनों का ध्यान अगर इधर गया होता तो हो सकता था हम सभी मुसलमान से पुनः हिंदू हो गए होते और अगर नहीं भी होते तो अलगाववादी या कट्टर तो नहीं ही होते। रेहान अपने पिता की बातों से उत्साहित हुआ और पूछ बैठा अब भी क्या यह संभव हो पाएगा अब्बा? मियाँ बिस्मिल्लाह बोले नहीं बेटा अब तो देख ही रहे हो विदेशी धन और विदेशी लोगों ने यहाँ इतनी मस्जिदे और मदरसे खुलवा दिए हैं कि मुस्लिम बच्चों को वहाँ की तालीम और मजहबी तालीम से केवल कट्टर ही बनाया जा रहा है, और आश्चर्य होता है कि इस देश की सरकारें इस पर भी हमेशा इन कट्टरपंथियों का ही पक्ष लेती हैं, और उनका तुष्टिकरण ही करती रहती हैं। बिस्मिल्लाह ने रेहान की तरफ देखते हुए बोला तुम शायद नहीं समझ पा रहे हो पर मैं यह बचपन से देख रहा हूँ की जनसंख्या वृद्धि करने में मुसलमान यहाँ खूब लगे हैं। केशवपुर गांव में पहले तीन-चार परिवार ही मुस्लिम थे, पर अब तो देखते-देखते दो गुना हो गए हैं। यहाँ की बहुसंख्यक आबादी ब्राह्मणों की है पर उनकी संख्या उतनी नहीं बढ़ रही है जितना मुसलमानों की बढ़ रही है। वो भी केवल इसे गजवा ए हिंद बनाने के लिए ही, रेहान आने वाले समय में देखोगे कि इस देश में मुसलमानों की संख्या बहुत बढ़ जाने वाली है। इस गांव में तब्लीगियों और जमातियों के समय-समय पर आने से मुस्लिम परिवारों के लड़के देखते-देखते अपने अंदर काफी कट्टरता पाल लिए हैं, मैं तो उनके बीच नहीं बैठता हूँ पर तुम्हारे चाचा अब्दुल्ला जाते हैं तो वही सब बातें हमें बताते हैं।

रेहान को अपने पिता की बातों में रीना द्वारा कही गई समस्त बातों का जवाब मिलता नजर आया। वह बहुत भावुक इंसान था हर बात को गहराई से लेने की उसकी आदत थी। वह अपने पिता के मुंह से ये सब बातें सुनकर काफी संतुष्ट हुआ, अब उसके इतिहास में जाकर इस समस्या को और समझने के लिए वह उत्साहित हो गया। पिता-पुत्र की वार्ता उस दिन यहीं पर समाप्त हो गई। दूसरे दिन रेहान अपने नौकरी पर वापस लौट गया। कंपनी में काम करने के बाद उसे जो भी समय मिलता वह भारतीय इतिहास के गौरवशाली क्षण पर लिखी पुस्तकों

को लेकर पढ़ता साथ ही हिंदू धर्म दर्शन और मुस्लिम पंथ पर विशेष रूप से लिखी गई पुस्तकों का भी अध्ययन करना उसने शुरू कर दिया। अब उसे तब्लीगियों और जमातियों के जलसों में जाने का मन नहीं होता था। यह पूर्व जन्म का संस्कार माना जाए या इसे भारतीय संस्कृति का प्रभाव ही कहें जिसके कारण रेहान देश के उन चंद मुसलमानों में से एक था जिसे अपने पंथ से अधिक अपनी मातृ-भूमि प्यारी थी, इसीलिए उसे उस दिन रीना की बात अच्छी लगी।

मुस्लिम पंथ की पुस्तक 'कुरान' पढ़ते वक्त रेहान को इस बात का आश्चर्य हुआ कि उसमें गैर मुसलमानों के लिए 'काफीर' शब्द क्यों लिखा हुआ है। उसने स्वयं से प्रश्न किया दुनिया इतनी बड़ी है यहाँ अनेक मत व पंथ हैं जिसे मानने वाले सब मानव ही हैं, जब अच्छे कर्मों द्वारा उसमें से कोई भी ईश्वर की भक्ति प्राप्त कर सकता है तो कोई काफिर कैसे हुआ? कुएं के मेंढक की तरह यदि मुसलमान अपने को ही श्रेष्ठ मानेंगे और गैर मुसलमानों को काफिर कहेंगे तो गैर मुसलमानों की निगाह में मुसलमान भी काफीर अर्थात शैतान ही कहे जा सकते हैं। और ऐसा कहने वालों को कोई रोक भी नहीं सकता है। ऐसा सोचते-सोचते रेहान के मन में यह भी प्रश्न उठा कि इस मुस्लिम पंथ के अनुयायियों को मुसलमान नाम क्यों दिया गया है ईमान का इन्हें दूर-दूर तक पता ही नहीं है। हिंदू दर्शन की तुलना में इस विचार के लोग कहीं नहीं ठहरते हैं। हिंदू धर्म में जहाँ 'एकं सद्विप्रा बहुधा वदन्त्यग्निं यमं मातरिश्वानमाहु:' बोला गया है, यह हिंदू धर्म सबमें ईश्वर का वास मानता है। और सबको अपनी बुराइयों पर जीत हासिल करने के लिए मार्ग बताता है तथा धर्म का अनुसरण करने के लिए सबको अवसर प्रदान करता है।

रेहान को कुरान की कुछ आयतें तो बहुत ही बुरी लगीं जिसमें इस प्रकार की बातें लिखी है-

हे ईमान लाने वालों (मुसलमानों) उन काफिरों (गैर मुसलमानों) से लड़ो जो तुम्हारे आस-पास हैं और चाहिए कि ये हमसे सख्ती पावें। -(कु० 9:123)

फिर जब रमजान के महीने बीत जाए तो मुश्-रिकों(मूर्ति पूजकों) को जहाँ कहीं पावो कत्ल करो और पकड़ो और उन्हें घेरो और हर घात की जगह उनकी ताक में बैठो। फिर यदि वे तौबा कर लें, नमाज कायम करें, जकात दें तो उनका मार्ग छोड़ दो। निसंदेह अल्लाह बड़ा क्षमा और दया करने वाला है। -(कु० 9:5)

हे ईमान वालों, मुश्-रिक नापाक हैं। -(कु० 9:28)

नि:संदेह काफिर तुम्हारे खुले दुश्मन है। -(कु० 4:101)

गैर मुस्लिम जहाँ कहीं पाए जाएँगे पकड़े जाएँगे कत्ल किए जाएँगे। -(कु० 33:61)

इस तरह की बहुत सी आयतें पढ़ने के बाद रेहान को मुस्लिम पंथ से वास्तव में घृणा होने लगी। उसने इस पंथ के इतिहास पर कुछ अध्ययन करना शुरू किया। यह एस आर शर्मा और कई लेखकों की पुस्तक के आधार पर इस्लाम पथ सातवीं शताब्दी में एक सैनिक पंथ के रूप में उभर कर आया जिसका श्रेय अरब के मोहम्मद को दिया जाता है ई० सन 570-632 तक इनका जीवन था। मोहम्मद को मुसलमान पैगंबर बोलते हैं अर्थात ईश्वर का दूत। 100 वर्षों में यह पंथ उत्तरी अफ्रीका, एशिया माइनर, आइवेरी प्रायद्वीप तक तथा पूर्व में अरब, ईरान, अफगानिस्तान और तुर्किस्तान तक बहुत गतिशील ढंग से फैला। हिजरी संवत की प्रथम शताब्दी 622-722 के अंत में खलीफा जो मोहम्मद के उत्तराधिकारी थे मक्का इनका आध्यात्मिक केंद्र बना रहा। मुसलमान की दो जातियाँ प्रमुख है एक अरब(सामी) तथा दूसरा तुर्क (तुरानी) अरबों ने मुसलमानो की संस्कृति का निर्माण किया जबकि तुर्कों ने इसे शक्ति और निर्दयता प्रदान की। कालांतर में इस्लामी सभ्यता में अन्य तत्व भी शामिल हो गए। आगे इनके तीन केंद्र बने बगदाद, काहीरा तथा कदोवा। पैगंबर मोहम्मद का उत्तराधिकारी पहला खलीफा बना अबू बकर जो मोहम्मद के ससुर थे लेकिन इस्लाम की अधिकतर विजयों का श्रेय उसके उत्तराधिकारी खलीफा उमर (634-44) को मिलता है। सीरिया, मिस्र, ईरान आदि को उसी ने जीता। उमर के उत्तराधिकारी उम्मैय्यद कहलाए, उमैयत वंश के खलीफा वाहिद प्रथम के राज्यकाल में ही अरबों का सिंध पर आक्रमण हुआ। आगे चलकर उमैयत वंश के प्रतिद्वंदी अब्बासियों ने उनके अंतिम खलीफा को खदेड़ दिया और मिस्र में उसका वध कर दिया और नए वंश की स्थापना की, अबुल अब्बास ने उमैयत वंश के सभी पुरुषों को मारकर उन्ही के शवों के ढेर पर चमड़े की कालीन बिछाकर भोजन किया। उसके सलाहकारों ने उमैयत खलीफाओं की कब्रें खोदकर उनकी हड्डियाँ जलाकर हवा में उड़ा दिया। वास्तव में यह कलह परंपरागत शिया और सुन्नी का था, उमैयत सुन्नी थे तो अब्बासी शिया थे। पहले तीन खलीफा जनता की इच्छा से पद प्राप्त किए थे जबकि की चौथा खलीफा अली मोहम्मद का दामाद था इसलिए शिया इसे खलीफा मानते थे, जबकि सुन्नी पहले तीन को खलीफा मानते हैं। सुन्नियों का झंडा सफेद होता है जबकि शियाओं का झंडा काला होता है। इस प्रकार इस्लामी इतिहास को विस्तार से पढ़ने के बाद रेहान ने भारत में इस्लाम के आक्रमण का इतिहास भी पढ़ा की

कैसे मुस्लिम शासको ने हिंदुओं को बलात मुसलमान बनाया, पूजा स्थलों को तोड़ा, देश को लूटा, इन सब घटनाओं को विस्तार से पढ़ने के बाद रेहान घबरा गया उसकी आंखों में आंसू आ गए, वह सोचने लगा कि इस देश के लगभग 95 प्रतिशत मुसलमान वही हैं जिनके पूर्वजों पर मुस्लिम आक्रमणकारियों ने जुल्म ढाए थे, लेकिन दुर्भाग्य है कि ये उन क्रूरतम यातनाओं को विस्मृत कर इस्लाम के दास बन चुके हैं। अब तो इनको हिंदुओं को अपना पूर्वज मानने में भी शर्म आती है। यह उस कथित पैगंबर के बुद्धि की विलक्षणता का कमाल ही माना जाए कि आज 1400 वर्ष बाद भी वही लोग उसका झंडा उठाए रखने को विवश हैं जिनके पूर्वजों का असीम यातना पूर्वक अंत उसी के अनुयायियों द्वारा कर दिया गया। और घोर आश्चर्य यह भी है कि इतने अत्याचारों और देश विभाजन के बाद भी हिंदू इस देश में ऐसे मुसलमानो को बर्दाश्त कर रहे हैं? इसके पीछे का कारण....? हो सकता है वे अति उदार हो? हो सकता है वे अभी भी अती कमजोर अपने को महसूस कर रहे हो या यह भी हो सकता है की लंबी गुलामी काल और दिशाहीन राजनीतिक नेतृत्व के कारण हिंदू अपना स्वाभिमान ही भूल गए हो? अन्यथा दुनिया का कोई भी देश इतने अत्याचार के बाद भी मुसलमानों को अपने देश में बर्दाश्त न करता और ना ही उन्हें कोई अधिकार देता।

रेहान ने आधुनिक भारतीय इतिहास के अध्ययन के दौरान इस बात को विशेष रूप से प्रकाश में रखा की मुस्लिम शासन के दौरान मुस्लिम पंथ में पथांतरित हिंदू भले ही मुसलमान कहने को थे लेकिन बहुत समय तक अलगाववादी नहीं हुए थे। पर वलीउल्ला देहलवी (1703-1762) द्वारा भारत में चलाए गए वहाबी आंदोलन से मुसलमानों को अलगाववादी कट्टर और जिहादी बनाने का उपक्रम प्रारंभ हुआ। अरब से अब्दुल बहाव के विचारों से प्रभावित सैयद अहमद बरेलवी (1976-1831) एक कट्टर धर्म योद्धा के रूप में भारत आया और यहाँ वह वलीउल्लाह से प्रभावित हुआ, वलीउल्लाह का पुत्र शाह अब्दुल अजीज बरेलवी को जिहाद के संचालन हेतु सैनिक राजनीतिक तथा आध्यात्मिक नेता चुन लिया गया, इस आंदोलन का मुख्य उद्देश्य था भारत में अस्त होती हुई इस्लामी शक्ति को बचाना, मराठों और जाटों की उदीयमान हिंदू शक्ति को दबाना, वलीउल्लाह भारतीय मुसलमानों को भारतीय जीवन की मुख्य धारा से अलग रहने के लिए कहता था कि मुसलमान स्वयं को भारत का नहीं मुस्लिम जगत का ही अंग समझे। इस प्रकार मुसलमानों का हिंदुओं से मिलने का क्रम ही उलट गया। अब्दुल अजीज (1746-1822) ने घोषणा कि की

भारत इस्लामी प्रभु सत्ता की स्थापना के लिए दारुल हरब अर्थात युद्धरत देश है ऐसे ही अन्य अनेक मुस्लिम अलगाववादी आंदोलनों को बाद में अंग्रेजों ने हिंदुओं के विरुद्ध भड़काने में खूब प्रयोग किया। गवर्नर जनरल एलेन बरो 1843 के बाद अंग्रेजों की नीति मुसलमानों को कुछ सुविधाए देकर अपने साथ मिलाने की होने लगी, अंग्रेज अधिकारियों ने इस्लाम के उलेमाओं से अनुरोध किया कि वे मुसलमानों में ऐसा प्रचार-प्रसार करें कि जिससे उनकों विश्वास हो जाए कि अंग्रेजो के क्रिस्तानी शासन के प्रति निष्ठा किसी भी प्रकार कुरान की शरीयतों के प्रतिकूल नहीं है। अंग्रेजों ने मुसलमानों को अपनी तरफ मिलाने के लिए तुष्टिकरण का एक चारा और डाला ताकि मुसलमान बराबर अंग्रेजों की राजभक्ति में फंसे रहे। 1857 के स्वतंत्रता संग्राम में भाग लेने वाले हिंदू जमीदारों की भूमि अंग्रेजों ने उन मुसलमानों में बांट दी जिन्होंने उस घड़ी में अंग्रेजों का साथ दिया था। रेहान को सैयद अहमद खान की भूमिका भी देश के प्रति ठीक नहीं लगी, सैयद अलीगढ़ मुस्लिम शिक्षण संस्था के लिए हिंदू जमीदारों से भूमि लिया और हिंदुओं से सहयोग के लिए उनके बीच हिंदू मुस्लिम एकता की बात करता था। दोनों भारत माता की संताने हैं ऐसा बोलता भी था, पर जब वह मुसलमानों के बीच जाता था, तब वह मुसलमानों को लड़ाकू मुद्रा में आने की बात करता था और गृह युद्ध की धमकी देता था। विस्तार से अध्ययन करने के बाद रेहान की दृष्टि में सैयद अहमद धूर्त और चालाक किस्म का व्यक्ति दिखाई दिया। इन सब ऐतिहासिक जानकारी प्राप्त करने के दौरान रेहान को सबसे अधिक दुखद आश्चर्य तब हुआ जब वह पढ़ा की 1885 में गठित कांग्रेस पार्टी के नेता हिंदू स्वाभिमान को जागृत करने के लिए कुछ किए क्यों नहीं? और जो कुछ कार्य हो रहा था उसकी अवहेलना क्यों किए?

आर्य समाज के शुद्धिकरण कार्यक्रम के द्वारा मुसलमानों को हिंदू बनाने का कार्य बहुत ही अच्छा और राष्ट्र के हित का था, तिलक जी द्वारा प्रारंभ किया गया शिवाजी राज्यारोहण दिवस और गणेश पूजनोत्सव की शुरुआत को भी जन-जन में धार्मिक भावना भरने वाला तथा आत्म गौरव के बोध को दर्शाने वाला माना जाना चाहिए था लेकिन इन सब महान कार्यों को सांप्रदायिकता की श्रेणी में क्यों रखा जाने लगा उस समय के नेतृत्व वर्ग की मानसिकता पर एक गंभीर प्रश्नचिन्ह खड़ा करता है। देश में इसी दौरान हिंदू महासभा और राष्ट्रीय स्वयंसेवक संघ की स्थापना तो एक राष्ट्र जागरण और देशभक्ति का कार्य ही माना जाना चाहिए था लेकिन इन संगठनों को कांग्रेस दल द्वारा तिरस्कृत करना रेहान को बहुत ही अजीब लगा।

रेहान को महीनों लग गया इन महत्वपूर्ण विषयों की जानकारी जुटाने में दिन में फैक्ट्री का काम और रात में इन पुस्तकों का अध्ययन करने में रेहान थक जाता था, पर बीच-बीच में रीना से दूरभाष द्वारा होने वाली बातचीत से उसे जो अनुकूलता और प्यार मिलता था वहीं उसके जीवन का एक बहुत बड़ा संबल हो गया। अब वह बगैर रीना के अपने को अधूरा मानने लगा था उसे अब अलगाववादी मुसलमानों की बात बिल्कुल ही पसंद नहीं होती थी।

तृतीय भाग

घर से आने के बाद एक बार वह तबलीगी जमातियों के जलसे में गया था, शुरुआत में एक मौलवी आया और कुरान की कुछ आयतों को पढ़ने के बाद वहाँ उपस्थित सभी लोगों को समझाने लगा कि कैसे वे लोग शरिया को देश के कानून से ऊपर समझे, अगर आप लोग अपने को सच्चा मुसलमान समझते हैं तो कुरान और हदीस में कही गई बातों को अपने जीवन में अवश्य ही उतारने का प्रयास करें। उस मौलवी की बात को सुनते-सुनते रेहान को क्रोध आने लगा पर संयत होकर उसने मौलवी से प्रश्न किया, मौलाना साहब मुसलमान शब्द का अर्थ क्या है? मौलाना रेहान की तरफ देखकर बोला बरखुरदार एक सच्चा मुसलमान बनने के लिए ही मैं यह सब बातें बता रहा हूँ। जीवन में रोजा रखना, जकात करना, नमाज नियमित रूप से पढ़ना तथा शरिया कानून पर अमल करना ये मुसलमान होने के ही लक्षण है, मौलवी की बात पूरी हो जाने पर रेहान ने उनसे फिर प्रश्न किया मौलवी साहब ये बातें तो आपकी ठीक हैं पर यह बताइए कि जो गैर मुस्लिम है उनके साथ क्या करना चाहिए? एक मुसलमान अपने जन्मभूमि के लिए क्या करें? इस पर भी तो आप कुछ प्रकाश डालें। मौलाना ने रेहान के प्रश्न से उत्साहित होकर बताना शुरू कर दिया कि देखो भाई गैर मुसलमानों के लिए हमारे कुरान में काफीर शब्द लिखा है अर्थात वे शैतान है, उन्हें तब तक सताना है जब तक वह मुस्लिम मजहब स्वीकार नहीं कर लेते हैं। दूसरा जो प्रश्न है तुम्हारा जन्म भूमि वाला तो साफ-साफ बात है यह जन्मभूमि मेरी नहीं है पर इसे अपना बनाना है दारुल इस्लाम बनाकर, अभी तो हमारी दृष्टि में यह देश दारुल हरब है, जिहाद का क्षेत्र है मौलाना के इस बात पर रेहान धैर्य धारण करते हुए बोला मौलाना साहब अगर गैर मुस्लिम भी हमारे बारे में ऐसा ही सोचे तो? रेहान के इस प्रश्न पर मौलाना आवेश में आने लगा और बोला वह ऐसा कैसे कर सकते हैं वे तो काफिर हैं उन्हें गैर मुस्लिम होकर

जीने का हक ही नहीं है, पैगंबर मोहम्मद अल्लाह के अंतिम दूत थे जैसा उन्होंने कहा है हम वैसा ही करेंगे और सच्चा इस्लाम भी यही है, मौलवी की आवेश भरी अनर्गल बातें सुनकर रेहान दृढ़ता से बोला जैसा आप कह रहे हैं मौलाना जी तो इसे इस्लाम नहीं कहते हैं। अच्छा तो तुम्हारे अनुसार इस्लाम क्या है बरखुरदार? मौलाना रेहान का मजाक उड़ाने की अंदाज में बोला। पर रेहान मौलाना के अंदाज को दरकिनार करते हुए उसे शालीनता से जवाब देना शुरू किया मौलाना साहब व्रत उपवास रखना, दान देना, अल्लाह को याद करने के लिए नमाज पढ़ना यह तो ठीक है पर नमाज भी बिना शोर शराबे के हो, उससे किसी को कष्ट ना हो, सार्वजनिक मार्ग पर न पढ़ी जाए इसका भी ध्यान रखना चाहिए, इस्लाम इसकी हिदायत देता है साथ ही इस्लाम यह भी कहता है कि दूसरों को अनावश्यक रूप से सताना ठीक नहीं है रेहान आगे बोलता गया मौलाना जी सच्चा मुसलमान उसे कहते हैं जो अपनी जन्मभूमि के उन्नति में हमेशा सहभागी रहे, अच्छे कार्य के लिए शिक्षा दूसरों को अवश्य दें पर किसी को कुफ्र के लिए बाध्य ना करें जिहाद ना फैलाएँ, रेहान अपनी बात पूरी भी नहीं कर पाया था कि बीच में ही मौलाना क्रोध में आ गया और बोला यह सब बातें तुमने कहाँ पढ़ी है। रेहान मौलाना की बात पर कुछ बोलना चाहा लेकिन जमात में उपस्थित कुछ कट्टरपंथी रेहान की तरफ यह काफिर है मारो इसको कहते हुए बढ़ने लगे, लेकिन रेहान उनको देखकर डरा नहीं साहस दिखाते हुए उनसे भीड़ने को तैयार हो गया लेकिन वहाँ एक दूसरे को मरने-मारने की स्थिति आती उसके पहले ही चार-पांच सभ्य मुस्लिम युवक उठे और रेहान को वहाँ से सुरक्षित बाहर निकाल ले गए।

रेहान को उस जलसे से बाहर करके उसमें से चार युवक पुनः जलसे में शामिल हो गए पर नसीम सिद्दीकी नाम का रेहान का एक खास दोस्त उसके साथ ही चलता रहा। चलते-चलते उसने बहुत प्यार से रेहान के कंधे पर हाथ रखकर कहा देखो रेहान इन सब की बातों का बुरा मत मानना इनकी तालीम केवल मदरसे तक ही है यह पांथिक पुस्तकों के अलावा अन्य किसी धर्म ग्रंथ का अध्ययन ही नहीं करते हैं, देश का इतिहास तक यह नहीं जानते हैं, विस्तृत दुनिया का इन्हें ज्ञान तक नहीं है, शुरू से अंत तक इन्हें केवल एक ही बात समझ में आती है इस्लाम, इस्लाम और केवल इस्लाम। नसीम आगे बोला भाई रेहान अब सोचो आज के भूमंडलीकरण के युग में कुरान में और हदीस में लिखी गई बातों को तर्क की कसौटी पर बिना कसे उसे व्यवहार में कैसे लाया जा सकता है। इन कट्टर और पांथीक बातों से इस्लाम प्रगति के मार्ग पर है की दुर्गति

के मार्ग पर जा रहा है, इस पर इन लोगों ने खुलकर कभी विचार विमर्श ही नहीं किया। इतनी बात बोलकर नसीम मौन हो गया दोनों चलते-चलते एक पार्क के पास पहुँच गए, नसीम ने ही मौन तोड़ा और बोला रेहान आओ अंदर चलकर बैठ कर बातें करते हैं रेहान भी यही चाहता था। पार्क के अंदर एक कोने में खाली चबूतरे पर दोनों दोस्त जाकर बैठ गए, बैठते-बैठते रेहान बोला नसीम बताओ ऐसी स्थिति में हमें क्या करना चाहिए? नसीम बोला कुछ नहीं रेहान बस हमें मुसलमान बने रहना है और मुस्लिम मजहब के लिए संघर्ष करते रहना है। भृकुटी टेढ़ी करते हुए रेहान ने कहा मतलब? नसीम आगे कहना जारी रखा मतलब इस्लाम के लिए गैर मुसलमानों से लड़ना, उन्हें मुसलमान बनाना, इस देश को दारुल इस्लाम बनाना आदि-आदि। रेहान थोड़ा आवेश में आकर फिर बोला तुम्हारा आशय है कि हम जीवन भर बस दूसरों से लड़ते रहे शांतिपूर्ण जीवन ना जिए? नसीम धैर्य पूर्वक बोला हाँ रेहान लड़ते रहने से ही हमें हर तरफ से फायदा होगा। रेहान अपनी दृष्टि वैसी ही टेढ़ी किए नसीम की तरफ देखते हुए पूछा क्या? नसीम अब व्यंग्यात्मक शैली में बोलने लगा भाई रेहान यह बात समझो काफिरों से लड़ने में यदि हम जीत गए तो उनकी सारी संपत्ति और स्त्रियाँ मेरी हो जाएगी और यदि पराजित हो गए, मार दिए गए तो ऊपर अल्लाह हमारे लिए जन्नत की व्यवस्था किए हुए हैं, जहाँ हमें 72 हुरें मिलेंगी। रेहान नसीम के व्यंग को समझ नहीं पाया और उसे झिड़कते हुए बोला कि क्या बेहुदगी पूर्ण बातें करते हो नसीम? नसीम रेहान के गंभीर और क्रोध मिश्रित चेहरे को देखकर तुरंत हंसते हुए कान पड़कर बोला रेहान यह मैं नहीं उनका इस्लाम बोलता है यार। रेहान भी उसकी हंसी देखकर उसके व्यंग को समझ गया अत: उसके चेहरे का तनाव अब कम होने लगा, नसीम की बात पर हंसते हुए उसने भी अपना माथा पकड़ लिया कुछ देर तक ऐसी ही हंसी मजाक करते हुए दोनों उठे और पास की दुकान पर एक साथ चाय पीने लगे। चाय पीने के बाद रेहान नसीम से पूछा नसीम तुम भी सिद्दीकी मैं भी सिद्दीकी मालूम है मुसलमान में सिद्दीकी कौन होते हैं? नसीम बोला रेहान यह सब बातें मुझको नहीं मालूम है पर मेरे अब्बा ने कभी मुझे बताया था कि यह शेख सिद्दीकी शायद हिंदू ब्राह्मण थे जो पथान्तरित होकर मुसलमान कहे जाने लगे हैं। रेहान अब अपने कमरे पर जाने की इच्छा से उठा और नसीम के कंधे पर हाथ रख कर बोला हो सकता है यह बात सही हो पर नसीम एक बात स्पष्ट है कि हम लोगों के शरीर में हिंदू रक्त ही प्रवाहित हो रहा है इसको तुम बराबर ध्यान में रखना। अब नसीम रेहान की बात को सुनकर उसके चेहरे को आश्चर्य से देखने लगा और बोला नहीं रेहान

ऐसा मत सोचो हम मुसलमान हैं और मुसलमान ही बने रहे इसी में हम सब की भलाई है रेहान बोला क्यों नसीम मुसलमान बने रहने में हमारी क्या भलाई है? नसीम बोला हिंदू हमें उपेक्षा की निगाह से देखते हैं हमें अछूत समझते हैं कभी-कभी तो हमें उग्रवादी और आतंकवादी भी बोलते हैं नसीम के इस दुख भरी बातों को सुनकर रेहान उसे समझाते हुए बोला नसीम जरा यह तो सोचो जब इस देश में जन्म लेने के बाद हमीं उनको काफिर बोलते हैं देश का विभाजन कराते हैं तो वे हमें क्यों स्वीकार करेंगे पहले दोष तो हमें अपने में ही देखना चाहिए न? इतना कह कर रेहान नसीम को नमस्ते बोलकर अपने कमरे पर जाने के लिए विदा ले लिया पर इतना कहता गया कि इस विषय पर हम लोग फिर कभी गंभीरता से बात करेंगे, अभी मैं चलता हूँ। रेहान के चले जाने के बाद नसीम देर तक वहाँ खड़ा रहा और रेहान को आश्चर्य से जाते देखता रहा वह रेहान द्वारा कही गई बातों की सत्यता के तह तक जाना चाहता था फिर मुड़ा और गंभीर चिंतन मनन करते हुए अपने घर चला गया।

नसीम दिल्ली के पुराने मोतिया खान इलाके का मूल निवासी था घर में माँ के अलावा एक बहन और भाई थे। उसके अब्बा की मृत्यु पहले ही हो चुकी थी इसलिए पूरे घर की जिम्मेदारी उसी पर थी। मोतिया खान नई दिल्ली और पुरानी दिल्ली से सटा एक मुस्लिम बस्ती है जिसमें कुछ मुसलमान पहले से ही स्थाई रूप से बस चुके थे लेकिन इन्हीं के साथ-साथ कुछ बाहरी मुसलमान भी किराए के मकानों में या अवैध कब्जा करके झुग्गी झोपड़ी बनाकर इधर काफी समय से रहने लगे थे। पुराने वाशिंदे तो अपने शुद्ध व्यवसाय या नौकरी करके जीवन बिता रहे थे पर ये नए मुस्लिम जो बांग्लादेशी हो या रोहिंग्या इनकी गतिविधि कुछ अजीब रहा करती थी, जिससे वहाँ के मूल निवासी मुसलमान भी परेशान रहा करते थे। मुहल्ले से इन मुस्लिम नौजवानों का गोल प्रतिदिन सुबह ही निकल जाया करता था और देर रात को घर लौटते थे, दिन भर क्या करते रहते हैं किसी को कुछ भी नहीं पता था। नसीम की बहन साईबा दिल्ली कॉलेज बीटेक की छात्रा थी और उसका भाई वसीम कक्षा 10 का छात्र था। रेहान भी कुछ दूरी पर सदर बाजार में एक किराए के मकान में रहता था।

रेहान अब इस तरह के अलगाववादी बैठकों में जाना बिलकुल ही बंद कर दिया क्योंकि ऐसी जगहों पर जाने का मतलब है मन को और खराब करना और समय को बर्बाद करना। अपने चेहरे से उसने दाढ़ी वगैरा हटा दिया और अब हिंदू धर्म शास्त्रों का अध्ययन प्रारंभ कर दिया। सर्वप्रथम उसने रामायण और महाभारत को पढ़ा फिर दयानंद सरस्वती, विवेकानंद, गुरु दत्त और सावरकर जी जैसे

महापुरुषों के साहित्य का गहराई से अध्ययन किया। समयाभाव के चलते उसे इतनी सब जानकारी प्राप्त करने के लिए समय तो नहीं मिल पाता था, लेकिन इन पुस्तकों के अध्ययन के बाद वह इतना जान पाया कि हम लोग जिस देश में जन्म लिए हैं वह अति प्राचीन है और जो सनातन धर्म या कहें हिंदू जीवन पद्धति है उसकी खोज ऋषि मुनियों के त्याग पूर्ण जीवन के अद्‌भुत प्रयास से संभव हो पाया है, ऋषियों ने मानव समाज को जो मार्ग बताया है वह आध्यात्मिक भी है तथा आज की भाषा में उसे वैज्ञानिक भी कहा जा सकता है। धर्म शास्त्रों में ऐसे जीवन पद्धति पर चलने वालों को कभी आर्य कहा गया और इनके रहने वाले भूखंड को आर्यावर्त बोला जाने लगा। इसके बाद यहाँ के श्रेष्ठ लोगों ने पूरे विश्व के मानव समाज को आर्य बनाने का प्रयास किया कहा भी गया 'कृणवन्तो विश्वमार्यम'। धर्म और अधर्म की स्पष्ट व्याख्या भी यहाँ के मनुष्यों ने की। अधर्म के मार्ग पर चलने वालों तथा अपराध करने वालों के विरुद्ध युद्ध का आवाहन हुआ और उनको कठोर दंड का भी प्रावधान रखा गया ताकि समाज और देश में शांति व्यवस्था कायम रह सके। प्रेम और सौहार्द से भारतीय संस्कृति का फैलाव विश्व के अधिकांश जगहों पर हुआ 'जियो और जीने दो' जैसे कथन की उत्पत्ति मानवीय संवेदनाओं को ध्यान में रखकर इसी देश में की गई। यहाँ ज्ञान की कोई सीमा नहीं निर्धारित की गई फिर भी यहाँ बहुत ज्ञानी हुए बहुतों ने अपनी-अपनी दृष्टि से संहिताओं की रचना भी की 'मुंडे-मुंडे मतिर्भिन्ना'। जो विचार समयानुकूल व्यावहारिक धरातल पर खरा उतरा उसी को पालन करने के लिए उपयोगी माना गया। धर्म की कोई विशेष व्याख्या नहीं की गई, महापुरुष समयानुकुल जिस मार्ग पर चलने लगे उसी को श्रेष्ठ माना गया क्योंकि व्यवहार में वही उपयोगी था 'महाजनों येन गतः सपन्था'। यहाँ विद्या अध्ययन का मूल मंत्र रहा है 'सा विद्या या विमुक्तये' अर्थात विद्या ग्रहण करने का मतलब है विभिन्न प्रकार के अवगुणों से मुक्ति प्राप्त करना। इस धरती पर मानव को त्याग पूर्वक जीवन जीने का अभ्यास कराया जाता रहा है मनुष्य प्राकृतिक संसाधनों का त्यागपूर्वक उपभोग करें 'त्येन त्यक्तेन भुन्जिथा मागृधः कस्यस्यिदधनम्' धन और भोग्य पदार्थ किसका है अर्थात किसी का भी नहीं इसलिए इसका त्याग पूर्वक ही उपभोग करना चाहिए।

रेहान को भारतीय दर्शन के अध्ययन में विशेष आनंद की अनुभूति होने लगी, इसकी गहराई में जाना उसके लिए बहुत संभव नहीं था पर इतना वह समझ गया कि 'आर्ष परंपरा' भारतीय संस्कृति के मूल में है। समयानुसार इस परंपरा से मुनि परंपरा भी जुड़ गई अनुभव और बुद्धि दोनों को साथ लेकर चलना

ही पड़ता है क्योंकि हर युग में, हर काल में, किसी भी मानव को पीड़ा ना हो और अभाव में भी उसकी सहायता होती रहे यहीं भारतीय संस्कृति और सनातन धर्म का मूल ध्येय रहा है।

'पर हित सरिस धर्म नहीं भाई। पर पीड़ा सम नहीं अधमाई।।
निर्नय सकल पुरान बेद कर। कहेउँ तात जानहिं कोविद नर।।

अष्टादश पुराणेषु व्यासस्य वचनद्वयम्।
परोपकारः पुण्याय पापाय परपीडनम्।।

ये कथन हिंदू धर्म और भारतीय दर्शन के प्राचीन काल से अर्वाचीन तक ध्येय वाक्य बने रहे हैं। रेहान नौकरी करने के बाद अक्सर नसीम के साथ बैठकर हिंदू धर्म के इन सब अच्छाइयों पर वार्ता करता रहता था। ऐसे ही एक दिन लंच के समय उसने नसीम से बोला नसीम भाई ऐसे हिंदू समाज से हमारे पूर्वज कैसे मुसलमान बन गए होंगे सोचो जरा, पीड़ा तो उन्हें अवश्य हुई होगी, मुस्लिम आताताइयों ने उस समय देश पर जो भी अत्याचार किया वह अक्षम्य अपराध की श्रेणी में आता है रेहान थोड़ा आवेश में और मुट्ठी तानकर हाथ पर हाथ मारते हुए कहा इसका बदला अवश्य लेना पड़ेगा नसीम बोलो साथ दोगे न मेरा? नसीम रेहान के चेहरे को आश्चर्य से देखता रह गया वह इतिहास का बहुत अध्ययन नहीं किया था पर मध्यकाल के अत्याचार को कुछ हद तक जानता था लेकिन इस समय रेहान के भाव को समझ नहीं पाया और धीरे से बोला कैसा बदला रेहान? रेहान नसीम की तरफ देखते हुए संयत स्वर में बोला वही मुस्लिम पंथ छोड़कर और हिंदू के रूप में घर वापसी करके। नसीम बोला रेहान भाई इस महत्वपूर्ण परिवर्तन पर बहुत सोच समझ कर कदम उठाना क्योंकि हम सभी मुसलमानों के बीच ही रहते हैं कोई खतरा न हो हम पर रेहान कहा एक क्रांतिकारी कदम उठाने में समझ और साहस के साथ-साथ सहयोग की भी परम आवश्यकता होती है साथ दोगे तो उसका भी मार्ग मिल ही जाएगा। नसीम रेहान से हाथ मिलाते हुए बोला साथ देंगे रेहान भाई अवश्य देंगे। रेहान नसीम के आवास से दो-तीन किलोमीटर की दूरी पर रहता था नसीम उसे अकेला समझकर रात का भोजन साथ करने के लिए बराबर कहता ही रहता था लेकिन रेहान टाल जाता था क्योंकि रात में वह हल्का भोजन ही करता था कभी स्वयं बना लेता या कभी बाहर ही कर लेता था और नहीं तो दूध ही पीकर रह जाता था इससे उसे पढ़ने के लिए अधिक समय मिल जाता था। नसीम के यहाँ भोजन तो मिलता पर समय अधिक लग जाने के कारण ही वह मना कर देता था और

फैक्ट्री से जल्दी ही घर आ जाता था। रेहान सदर बाजार के जिस मकान में किराएदार के रूप में रहता था वह किसी पंजाबी सिख का मकान था नाम था हरमिंदर सिंह उम्र यही कोई 60 के आसपास थी कभी-कभी वह देश के विभाजन की पीड़ा बताते थे कि कैसे उनके पिता अपनी पूरी संपत्ति, खेत खलिहान, मकान सब छोड़कर रात में भागे थे। रेहान के पूछने पर हरमिंदर ने बताया रेहान मैं उस समय लगभग 7-8 वर्ष का था मेरे पड़ोसी मुसलमानों ने ही जिनके साथ हम सबका पारिवारिक संबंध था अचानक विभाजन की घोषणा होते ही हमारे परिवार पर वे आक्रामक हो गए उसमें हमारी माँ और एक छोटी बहन की हत्या हो गई, हमारे पिता माँ को नहीं बचा पाए संयोग था कि उसी समय उस गांव के एक बुजुर्ग मुस्लिम ने ही हम दोनों बाप बेटे को वहाँ से रात में ही सुरक्षित निकल जाने में सहयोग दिया। रेहान मुझे उनका चेहरा अभी तक याद है रहीम शायद रहीम खान उनका नाम था, मेरे पिता बलविंदर सिंह जीवन भर उनको याद करते रहे और ईश्वर से हमेशा उनके लिए प्रार्थना करते रहते थे। हरमिंदर आगे कहते रहे रेहान जीवन तो बच गया हम दोनों पिता पुत्र का पर जो हम जन्मभूमि को छोड़कर आए अपनी माँ और बहन को मरते हुए देखा उसका दर्द आज भी मेरे मन पर अमिट रूप में अंकित है मेरी माँ मुझे बचाने में मारी गई थी क्योंकि उन दरिंदों ने मुझ पर ही पहले वार किया था पर माँ ने उस वार को अपने ऊपर ले लिया मेरी छोटी बहन माँ के गोंद में थी इसी कारण बेचारी वह भी मारी गई। पिताजी उस समय अकेले असहाय खड़े थे उनके हाथ में बंदूक भी थी चाहते तो दो-चार लोगों को मार सकते थे लेकिन पड़ोसियों पर फायर करने में संकोच किए और वहीं पड़ोसी निर्दयी होकर हम पर आक्रमण किए, बाद में पिताजी ने फायर किया एक दो लोगों को लगा भी वे मरे अथवा जिंदा रहे पता नहीं पर 10-15 की मुस्लिम भीड़ गोली चलते ही भाग गई। कितनी प्यारी थी मेरी छोटी बहन भैया कहते-कहते ही मेरे सामने मर गई। माँ तो मरने के पूर्व बस इतना ही बोल पाई थी बेटा हरमिंदर अपने बापू के साथ भाग जा यहाँ से जल्दी भाग जा। यह कह कर सरदार हरमिंदर रेहान के कंधे पर सर रखकर फफक-फफक कर रोने लगे।

हरमिंदर सिंह को रोते देखा रेहान के भी के भी आंखों में आंसू आ गए कुछ देर बाद जब हरमिंदर सिंह शांत हुए तो बोले रेहान सब मुसलमान खराब नहीं होते हैं सभी अत्याचारी नहीं होते हैं लेकिन भीड़ में उनकी चलती नहीं है दंगाइयों के बीच में वे असहाय हो जाते हैं गलती यही होती है इनकी कि ये चंद सज्जन मुसलमान अलगाववादियों और जिहादियों का मुखर विरोध नहीं कर

पाते। रेहान मौन होकर सुनता रहा और शर्म के मारे अपना चेहरा झुका लिया। हरमिंदर सिंह जब चले गए तब अकेले मे रेहान सोचने लगा कि अगर हमारे पूर्वज मुसलमान नहीं बने होते तो आज देश को यह दुर्दिन न देखना पड़ता। इस समय देश में जितने मुसलमान रहते हैं लगभग सब के पूर्वज तो हिंदू ही थे पर आज इनमें से अधिकतर अलगाववादी और जिहादी मानसिकता के हो गए हैं ऐसी स्थिति में हिंदू कैसे यहाँ शांति से रह सकते हैं और देश को कैसे अखंड रखा जा सकता है? रीना उस दिन सही कह रही थी, वह हिंदू लड़की है और एक देवी जैसी दिखाई भी देती है, ऐसे ही संस्कार यदि हम लोगों के घरों में लड़कियों को मिलता तो कितना अच्छा होता आने वाली पीढ़ी तो कम से कम व्यवहार में हिंदू ही दिखाई देती और तब सब का इस पुण्य भूमि में जन्म लेना सार्थक हो जाता। हमें धर्म और देश को बचाना ही होगा चाहे इसके लिए कुछ भी करना पड़े। श्रीमद् भागवत गीता का वह श्लोक उसने मन ही मन दोहराया 'अहिंसा परमो धर्म, धर्म हिंसा तथैव च'। धर्म की रक्षा के लिए हिंसा भी जरूरी है।

जीवन में वैचारिक रूप से व्यक्ति जब परिपक्व हो जाता है तब किसी भी कार्य को करने में उसकी दृढ़ता स्पष्ट रूप से परिलक्षित होती है उसके कदम आत्मविश्वास से भरे दिखाई देते हैं रेहान की स्थिति इस समय ऐसी ही हो गई थी एक दिन फोन पर उसने रीना से बात किया और बोला रीना होली पर मैं तुम्हें अपने जीवन के बारे में एक निर्णय सुनाने वाला हूँ। रीना पूछी कैसा निर्णय रेहान? रेहान बोला अभी नहीं बताऊँगा आकर तुम्हारे समक्ष ही कहूँगा जिसे सुनकर तुम चौक जाओगी ऐसा कह कर उसने फोन रख दिया। रीना का ध्यान इधर केवल अपने शोध कार्य पर था, वह रेहान की बातों से काफी उत्साहित हुई ससंकित पर भी थी की पता नहीं रेहान किस निर्णय पर पहुँचने वाला है।

रीना को अध्ययन में जब भी कोई उलझन होती वह तुरंत प्रोफेसर सिन्हा से वार्ता करती उनका सहारा लेती रहती थी। आधुनिक भारत के इतिहास पर एक नई पुस्तक लिखते वक्त उसने महसूस किया कि सत्य और अहिंसा यह दोनों शब्द तो बहुत अच्छे लगते हैं पर इन दो शब्दों को कोरे आदर्श के रूप लेने के कारण ही स्वाधीनता की लड़ाई में देश का बलिदान कर दिया गया क्या ये शब्द ही भ्रमित हैं या उस समय का नेतृत्व ही भ्रमित था? वह प्रोफेसर सिन्हा से उनके कक्ष में इस विषय पर मार्गदर्शन की अपेक्षा करने लगी। प्रोफेसर सिन्हा ने कहा देखो बेटी यह शब्द भ्रामक नहीं है इन शब्दों का प्रयोग करने वाले ही भ्रम के शिकार हुए। रीना बोली कैसे गुरुजी जरा ईसे स्पष्ट करें? प्रोफेसर सिन्हा

ने रीना को समझाना शुरू किया, रीना रामायण और महाभारत यह दोनों ग्रंथ हमें हमेशा प्रेरित करते रहते है और व्यावहारिक भी हैं दोनों महाकाव्यों में धर्म की स्थापना के लिए जो युद्ध हुए उन्हीं का वर्णन है। रामायण में मर्यादा पुरुषोत्तम कहे जाने वाले श्री राम ने युद्ध किया और धर्म की जय कराई जबकि महाभारत काल में योगीराज श्री कृष्ण ने साधुओं की रक्षा के लिए तथा दुष्टों के नाश के लिए ही युद्ध का आवाहन किया। रीना प्रोफेसर सिन्हा के तर्कों को सुनने के बाद बोली गुरु जी इसका मतलब है स्वतंत्रता प्राप्ति करने में लगे हमारे देश के अग्रणी नेता अपने इतिहास से, अपने पूर्वजों से कोई सीख नहीं लिए। प्रोफेसर सिन्हा ने स्वीकृत में सर हिलाया बिल्कुल सही कह रही हो। रीना बोली गुरुजी तो मैं अपनी पुस्तक में तथ्यों के साथ उनकी आलोचना करूँ तो कोई दिक्कत? प्रोफेसर सिन्हा हंसते हुए बोले कोई दिक्कत नहीं है बेटी बस तुम सत्य को लिखती जाओ शेष मै देख लूँगा। रीना खुश होकर प्रोफेसर सिन्हा का पैर छूकर कक्ष से बाहर निकलने लगी तो प्रोफेसर सिन्हा ने रीना को रोकते हुए बोला रीना बेटी कल तुम्हारे भाई अर्थात मेरे बेटे अंबरीश का जन्मदिन है ज्यादा नहीं लगभग 20-25 लोगों का भोजन है तुम मेरा इंतजार मत करना घर पर थोड़ा पहले ही चली जाना अपनी माता का सहयोग करने के लिए ठीक है न रीना खुश होते हुए बोली जी गुरु जी अवश्य पहले ही पहुँच जाऊँगी घर के कार्यों में सहयोग देना यह तो मेरे लिए सौभाग्य का विषय है दरवाजे से बाहर निकलते वक्त प्रोफेसर सिन्हा ने हिदायत दी सुनो किसी भी प्रकार का भेंट नहीं बस आशीर्वाद देना है और साथ में भोजन करना है रीना हंसते हुए फिर बोली ठीक है गुरुजी।

दूसरे दिन इतिहास विभाग से करीब 2:00 बजे रीना निकलकर अपने छात्रावास गई कपड़े बदलकर तैयार हुई, दिन बुधवार था फिर भी रीना गुरु जी के पुत्र अंबरीश के लिए संकट मोचन हनुमान जी के मंदिर गई दर्शन पूजन करके प्रसाद लेकर साइकिल चलाते हुए सीधे प्रोफेसर सिन्हा के आवास पर लगभग 4:00 बजे तक पहुँच गई श्रीमती उर्मिला सिन्हा उसे देखते ही खुश हो गई और बोली आओ आओ बेटी बहुत अच्छे समय पर आई हो अब लगता है मेरा काम समय से पूरा हो जाएगा, रीना उनके हाथ में हनुमान जी का प्रसाद रखते हुए बोली माँ जी आप अधिक परेशान ना हो बस मुझे काम बताती जाएँ मैं सब भोजन तैयार कर देती हूँ, उर्मिला सिन्हा जन्मदिन के शुभ अवसर पर हनुमान जी का प्रसाद देखकर बहुत खुश हुई और बोली यह कार्य बहुत अच्छा किया तुमने मेरी भी इच्छा हो रही थी कि अंबरीश के साथ एक बार मंदिर चली जाऊँ पर इन्होंने इतने लोगों के भोजन कराने का काम दे दिया है कि समय ही नहीं मिल

पाया। रीना बोली कोई बात नहीं माँ जी पुत्र नहीं तो पुत्री ही चली गई मंदिर, और फिर आशीर्वाद किसी भी रूप में ही सही मिलना ही चाहिए। इस पर दोनों एक साथ हंसने लगी घर में दो लड़कियाँ और दो औरतें थी शायद वे लोग प्रोफेसर साहब के रिश्तेदार थे और उनके साथ घर की आया भी थी रीना तुरंत सबसे घुल मिल गई और भोजन तैयार करने में लग गई।

शाम 6:00 तक प्रोफेसर सिन्हा अपने आवास पर आ गए और 7:00 बजे तक लगभग सब आगंतुक भी सिन्हा साहब की आवास पर पहुँच चुके थे। संख्या सब की मिलाकर 22 थी सभी लोग बाहर ही बैठे थे, गप-शप सबके बीच चल रहा था, रीना और अन्य महिलाओं के सहयोग से भोजन लगभग तैयार हो चुका था। भोजन सबका एक साथ ही होना था, लेकिन पुत्र अंबरीश का जन्मदिन का कार्यक्रम पहले संपन्न तो हो उसी का सभी इंतजार कर रहे थे। तभी श्रीमती सिन्हा सज-धज कर बाहर आई सभी मेहमानों को प्रणाम बोलकर अतिथि कक्ष में चलने का आग्रह किया। रीना भी काम की व्यस्तता से खाली होकर सबके साथ कक्ष में पहुँची तो देखा कक्ष काफी सजा हुआ है और एक बड़े टेबल पर बड़ा सा केक रखा है जिस पर कई मोमबत्तियाँ लगाई गई हैं उसने गांव में रहकर केक काटने और जलती मोमबत्ती बूझाकर जन्मदिन मनाने की चर्चा बहुत सुनी थी पर जीवन में पहली बार उसने यह दृश्य देखा, भारतीय संस्कृति में पली बढ़ी रीना को यह दृश्य अटपटा लगा पर वहाँ संकोच में वह कुछ बोल नहीं सकती थी लेकिन उससे रहा नहीं गया। जब तक घर की लड़कियाँ और औरतें मोमबत्ती जलाने के उपक्रम में लगती उसने प्रोफेसर सिन्हा के कान में कहा गुरुजी क्यों न हम सभी भाई का जन्मदिन आज भारतीय पद्धति से मनाए। प्रोफेसर सिन्हा हंसते हुए बोले हाँ-हाँ क्यों नहीं जरूर प्रयास करो।

रीना तुरंत उर्मिला सिन्हा से बोली माँ जी आईए मेरे साथ उर्मिला कुछ समझी नहीं लेकिन रीना के साथ कक्ष से बाहर निकल गई। प्रोफेसर सिन्हा सबको कुर्सी पर बैठने का आग्रह किए और कुछ देर इंतजार करने की सबसे प्रार्थना की। कुछ ही देर में रीना श्रीमती सिन्हा के साथ लौटी उनके हाथों में राम दरबार का चित्र और एक थाल में हल्दी, कुमकुम, अक्षत, प्रसाद, शंख और घी का दीपक था, सभी लोग दोनों देवियों की तरफ देख रहे थे प्रोफेसर सिन्हा सभी मेहमानों से बोले भाइयों, आज हम सभी अपनी संस्कृति और परंपरा के अनुसार अंबरीश का जन्मदिन मनाएँगे। उपस्थिति लगभग सभी लोगों ने इस बात पर ताली बजाई पड़ोसी प्रोफेसर कपूर अपनी पत्नी के साथ भी मेहमानों के साथ वहाँ उपस्थित थे उनकी पत्नी सावित्री कपूर बोली भाई साहब हमें अपने घरों

में धार्मिक कार्य, जन्मदिन, वगैरह भारतीय संस्कृति के दर्शन के अनुरूप ही मनाना चाहिए पर क्या करें पश्चिम का अंधानुकरण इतना बढ़ गया है कि अपना जन्म दिन भी हम केक काटकर मना रहे हैं लड़कों को यही अच्छा भी लगता है। वह अंबरीश की तरफ देखती हुए आगे बोली अब देखिए अंबरीश की चेहरे से भी लग रहा है कि वह केक काटकर ही अपना जन्मदिन मनाना चाहता है, उनकी इस बात पर सभी लोग अंबरीष की तरफ देखने लगे और हंसने लगे, सबको हंसता देखकर अंबरीश हंसा नहीं वह बस अपनी माँ की तरफ ही देख रहा था, श्रीमती उर्मिला सिन्हा बोली घबराओ मत बेटे केक भी कटेगा पर पहले पूजा हो जाए, तुम्हें तिलक लग जाए तुम्हारी आरती तो उतार ली जाए। अपनी माँ की बात सुनकर अम्बरीश थोड़ा खुश हुआ पर रीना इन सब बातों से बेखबर अपनी व्यवस्था में लीन दिखाई दे रही थी, उसने दीपक जलाया और अंबरीश के हाथ में उसे थमा कर प्रभु श्री राम के चित्र के समक्ष उसे दिखाने को बताया। अंबरीश अब खुश होकर भगवान की आरती उतारने लगा, रीना ने आरती श्री रामायण जी की........ का सस्वर पाठ करना प्रारंभ कर दिया जिसको याद था सब ने उसका साथ दिया आरती समाप्त हुई, रीना ने शंख ध्वनि किया सभी लोग हाथ जोड़ खड़े रहे। रीना ने अंबरीश के हाथों भगवान राम को तिलक लगवाया, पुष्प चढ़ावाया तत्पश्चात अंबरीश को चौकी पर बैठाकर सबसे निवेदन किया कि आप सभी बारी-बारी से अंबरीश को तिलक लगाकर उसे आशीर्वाद दें। रीना के इस निवेदन पर प्रोफेसर सिन्हा और उनकी पत्नी ने सर्वप्रथम अपने बेटे को तिलक लगाया और उसे चिरंजीवी होने का आशीर्वाद दिया, अंबरीश भी उठकर अपने माता-पिता का चरण छुआ और उनका आशीर्वाद लिया, रीना सहित सभी मेहमानों ने बारी-बारी से यही कार्य किया। कुछ देर के लिए उस कक्ष का वातावरण भक्तिमय दिखाई देने लगा था। लोग खुश थे और स्वयं अंबरीश भी खुश दिखाई दे रहा था।

प्रोफेसर सिन्हा ने रीना को आशीर्वाद दिया और बोले बेटी तुम्हारे प्रयास से हमें अब चैतन्य हो जाना चाहिए, अगली बार से अब हम सभी इसी तरह से जन्मदिन मनाएँगे बल्कि संभव हुआ तो कथा हवन तथा सुंदरकांड का पाठ भी घर में कराया जा सकता है। उपस्थित सभी लोग प्रोफेसर सिन्हा से सहर्ष सहमति जताई। इस कार्यक्रम के बाद सब की निगाह केक पर गई अम्बरीष उठा और उसमें से छोटा-छोटा टुकड़ा काटकर पेड़े के प्रसाद के साथ सबको देने लगा, प्रोफेसर कपूर हाथ में केक और प्रसाद लेकर बोले यह देखिए सिन्हा जी इसे कहते हैं पूरब और पश्चिम का मिलन, उनकी इस बात पर सभी लोग ठहाका

मारकर हंसने लगे, इसके बाद सभी मेहमानों को भोजन मंत्र उच्चारण के बाद भोजन कराया गया। भोजन के बाद रीना जब छात्रावास जाने लगी तो श्रीमती उर्मिला सिन्हा उसे बाहर तक छोड़ने आई और उसे आशीर्वाद दिया कि रीना तुम वाकई मेरी बेटी जैसी ही हो ईश्वर करें कि तुम जीवन में हमेशा खुश रहो और आगे बढ़ती रहो। रीना श्रीमती सिन्हा का चरण छूते हुए बोली माँ जी आप लोगों का ऐसे ही आशीर्वाद बराबर मुझे मिलता रहे कहकर उनसे विदा ले ली।

इधर रेहान बीच में दो दिन के लिए अपने गांव केशवपुर आया पर इसकी सूचना उसने रीना को नहीं दी थी क्योंकि वह अपने माता-पिता से किसी खास विषय पर बात करने का आया था। दिन में वह गांव के कुछ बड़े बुजुर्गों से मिलता रहा, रात में भोजन करने के बाद अपने पिता के पास कुछ देर के लिए बैठ गया और उनसे बात करने लगा, रेहान बोला अब्बा कल मैं पुनः नौकरी पर चला जाऊँगा एक बात आपसे कहना चाहता था, उसके पिता बोले क्या बेटे, रेहान कहने लगा यही कि मैं नौकरी पर चला जाता हूँ यहाँ आप और अम्मा अकेले रह जाते हैं, आप दोनों को इस तरह से छोड़ कर जाना मुझे अच्छा नहीं लगता है। बिस्मिल्लाह बोले अरे रेहान तू ऐसा क्यों सोचता है परिवार में मेरे भाई भतीजे सब हैं न मैं अकेला यहाँ कहाँ हूँ तू बस अपना ध्यान नौकरी पर लगा, जब हम दोनों बुजुर्ग हो जाएँगे तब हमें भी शहर बुला लेना, रेहान ने बीच में ही टोका नहीं अब्बा हमें गांव नहीं छोड़ता है मैं गांव को ही अपने कार्य का केंद्र बनाना चाहता हूँ। बिस्मिल्लाह बोले मतलब बेटे? तो नौकरी छोड़ देगा क्या? रेहान बोला अभी नहीं अब्बा पर हो भी सकता है कि मैं कुछ वर्षों बाद नौकरी छोड़ ही दूँ, उसके अब्बा बोले तो नौकरी छोड़कर तु करेगा क्या? रेहान ने शांत स्वर में अपने पिता से बोला मैं यहाँ एक विद्यालय खोलना चाहता हूँ जिसमें बच्चों को समस्त विषयों के अलावा भारतीय धर्म, संस्कृति, सभ्यता के साथ-साथ नैतिकता और संस्कार की भी शिक्षा दी जाएगी। बिस्मिल्लाह बोले हम मुस्लिम हैं बेटे विद्यालय में मुस्लिम मजहब की भी तालीम दी जानी चाहिए। रेहान बीच में ही अपने पिता को टोका नहीं अब्बा मुस्लिम तालीम से न व्यक्ति का विकास होगा और नहीं देश और समाज का विकास होगा ऐसी शिक्षा से कट्टरता बढ़ेगी आपसी द्धेश बढ़ेगा जिसके कारण हमारा सामाजिक जीवन अशांत भी हो सकता है। रेहान की बातें सुनकर बिस्मिल्लाह गंभीर चेहरा बनाकर बोले हूँ....! तो विद्यालय में किस धर्म की शिक्षा दी जाएगी रेहान बताओ, रेहान धैर्य पूर्वक अपनी बात अपने पिता के समझ रखा और बोला अब्बा इस दुनिया में धर्म तो एक ही है जिसे हम सनातन धर्म, भारतीय धर्म या हिंदू धर्म के नाम से जानते

हैं। बिस्मिल्लाह थोड़ा व्यंग्यात्मक लहजे में बोले अच्छा....! लगता है तुम हिंदू धर्म की तरफ आकर्षित हो गए हो, है ना रेहान? रेहान अपने पिता के चेहरे की तरफ थोड़ी मुस्कान के साथ बोला हाँ अब्बा जरूर...! उसके पिता गंभीर होकर बोले रेहान धर्म परिवर्तन करने का इरादा नहीं है न तुम्हारा? रेहान अपने पिता के द्वारा अचानक कहीं गई इस बात पर तुरंत उनका पैर पड़कर बोला अगर आपका आशीर्वाद रहा तो धर्म परिवर्तन तो नहीं पर हम सब की घर वापसी तो हो ही सकती है। बिस्मिल्लाह अपने बेटे के इस रहस्य भरी बात को सुनकर भावुक हो गए और रेहान के कंधे पर हाथ रख कर बोले यह घर वापसी क्या है बेटे? रेहान बोला अरे अब्बा कभी हमारे पूर्वज हिंदू से मुसलमान हुए थे तो अब हम लोग स्वतः मुस्लिम पंथ त्यागकर जब पुनः हिंदू धर्म अपना लेंगे तो उसी को घर वापसी कहा जाएगा। बिस्मिल्लाह रेहान की तरफ देखते हुए बोले अच्छा तो हिंदू धर्म में वापस आना ही घर वापसी है। रेहान बोला हाँ अब्बा असल में यही अपना मूल घर है जहाँ से हमारे पूर्वज सदियों पूर्व निकल गए थे। बिस्मिल्लाह पुनः गंभीर होकर बोले देखो बेटा यह तुम्हारा व्यक्तिगत मामला है बहुत सोच समझकर निर्णय लेना, इस गांव में यहाँ 6-7 परिवार मुसलमानों के हैं और सबके रिश्तेदार भी हैं इसमें सब की सहमति होनी चाहिए, हम इन लोगों से अलग नहीं हो सकते हैं। रेहान बोला अब्बा देखो मैं सबसे तो नहीं पर अपने परिवार और यहाँ के अन्य मुस्लिम लोगों से एक बार वार्ता जरूर करूँगा। इस समय तो मैं कल नौकरी पर चला जाऊँगा पर अगले माह होली के पर्व पर एक ठोस निर्णय के साथ जब घर आऊँगा तो इस विषय पर इन सभी लोगों से विचार विमर्श अवश्य करूँगा।

बीच-बीच में रेहान रीना से बातें करता रहता था पर अपने जीवन के महत्वपूर्ण निर्णय के बारे में जानकारी उसे मिलने के बाद ही देना चाहता था। रीना भी अपने शोध कार्य पर बहुत अधिक व्यस्त थी इसलिए उसने रेहान से उसके निर्णय के बारे में बहुत अधिक नहीं पूछा। रीना की अध्यापन शैली अद्भुत थी उसका शोध कार्य विशेष था, जिसके कारण वह विभाग में लोकप्रिय होती जा रही थी। उसके गुरु प्रोफेसर सिन्हा रीना को विषय की गहरी जानकारी होने के कारण विभिन्न शिक्षण संस्थानों में उसे बोलने के लिए अक्सर भेज दिया करते थे। रीना का स्पष्ट कहना होता था कि देश की वर्तमान स्थिति के लिए हम कब [illegible] विदेशियों को दोषी ठहराते रहेंगे? चूकिं ऐतिहासिक घटनाएँ [illegible]र्गतः जुड़ी रहती हैं इसलिए हमें दोनों विषयों को एक साथ जोड़ना [illegible]ब दुनिया के हर देश आत्मबोध के साथ अपने स्वाभिमान की

रक्षा के लिए तत्पर दिखते हैं, तब अपने देश का हर नागरिक क्यों नहीं ऐसा सोचता है और तदानुरूप अपना व्यवहार क्यों नहीं करता है यह विचारणीय विषय है, भारत देश विशाल है इसकी सभ्यता दुनिया की सबसे प्राचीनतम है यहाँ अनेक पंथ हैं, भाषाएँ हैं और आज अनेक राजनीतिक दल भी बन गए हैं, पर सम्मिलित रूप से सबका धर्म एक ही है, सबकी संस्कृति एक ही है और उसी के लिए सब को जीना भी चाहिए। इस देश में अलगाववाद की भावना अक्सर मुस्लिम पंथ और ईसाई पंथ में ही दिखती है ये दोनों पंथ विदेशी है इसलिए उनके अनुयाई भले ही इस देश के ही मूलवासी हैं पर पथांतरण के बाद उनके अंदर भाव विदेशी का ही आता गया है, पर इनके अलावा अन्य लोग तो स्वदेशी ही हैं वे क्यों नहीं ऐसा सोचते हैं? रीना आगे बोलती रही गुरु जी इस देश का वह प्रबुद्ध वर्ग जो देश हित के लिए हमेशा तत्पर रहता है उसे दो स्तरों पर काम करने की आवश्यकता है एक तो यहाँ के मूल हिंदू बंधुओं में आत्म गौरव का बोध कराना, उन्हें सनातन धर्मी बनाए रखना और दूसरा है जो हिंदू बंधू किन्हीं कारणों से मुस्लिम या ईसाई बन चुके हैं उन्हें पुनः अपने मूल धर्म में वापस लाना। चूँकि यह दोनों कार्य चुनौती पूर्ण है इसलिए इसे हमें आग्रह पूर्वक करना ही पड़ेगा। स्वतंत्रता के दौरान ही हमारे देश की राजनीति देशभक्ति के मामले में दुराग्रही हो गई थी और इसी कारण भारत का गौरवशाली इतिहास पिछले 100 वर्षों में दूषित हो गई देश रक्त रंजित विभाजन के बाद भी अनेक रूपों में बार-बार विभाजन की तरफ जाने लगा, पर प्रश्न है कि क्या हम अब उसे सही दिशा में नहीं ला सकते हैं? क्या देश की शिक्षा व्यवस्था बदली नहीं जा सकती है? आज शिक्षित युवक रोजगार के लिए सरकार के भरोसे क्यों है? उनको इसके लिए प्रशिक्षण और अवसर देने की आवश्यकता है। कृषि में सुधार की परम आवश्यकता है अनेक सुधारो के साथ जब हमारे देशवासी अपने धर्म संस्कृति से जुड़ते जाएँगे तो उनकी गुलामी मानसिकता स्वयंमेव समाप्त होती जाएगी और तभी हम अपने मातृभूमि के लिए सर्वस्व न्योछावर करने के लिए प्रेरित होंगे।

समय-समय पर विभिन्न शिक्षण संस्थानों में आयोजित सेमिनारों में भाग लेने के साथ रीना का शोध कार्य भी धीरे-धीरे आगे बढ़ रहा था। एक दिन शाम के समय इतिहास विभाग के चेंबर में बैठकर वह कुछ लिख रही थी तभी उसके गुरु प्रोफेसर मनोज सिन्हा कक्ष में प्रवेश किए, रीना अपने गुरु को अचानक कक्ष में आते देख चौंक गई और अपने लेखन कार्य को छोड़कर कुर्सी से उठ गई, प्रोफेसर सिन्हा रीना को व्यस्त देख बोले बेटी तुम बैठकर अपना काम करती रहो मैं केवल यह कहने आया था कि एक सप्ताह बाद गणतंत्र दिवस आने वाला

है, कुलपति के द्वारा उस दिन झंडोत्तोलन के बाद विद्यार्थियों के समक्ष विचार रखने के लिए कुछ शोध छात्रों का चयन किया जा रहा है मैंने विभाग से तुम्हारा नाम भेज दिया है अगर कुलपति के द्वारा तुम्हारा नाम चयनित कर दिया गया तो तुम उस अवसर पर विद्यार्थियों के बीच अपनी बात रखने के लिए तैयार रहना, ठीक है ना? प्रोफेसर सिन्हा अपनी बात बताकर प्रश्न भरी निगाह से रीना की तरफ देखने लगे, रीना खुश होते हुए बोली गुरुजी आपके आशीर्वाद से मुझे यह सुनहरा अवसर मिलने वाला है अगर मौका मिला तो मैं अपने शोध के कुछ विषय सबके समक्ष रखने का अवश्य प्रयास करूँगी। प्रोफेसर सिन्हा बोले बस ध्यान रखना चार या पांच लोगों को ही उक्त अवसर पर बोलने का मौका मिलेगा और वह भी समय मात्र 20 मिनट, रीना बोली ठीक है गुरुजी मैं कम समय में ही अपनी बात रख दूँगी। इतना कह कर रीना अपने लेखन कार्य में लग गई और प्रोफेसर सिन्हा उसे आशीर्वाद देकर कक्ष से बाहर निकल गए।

गणतंत्र दिवस पर संपूर्ण विश्वविद्यालय परिवार के समक्ष रीना को कुछ विचार रखने का अवसर मिल गया, झंडोत्तोलन की कार्यवाही के बाद वक्ताओं की सूची में पहला नाम इतिहास विभाग से रीना भारती शोध छात्रा का नाम पुकारा गया, रीना इसके पहले हजारों श्रोताओं के समक्ष कभी भी भाषण नहीं दी थी, आज जब वक्ताओं के क्रम में उसका नाम पुकारा गया तो एक बारगी उसका साहस डिगने लगा पर मन को शांत कर उसने माँ सरस्वती को स्मरण किया और अपनी कुर्सी से उठकर मंच की तरफ जाने लगी। लगभग 22-23 वर्ष की एक छात्रा जो काशी हिंदू विश्वविद्यालय के कुलपति और विद्वत जनों के समक्ष अपना विचार प्रकट करने के लिए जब मंच पर चढ़ने लगी तो उपस्थित हजारों छात्र-छात्राओं ने स्वाभाविक रूप से करतल ध्वनि से उसका स्वागत किया। रीना ने अपने विचार रखने के पूर्व मंचीय औपचारिकता को पूरा किया और तत्पश्चात धारा प्रवाह वक्तव्य देना प्रारंभ किया, बंधुओं आप सबको मेरी तरफ से वंदे मातरम, आज गणतंत्र दिवस है, संविधान लागू होने का पर्व है, पर आप लोग कल्पना करें क्या गणतंत्र और लोकतंत्र हमारे देश के लिए नया है? अध्ययन के आधार पर यह महसूस हुआ है कि प्राचीन काल में हमारा देश सांस्कृतिक एकता के साथ-साथ गण राज्यों में विभक्त था, हमारे यहाँ राजतंत्र में भी लोकतंत्र था, आधुनिक रूप से संविधान की रचना नहीं थी पर धर्म संसद था, राजा भी समाज के अंतिम व्यक्ति की चिंता करता था अर्थात तंत्र ऐसा था कि लोग खुशहाल थे, पर मुस्लिम और ईसाई आक्रमण के दौरान हमारा स्वदेशी तंत्र परिवर्तित हो गया और हमारा देश परतंत्र हो गया, शासक, लोक-पालक

लोक संरक्षक नहीं, लोकशोषक हो गए, क्योंकि वे विदेशी थे। हमारा स्वाभिमान डिगने लगा, परिणाम स्वरूप सदियों के बाद स्वतंत्रता की लड़ाई में हमारे नेता राष्ट्र स्वाभिमान को दरकिनार कर इंग्लैंड का राष्ट्रगान 'गॉड सेव द आवर नोबुल किंग' गाने लगे। रीना आगे बोलती रही भारत माता के उपस्थित पुत्रों! राजनैतिक गुलामी से मानसिक गुलामी बड़ी होती है, स्वतंत्रता संग्राम के दौरान हमारे देश के अग्रणी नेता अपने अंग्रेजी मानसिकता के कारण अंग्रेजों की चाल में बुरी तरह से फंस चुके थे, वे बार-बार गलती करने लगे, नेता देश के मौलिक चिंतन को तिरस्कृत कर यूरोपीय साम्यवादी और समाजवादी सोच को धारण कर लिए, उन्हें लगता था कि अबी इन्हीं विचारों से देश का भला होगा लेकिन विदेशी शिक्षा और विदेशी भ्रमण मात्र से देश का भला कैसे हो सकता है मेरे आदरणीय मित्रों! जब तक यह विचार हमारे देश के अनुकूल न हो जैसा कि आप सभी जानते हैं हमारा देश सदियों विदेशी आतताइयों से पीड़ित रहा है, यहाँ के स्त्री-पुरुषों को इन आक्रमणकारियों ने जबरदस्ती मुस्लिम या इसाई पंथ में पथांतरित किया, जबकि इसके पूर्ववर्ती आक्रमणकारी यहाँ आए जीते या हारे लेकिन इस देश की विशाल आर्य संस्कृति को स्वीकार कर यही रच बस गए, वहीं आर्य संस्कृति को आज हम काल प्रवाह के आधार पर भारतीय संस्कृति या हिंदू संस्कृति के नाम से जानते हैं। स्वतंत्रता संघर्ष के समय नेतृत्व का प्रथम कर्तव्य था देश को किसी भी प्रकार से स्वाधीन कराना तथा शासन तंत्र को अपना बनाना साथ ही हिंदू भाव को राष्ट्रीय भाव के रूप में स्वीकार करना और पथांतरित लोगों को पुनः हिंदू बनाना। इन समस्त विचारों को व्यक्त करते-करते रीना की दोनों मुठ्ठीयाँ हवा में लहराने लगी उसने जोश में उपस्थित छात्रों का आह्वान किया कि भारत माता के वीर पुत्रों! शिक्षा के साथ ही हम सब का यह भी कर्तव्य बनता है कि विगत इतिहास की गलतियों को नकार दें तथा देश की एकता अखंडता और मजबूती के लिए हिंदू और हिंदुत्व के लिए संघर्ष करें ताकि संविधान में और विशेष सुधार करते हुए गणतंत्र और लोकतंत्र की रक्षा सुनिश्चित हो सके। अंत में रीना ने बोलने के लिए और उसका विचार सुनने के लिए सबको धन्यवाद दिया, आभार प्रकट किया और बोली मेरे आदरणीय गुरुजन वृन्द भाइयों और बहनों! आइए एक नवीन भारत के निर्माण में हम सभी संलग्न हो जाएँ, जय भारत।

रीना ने अपना भाषण जैसे ही समाप्त किया उपस्थित समस्त छात्र-छात्राओं ने अपने स्थान से उठकर देर तक तालियाँ बजाई। कुछ युवाओं ने भारत माता कि जय और वन्दे मातरम का जमकर उद्घोष किया। कुलपति और शिक्षक

विशेष रूप से प्रो० सिन्हा रीना के विचारों से काफी अभिभूत हुए। मंच से संचालक महोदय दुसरे छात्र को बुलाते उसके पहले ही वाणिज्य विभाग के एक प्रो० त्रिभुवन मलिक जो साम्यवादी थे अचानक मंच पर आकर रीना के विचारों कि खुलकर और आक्रोश में आलोचना करने लगे और बोले इस छात्रा का विचार देश के लिए विनाशकारी है यह लड़की देश में कट्टरता फैला रही है, मुझे ऐसा लगता है कि यह लड़की भविष्य में हिंदू आतंकवाद की जननी बनेगी। प्रोफेसर मलिक रीना के विरुद्ध कुछ और बोलते तब तक संचालक महोदय ने उन्हें वापस जाने के लिए बोल दिया लेकिन बीच में प्रोफेसर सिन्हा मंच पर आकर रीना का बचाव किए और माइक पकड़कर बोले यहाँ रीना ने जो विचार व्यक्त किया है वह देश हित के लिए अनुकूल है जिन गलतियों के कारण देश का रक्त रंजित विभाजन हुआ उन गलतियों को सुधारने का यही उचित समय भी है और यही अच्छा मार्ग भी है, रीना की बातों से उत्साहित छात्र-छात्राएँ जो प्रोफेसर मलिक की बातों से हतोत्साहित हो गए थे वो फिर से प्रो० सिन्हा की बातों से पुनः उत्साहित हो गए, वे सभी प्रोफेसर मलिक की हुटिंग करने लगे और पुनः उनके द्वारा वंदे मातरम का उद्घोष होने लगा, थोड़ी देर के लिए पंडाल का वातावरण कोलाहल पूर्ण हो गया, विश्वविद्यालय के सुरक्षाकर्मी सबको शांत कर बैठाने में लग गए। इसी बीच कुलपति महोदय उठे और मंच से प्रोफेसर मलिक और प्रोफेसर सिन्हा को उतर जाने का निवेदन किया और सबको शांत कर बोले अभी शोध छात्र रीना भारती का विचार हम लोग सुन रहे थे उनके ओजस्वी पूर्ण भाषण सुनकर हम सभी भावमय हो गए हैं ऐसे में उसकी बातों का इस तरह से विरोध करना मेरे समझ से उचित नहीं है, प्रकृति अपने को स्वयं बदलती है हमारा देश अनेक झंझावातों को सहता हुआ ऐसे ही स्वयं को बदलेगा आप सभी विद्वत जन है, इस तरह से राष्ट्रवाद को लांछित करना और एक शोध छात्रा को आतंकवादी कहना आपकी बचकानी हरकत मानी जाएगी, इस समय आत्म चिंतन कर तार्किक ढंग से राष्ट्रवादी बनना ही ठीक होगा।

कुलपति की उद्बोधन के बाद सभा में सभी लोग शांति से बैठ गए उसके बाद अन्य शोध छात्रों का भी बारी-बारी से भाषण हुआ, कुलपति एक बार पुनः अपना विचार प्रकट किए सभा समाप्त हुई। हर मुख पर चर्चा केवल रीना की ही हो रही थी, दूसरे दिन दैनिक समाचार पत्र में रीना का फोटो सहित उसके भाषण के कुछ अंश छपे थे, रीना पूरे विश्वविद्यालय में ही नहीं पूरे शहर में चर्चा का विषय बन गई। चंद साम्यवादी रीना का विरोध जगह-जगह सभा के द्वारा करने लगे लेकिन अधिक संख्या में युवा पीढ़ी रीना की बातों से पूर्णतः सहमत

थी, परिणाम स्वरुप ये साम्यवादी अपने आप कमजोर होने लगे। एक दिन स्नातक की कक्षा में एक छात्रा ने रीना से साम्यवादी विचार पर कुछ पूछना चाहा तो रीना ने उसे इतना ही कहा कि, साम्यवाद जीवन के एक पहलू को ही उजागर कर पाता है वैसे भी साम्यवाद कोई दर्शन इसलिए नहीं है क्योंकि जब प्रकृति ही असमान हो विविधताओं से भरी है तो फिर समानता की बात केवल सबके मौलिक अधिकारों तक ही सीमित रखनी चाहिए। प्रतिभाएँ हर मनुष्य की जब अलग-अलग है तो उनका विकास भी अलग-अलग रूप में ही दिखेगा। रह गई हमारे देश के साम्यवादियों की बात तो वे व्यक्तिगत रूप से अच्छे हैं प्रतिभाशाली है पर इनकी मूल समस्या विदेशी लेखक और विदेशी पुस्तके हैं यह अपने देश को भी विदेशी चश्मे से ही देखते हैं इसलिए यह अनजाने में अराष्ट्रीय हो जाते हैं सही अर्थों में कहा जाए तो यह हमारे देश के लिए अप्रासंगिक हो गए हैं भले ही देश में रहते हैं यहाँ का अन्न-जल ग्रहण करते हैं पर विकृत सोच के कारण ये राष्ट्रवादी नहीं बन पाते हैं।

चतुर्थ भाग

घर से रेहान वापस नौकरी पर आ गया था, उसने नसीम से संपर्क किया और अपने निर्णय के बारे में उसे अवगत किया। रेहान ने कहा देखो नसीम तुम यहाँ पर मेरे परम मित्र हो, मैने अपने जीवन के बारे में एक निश्चय कर लिया है जिसे मैं तुझे बता देना चाहता हूँ। नसीम ने पूछा बताओ भाई क्या निश्चय किया है? रेहान ने कहा मैं अपने पूर्वजों के भूल को सुधारना चाहता हूँ। नसीम मुस्कुराते हुए पुनः पूछा कैसे? रेहान तुरंत गंभीरता से बोला हिंदू धर्म में वापसी करके। नसीम बोला भाई मैं तुम्हारे इस परिवर्तन की भावना को उसी दिन समझ गया था, जिस दिन हम लोग वहाबी जलसे में हुए वाद-विवाद के बाद आपस में बातचीत करने लगे थे, पर मित्र यह इतना आसान नहीं है जितना तुम सोच रहे हो। रेहान ने चौंकते हुए पूछा क्यों नसीम बोला रेहान पहले मेरी बात ध्यान से सुनो, सोच विचार कर फिर अंतिम निर्णय पर पहुँचो। रेहान उसकी तरफ देखते हुए बोला हाँ बोलो, नसीम आगे बोलने लगा देखो मित्र जहाँ तक मेरे समझ में आ रहा है हिंदू धर्म तो बहुत ही उदार है, लेकिन इस धर्म में छुआछूत और जातिगत भावनाओं ने काफी जड़ पकड़ लिया है, जिसके कारण ये बाहरी लोगों विशेष कर मुसलमानो को तो जल्दी स्वीकार नहीं करेंगे, यद्यपि अनेक हिंदू संगठनों ने और वर्तमान शिक्षा ने इसमें अब काफी सुधार लाया है जो स्वागत योग्य कदम है और हमारे लिए उत्साहजनक भी है। लेकिन हमारे समक्ष तो सबसे बड़ी अड़चन मुस्लिम पंथ ही है जिसमें काफी कट्टरता और जाहिलपन घुस चुका है इस मजहब में सद्गुण कम होते जा रहे हैं और उनके स्थान पर विकृतियाँ बढ़ती जा रही हैं, कट्टरता इतनी आ गई है कि मुसलमान अब केवल अपनी संख्या अधिक से अधिक बढ़ाने में ही लगे हैं ताकि इस देश को दारुल इस्लाम बनाया जा सके और इसी कारण यह लोग अधिक संख्या में जिहादी होते जा रहे हैं। अपनों की भी जान लेने में इन्हें जरा भी संकोच नहीं है, देखा नहीं

उस दिन तुम्ही पर टूट पड़े थे, यह तो अच्छा हुआ कि हम लोग तुम्हें वहाँ से सुरक्षित निकाल लाए नहीं तो सोचो वहाँ पर उस दिन क्या हो जाता।

रेहान बोला भाई नसीम मै इन बातों को समझ रहा हूँ, इसके लिए मैंने कुछ योजना बनाई है पहले किसी हिंदू संगठन से मिलकर उनसे इस विषय पर चर्चा करते हैं और फिर उनके अनुसार आगे कदम बढ़ाएँगे, इससे हमें सुरक्षा भी मिल जाएगी साथ ही हमें एक अच्छा मार्गदर्शन भी मिल जाएगा। अब यह बताओ की तुम दिल्ली और इस क्षेत्र के जानकार हो ऐसे किसी हिंदू संगठन के बारे में तुझे कोई जानकारी है क्या? नसीम बोला विशेष नहीं पर इतना जानता हूँ कि यहाँ से दो-तीन किलोमीटर दूर झंडेवाला एक स्थान है वहाँ राष्ट्रीय स्वयंसेवक संघ का एक कार्यालय है और थोड़ा सोचते हुए धीरे-धीरे बोलने लगा लेकिन वहाँ अपना कोई परिचित...... तभी उत्साह में आकर बोलने लगा हाँ याद आ गया वो अपने साथ काम करने वाला एक इंजीनियर संजय है ना, रेहान भी उत्साहित होकर बोला हाँ हाँ नसीम कहता गया वह इस संगठन से जुड़ा है लोग कहते हैं कि राष्ट्रीय स्वयंसेवक संघ हिंदुओं का एक शक्तिशाली संगठन है जो शाखा पद्धति से लोगों को अपने साथ जोड़ता है, रेहान एक बच्चे की तरह प्रश्न किया यह शाखा क्या है? नसीम मुस्कुराते हुए बोला रेहान तुम तो ऐसा पूछ रहे हो जैसे मैं इस संगठन का एक प्रमुख व्यक्ति हूँ, हाँ संजय से कभी बातचीत में से ऐसा लगा है कि वहाँ खेल-कूद, व्यायाम, प्राणायाम और गीत-कहानी जैसे कुछ कार्यक्रम प्रतिदिन होते हैं शेष तो प्रत्यक्ष देखने पर ही अधिक स्पष्ट होगा। रेहान बोला तो ऐसा करते हैं कि कल संजय से मिलकर उससे हम लोग शाखा देखने की इच्छा प्रकट करते हैं देखते हैं वह क्या कहता है, नसीम बोला यह ठीक रहेगा, रेहान तुरंत बोला पर उसे अभी अपनी योजना के बारे में कुछ भी नहीं बताना है, पहले शाखा तो देख ले हम लोग, फिर इस योजना पर उसके संगठन से बाद में बातें होंगी।

संजय उसी फैक्ट्री में एक इंजीनियर था और रिहान, नसीम के साथ काम करता था, स्वभाव से सरल एक राष्ट्रवादी विचार का और हिंदुत्व की भावना से ओत-प्रोत युवक था, दिल्ली के करोल बाग में उसका निवास था, झंडेवाला में स्थित शिशु मंदिर की शाखा में नित्य उसका जाना होता था, मृदु भाषी होने के नाते संगठन ने उसे सामाजिक समरसता प्रमुख का दायित्व दे रखा था। दूसरे दिन काम के अंतराल में रेहान और नसीम उससे मिले और सीधे उससे शाखा दर्शन की इच्छा जाहिर की। संजय पहले तो उन दोनों के शाखा में आने की इच्छा से चौका लेकिन कुछ देर बाद वह मुस्कुराते हुए उनके साथ बैठ गया और बोला

क्यों नहीं जरूर शाखा में आओ। नसीम बोला तो कब? संजय बोला कल ही झंडेवाला मंदिर के पास जो शिशु मंदिर है वहीं कल रविवार है सुबह 6:00 बजे आ जाओ तुम दोनों। उस विद्यालय के प्रांगण में ही प्रतिदिन शाखा लगती है, रेहान ने संजय से पूछा तुम्हें यह आश्चर्य नहीं हुआ कि यह दोनों मुस्लिम युवक एक हिंदू संगठन से क्यों जुड़ रहे हैं, संजय रेहान की जिज्ञासा पर थोड़ा मुस्कुराया और बोला देखो भाई राष्ट्रीय स्वयंसेवक संघ एक राष्ट्रीय संगठन है यह संगठन इस देश में जन्म लेने वाले सभी लोगों को हिंदू मानता है क्योंकि हम सबके पूर्वज एक ही हैं यह तो परकीयों के अत्याचार के भय के कारण कुछ लोग मुसलमान हो गए थे और उसके बाद भ्रमित विचार और अलगाववादियों के खड्यंत्र के कारण आज यह स्थिति बन गई कि आप जैसे शिक्षित और समझदार लोग भी हमसे और इस राष्ट्रवादी संगठन से जुड़ने में हिचकिचाते हैं वरना अपनी शाखा में तो कोई भी आता है, ध्वज प्रणाम करता है और स्वयंसेवक बन जाता है, जाति, वर्ग और संप्रदाय की तो वहाँ बात ही नहीं होती है, हाँ देशभक्ति और राष्ट्रीयता के दायरे में होकर आक्रमणकारियों और विभाजनकारी शक्तियों से राष्ट्र को बचाना है अपनी संस्कृति का फैलाव करना है इस पर चर्चा शाखा में अवश्य ही होती है। नसीम और रेहान को संजय की बातों से काफी आंतरिक खुशी प्राप्त हुई, संजय अपनी बात रोक कर आगे बोला चलो कल शाखा पर तुम दोनों से मुलाकात होगी लेकिन ठीक 6:00 बजे आ जाना। यह शिशु मंदिर कहाँ है संजय रेहान ने पूछा नसीम तुरंत बोला मैं जानता हूँ वह स्थान बस ठीक 5:30 बजे सुबह मेरे आवास पर आ जाना हम दोनों साथ ही बाइक से वहाँ चले चलेंगे।

दूसरे दिन सुबह शाखा पर ठीक समय पर जाने की चिंता रेहान को हो गई वह रात में खा-पीकर जल्दी ही सो गया क्योंकि 4:00 बजे भोर में उठने की आदत उसकी गांव से आने के बाद समाप्त हो गई थी, उसने मन में ठाना बड़े लक्ष्य के लिए अपने को साधना ही पड़ेगा रेहान ने तय किया कि सुबह 4:00 बजे निश्चित ही उठ जाऊँगा, उसका प्रयास सार्थक हुआ लगभग 4:00 बजे उठकर वह जल्दी-जल्दी तैयार हुआ और नसीम को लेकर बाइक से उक्त शिशु मंदिर के प्रांगण में पहुँच गया। इन दोनों के वहाँ पहुँचते-पहुँचते ध्वज लगने लगा था, शिशु मंदिर प्रवेश द्वार के पास ही विलंब से पहुँचने वाले स्वयंसेवक खड़े थे, उनके इशारे पर ये दोनों भी वही खड़े हो गए, उस शाखा के मुख्य शिक्षक सतीश जी ने ध्वज प्रणाम की आज्ञा दी, सबने ध्वज प्रणाम किया पर रेहान और नसीम को कुछ समझ में नहीं आया वे बस अगल-बगल ताकते रह गए मुख्य शिक्षक ने पुनः आज्ञा दी विश्रमः, स्वस्थान इसके बाद सभी अपने-अपने गण

में जाने लगे। संजय प्रवेश द्वार पर आया वहाँ उपस्थित समस्त स्वयंसेवक ध्वज के पास जाने लगे, संजय नसीम व रेहान को भी ध्वज के पास ले गया और ध्वज प्रणाम करना सिखाया, ध्वज प्रणाम के बाद अधिकारी प्रणाम कराया और अपने साथ उन्हें तरुणगढ़ में ले गया।

विभिन्न तरह के व्यायाम और खेल समस्त स्वयंसेवकों के साथ ये दोनों भी खेलने लगे, मंडल के खेल, स्पर्श के खेल तथा दो समूहों के खेल के दौरान जब भारत माता की जय और वंदे मातरम का नारा स्वयंसेवक सम्मिलित स्वर में लगाते थे तो नसीम और रेहान भी भाव विभोर होकर जीवन में पहली बार यह नारा लगाया नहीं। कम समय में इतने प्रकार के व्यायाम और खेल-खेल कर दोनों को मस्ती आ गई, शारीरिक का अभ्यास न होने के कारण इनको थकान भी होने लगा फिर भी सबके साथ खेलते रहे रेहान ने एक बात पर विशेष ध्यान दिया कि यहाँ संस्कृत भाषा में सब आज्ञाए दी जा रही हैं और सभी सहज रूप में उसके अनुसार कार्य भी कर रहे हैं, समता और सूर्य नमस्कार के बाद मंडल में सभी स्वयंसेवकों के साथ ये दोनों भी बैठ गए। मुख्य शिक्षक सतीश जी की आज्ञा पर एक बाल स्वयंसेवक काशीनाथ ने गण गीत कराना प्रारंभ कर दिया।

'चंदन है इस देश की माटी तपो भूमि हर ग्राम है, हर बाला देवी की प्रतिमा बच्चा-बच्चा राम है.........'

नसीम तो सभी स्वयंसेवकों के साथ इस गीत को मस्ती में दोहरा रहा था, पर रेहान गाते हुए गीत के पंक्तियों के भाव पर भी ध्यान देने लगा और महसूस किया कि वास्तव में यह भूमि ऋषि मुनियों की तपस्थली है और धर्म के रक्षार्थ अपना प्राण न्योछावर कर देने वालों की जन्मदात्री यह पुण्य भूमि चंदन की माटी ही है, रेहान इस गीत को गाते-गाते इतना भाव विभोर हो गया कि जहाँ बैठा था वहाँ की मिट्टी को स्पर्श करके स्वत अपने मस्तक पर लगा लिया उसे ऐसा करते हुए कुछ स्वयंसेवको ने देखा पर रेहान का ध्यान तो गीत की पंक्ति पर ही था सोचने लगा जहाँ स्त्रियों को इतना सम्मान है बालिकाओं को देवी की संज्ञा दी जाती है, वहाँ पर विधर्मियों के आक्रमण से पश्चिमी आचार-व्यवहार की उश्रृंखलता से तथा धर्म विहीन शिक्षा के फैलाव से, लोग इतने विकृत मानसिकता के हो गए हैं कि समाज में माताओं, बहनों का सम्मान कम होता जा रहा है, निश्चित रूप से श्री राम के चरित्र का अनुकरण करने की आवश्यकता है, ऐसा सोचते-सोचते रेहान के चेहरे पर भावुकता के चिन्ह आ गए, संजय उसके बगल में ही बैठा था उसने रेहान के कंधे पर हाथ रखा तो रेहान थोड़ा चैतन्य हुआ गीत अब समाप्त हो चुका था। सतीश के संकेत पर एक दूसरे स्वयंसेवक संतोष ने दूसरे

गीत का अभ्यास कराना प्रारंभ कर दिया।

"हिंदू जगे तो विश्व जगेगा मानव का विश्वास जगेगा,
भेदभावना तमस हटेगा समरसता अमृत बरसेगा।
हिंदू जगेगा.........
हिंदू सदा से विश्व बंधु है जड़ चेतन अपना माना है,
मानव पशु तरु गिरी सरिता में एक ब्रह्म को पहचाना है,
जो चाहे जिस पथ से आए साधक केंद्र बिंदु पहुँचेगा।
हिंदू जगेगा.......
इसी सत्य की विविध पंथ से वेदों में हमने गाया है,
निकट बिठाकर इसी तत्व को उपनिषदों में पहचाना है,
मंदिर मठ गुरुद्वारे जाकर यही ज्ञान सत्संग मिलेगा।
हिंदू जगेगा........
हिंदू धर्म वह सिंधु अतल है जिसमें सब धारा मिलती है,
धर्म, अर्थ और काम मोक्ष की किरणें लहर-लहर खिलती है,
इसी पूर्ण में पूर्ण जगत का जीवन मधु संपूर्ण फलेगा।
हिंदू जगेगा......
इस पावन हिंदुत्व सुधा की रक्षा प्राणों से करनी है,
जग को आर्य शील की शिक्षा निज जीवन से सिखलानी है,
द्वेष क्लेश भय सभी हटाने पांचजन्य फिर से गूँजेगा।
हिंदू जगेगा......"

इस गीत को गाते-गाते रेहान को हिंदू धर्म और राष्ट्रीयता के साथ-साथ राष्ट्रीय स्वयंसेवक संघ का मूल उद्देश्य भी समझ में आ गया। गीत समाप्त हो गया था तुरंत एक दूसरे स्वयंसेवक राजेश ने सुभाषित दोहराना प्रारंभ कर दिया।

'धर्मादर्थाः प्रभवते धर्मात प्रभवते सुखम्
धर्मेण लभते सर्वे धर्मासार मिदम जगत'

अर्थात धर्म से ही अर्थ की प्राप्ति होती है, धर्म से ही सुख मिलता है, इच्छाएँ भी धर्म से ही पूरी होती है, यह विश्व भी धर्म पर ही खड़ा है। संस्कृत भाषा की अज्ञानता के कारण नसीम और रेहान को सुभाषित दोहराना कठिन था पर इसका भाव उनके समझ में आ गया कि धर्म एक पूजा पद्धति ही नहीं बल्कि संपूर्ण जीवन है विश्व की मानवता इसी पर टिकी है। सुभाषित के बाद एक तरुण स्वयंसेवक रविंद्र ने बोध कथा कहना शुरू कर दिया छोटी कहानी थी 'वीर हकीकत राय के बलिदान की' मुगल काल में एक छोटे बालक ने परिवार और

रिश्तेदारों के कहने के बावजूद अपना हिंदू धर्म नहीं छोड़ा बल्कि मरना स्वीकार कर लिया।

कहानी क्या यह मुस्लिम काल के उस क्रूर इतिहास की एक छोटी झलक है जो मुस्लिम कट्टरता को उजागर करता है, रेहान को लगा कि मुस्लिम शासक अपनी राछसी प्रवृत्ति के कारण कितने अत्याचार किए होंगे और आज भी उनका अत्याचार अपने वर्चस्व वाले क्षेत्र में कम नहीं हुआ है।

शाखा में इन समस्त कार्यक्रमों के बाद सब का परिचय हुआ, सबने अपना नाम, काम, धाम, और दायित्व बताया, रेहान और नसीम ने भी अपना-अपना परिचय दिया, मुस्लिम नाम सुनकर अन्य स्वयंसेवकों को थोड़ा आश्चर्य हुआ। संजय ने उनका विशेष परिचय कराया कि यह दोनों लोग इंजीनियर हैं राष्ट्रवादी विचार के हैं और मेरे साथ ही कंपनी के कारखाने में काम करते हैं, आज यह लोग स्वेच्छा से शाखा में सम्मिलित हुए है और स्वयंसेवक बन गए, संजय की यह बात सुनकर सभी स्वयंसेवक खुश हुए अंत में प्रार्थना हुआ स्वर सब ने दोहराया।

'नमस्ते सदा वत्सले मातृभूमि, त्वया हिन्दुभूमे सुखवं वर्धितोहम्......। '

संस्कृत भाषा में कहीं जा रही प्रार्थना के शब्द और भाव को समझना रेहान और नसीम के लिए मुश्किल था पर प्रणाम की मुद्रा में आंखें बंद किए रहे अंत में भारत माता की जय ही उन्हें समझ में आया। ध्वज प्रणाम और विकिर की आज्ञा के बाद सभी लोग आपस में हंसी मजाक करने लगे मुख्य शिक्षक सतीश, नसीम और रेहान के पास आकर बोले भैया आप दोनों लोग प्रतिदिन शाखा में आइए यहाँ की सारी बातें का और प्रार्थना का आपको स्वतः अभ्यास हो जाएगा साथ ही बौद्धिक चर्चा में आप लोग भी हमें नई-नई जानकारियाँ देते रहे। रेहान बोला हाँ भाई जरूर हम लोग यहाँ आते रहेंगे, हमें यहाँ का हर कार्यक्रम बहुत ही अच्छा लगा, मैं तो अपने गांव जाऊँगा तो ऐसे ही वहाँ भी शाखा लगाने का प्रयास करूँगा।

संजय इन दोनों को अपने आवास पर ले गया कुछ अल्पाहार लेने के बाद नसीम ने संजय से कहा कि दरअसल संजय जी रेहान और मैं एक योजना पर आपसे सहयोग चाहते हैं आप पहले रेहान की पूरी बात सुनिए और उस पर अपनी राय व्यक्त करिए। संजय नसीम की बात सुनकर रेहान की तरफ देखने लगा, रेहान ने अपनी पूरी भावना संजय के समक्ष व्यक्त कर दी और बोला हम सभी स परिवार हिंदू होना चाहते हैं, और हो सकता है गांव के अन्य मुस्लिम परिवार भी ऐसा करें पर उसके लिए हमें प्रयास करना होगा। संजय कुछ देर के लिए

अवाक रह गया और सुखद आश्चर्य में आकर दोनों की तरफ देखने लगा और बोला देखो भाई आप दोनों का हिंदू धर्म में आना एक क्रांतिकारी कदम है इस देश में कोई मुसलमान स्वयं आगे बढ़कर ऐसा राष्ट्रीय कार्य करें यह तो बहुत ही आश्चर्य की बात है, बल्कि सत्य कहिए तो पूरे देश में यदि ऐसा ही शुभ कार्य हो तो हम देशवासी अनेक समस्याओं से यूँ ही मुक्त हो जाएँगे, अभिनंदन है आप दोनों का जो कि इस महान कार्य का श्री गणेश कर रहे हैं स्वागत है बताइए हमको क्या करना होगा।

रेहान ने कहा हमें इस कार्य में आपके संगठन से अनेक प्रकार की मदद चाहिए ताकि हम सुरक्षित भी रहे और हमारा प्रशासनिक सहयोग भी होता रहे, संजय ने कहा देखिए रेहान जी आप लोगों का यह कार्य एक तरह से हमारे संगठन का ही कार्य है इसलिए जैसा आप चाहते हैं संगठन आपकी पूरी मदद करेगा। आज शाम को आप दोनों हमारे साथ कार्यालय चलें और आगे की योजना हम सभी मिलकर वही बनाते हैं। उसी दिन शाम को संघ कार्यालय पर संजय ने संगठन के बड़े पदाधिकारी गोपाल जी से रेहान और नसीम का विधिवत परिचय कराया तथा इनके उद्देश्य की पूरी जानकारी उनको दी, विषय की गंभीरता को समझ कर गोपाल जी ने तुरंत काशी स्थित संघ कार्यालय से संपर्क किया और रेहान को वहाँ जाकर एक बार मिल लेने का निर्देश दिया और इन दोनों से बोले कि देखिए हमारा संगठन जन जन में राष्ट्र भाव जागृत करने का संस्कार शाखा के माध्यम से करता है यह अच्छी बात है कि आप लोगों में यह भाव पहले ही आ गया है फिर भी आप लोग हम लोगों से मिलते रहे हम लोग चाहेंगे कि आप लोगों की भावनाओं की कदर भी हो और आप लोग सुरक्षित भी रहे। संगठन के लोगों की मृदुभाषिता और सहृदयता देखकर रेहान और नसीम काफी संतुष्ट हुए, वहाँ से चलने के पूर्व रेहान ने गोपाल जी से विनम्रता पूर्वक प्रश्न पूछा कि भाई साहब मैं तो पहली बार आज ही संघ की शाखा में गया और संजय जी के सहयोग से कार्यालय भी आया और आपसे बातचीत भी हुई मुझे कही से यह संगठन और आप लोग मेरे लिए गैर नहीं लगे बल्कि प्रिय लगे फिर भी मुसलमानों के मन में अन्य दल वाले और स्वयं मुस्लिम संगठन के लोग भी राष्ट्रीय स्वयंसेवक संघ के प्रति क्यों घृणा भरते हैं इस राष्ट्रवादी संगठन को सांप्रदायिक क्यों बताया जाता है, यह मेरे समझ में नहीं आता है थोड़ा आप इस पर प्रकाश डालें।

गोपाल जी रेहान के प्रश्न पर थोड़ा मुस्कुराए और बोले देखिए इस विषय पर अभी लंबी बातचीत करने का मेरे पास समय नहीं है फिर भी आप लोगों

की जिज्ञासा की शांति के लिए कुछ कह देना मैं जरूरी समझता हूँ। जैसा कि आप लोग जानते हैं यह देश दुनिया का सबसे प्राचीनतम देश है और यहाँ की संस्कृति का फैलाव विश्व में लगभग हर जगह हुआ है इस देश को कभी आर्यावर्त कहा जाता था और अब भारतवर्ष तथा हिंदुस्थान भी कहा जाता है। संघ के स्वयंसेवक बनकर हम लोग उसी के लिए कार्य करते हैं हमारे बारे में कौन क्या कहता है हम उसकी चिंता नहीं करते हैं, तुलसीदास जी ने कहा है कि 'जाकी रही भावना जैसी प्रभु मूरत तीन देखी तैसी' हमारा काम है शाखा के माध्यम से लोगों में राष्ट्रीय भाव का संस्कार देने का जिसको हम अनवरत जारी रखते हैं। आप लोग भी शाखा में आते रहे संघ को किसी परिभाषा से नहीं शाखा के माध्यम से ही समझा जा सकता है। गोपाल जी से विधिवत बातचीत करने के बाद रेहान और नसीम संजय के साथ कार्यालय से बाहर निकले और पुनः शाखा में मिलने का वादा कर अपने-अपने घरों को चले गए।

एक दिन शाम को रेहान और नसीम दोनों फैक्ट्री कार्यालय से बाहर एक खाली स्थान पर बैठकर आपस में बात करने लगे नसीम थोड़ा चिंतित होकर कहने लगा रेहान तुम तो गांव के हो और हिंदू बाहुल्य इलाके के हो पर मैं तो शहर का हूँ और वह भी मुस्लिम बाहुल्य क्षेत्र का, जहाँ संभ्रांत मुस्लिम कम अलगाववादी जिहादी अधिक है अगर मैंने धर्म परिवर्तन किया तो ये जिहादी हमें जिंदा नहीं छोड़ेंगे ये बहुत कट्टर होते हैं। रेहान चेहरे से एक विचित्र मुद्रा बनाकर बोला डर गए क्या नसीम? नसीम बोला नहीं भाई डरा नहीं पर चिंता जरूर हो रही है, हमारे अब्बा है नहीं घर में मेरे अलावा मेरी अम्मी, बहन साईबा और भाई वसीम है इनकी सुरक्षा मुझे ही करनी है रेहान बोला इसी के लिए तो हम लोग प्रयास कर रहे हैं संगठन से संपर्क कर रहे हैं तुम चिंता मत करो तुम्हारी समस्या हम सब की है हम सब साथ हैं संगठन का भी साथ रहेगा। नसीम बोला एक और बात है रेहान भाई, रेहान बोला क्या कहो? नसीम बताने लगा मेरी शादी आसमाँ नाम की एक लड़की से तय हो गई है जो माध्यमिक विद्यालय में अध्यापिका है हम दोनों कई बार मिल भी चुके हैं वह एक आजाद खयाल की लड़की है, रेहान बोला मतलब! नसीम बोला मतलब उसे मुस्लिम पहनावा बिल्कुल पसंद नहीं है और न ही मुस्लिम औरतों की तरह पर्दे में रहना चाहती है वह निकाह की पक्षधर भी नहीं है पर मैंने उसे बहुत समझाया है तब वह मुस्लिम रीति रिवाज से शादी करने को तैयार हुई है, नहीं तो वह कोर्ट मैरिज करती। रेहान ने नसीम से प्रश्न किया अगर तुम हिंदू हो गए तो? इस पर और गंभीर होकर नसीम बोला भाई वास्तव में यही मेरी चिंता है मैंने अब तक इस

संबंध में अपने घर वालों से ही बातचीत नहीं की है तो उससे क्या बात करूँ पर रेहान भाई वह है बहुत अच्छी लड़की उसके विचार मुझसे काफी मिलते हैं मैं उसे छोड़ना नहीं चाहता। रेहान नसीम के कंधे पर हाथ रखकर उसे समझाते हुए बोला देखो नसीम हम लोग जो कदम उठा रहे हैं उसमें सूझ-बुझ और साहस की परम आवश्यकता है ऐसा करो पहले अपने परिवार के लोगों से स्पष्ट बात कर लो। नसीम बोला संकेत तो दिया है, रेहान बोला संकेत से काम नहीं चलेगा स्पष्ट बात करना पड़ेगा हमें, क्योंकि हमारे भावी जीवन और सामाजिक परिवर्तन का प्रश्न है मैं भी होली पर अपने गांव जाकर पूरे मुस्लिम परिवार से स्पष्ट बात करने वाला हूँ। नसीम बोला सही कह रहे हो तुम मैं आज ही परिवार में इस पर स्पष्ट चर्चा करूँगा और आसमाँ से मिलकर उससे भी सारी बातें स्पष्ट कहूँगा, दोनों के बीच इस दिन बातें लंबी चली अंधेरा होता देख दोनों उठे और अपने-अपने घर को चल दिए।

होली के पर्व में अभी 15-20 दिन का समय था इस दौरान रेहान का काशी क्षेत्र के हिंदू संगठनों विश्व हिंदू परिषद, हिंदू जागरण मंच के पदाधिकारीओं से काफी संपर्क बन गया घर वापसी की योजना का लगभग बन गई, अब केवल नवरात्रि के आने का इंतजार था। दिल्ली में नसीम एक दिन अपने घर अम्मी, बहन और भाई के समक्ष हिंदू धर्म अपनाने की बात की नसीम के प्रस्ताव को सुनकर सभी चौंक गए उसका भाई वसीम आवेश में बोलने लगा भाई हम हिंदू क्यों बनेंगे? क्या गड़बड़ी है अपने धर्म में? साहिबा और उसकी अम्मी मौन ही रही नसीम ने वसीम को समझाया कि देखो इस्लाम में यह गड़बड़ी है कि वह अपना धर्म नहीं है वसीम बोला क्यों हम मुसलमान ही तो है ना क्या यह अपना धर्म नहीं है, बस आपके कहने से यह अपना धर्म नहीं है हम इस बात को कैसे मान लें? नसीम पुनः वसीम को समझाते हुए बोला नहीं भाई हमारे पूर्वजों को बाध्य किया गया मुसलमान बनने के लिए, वसीम बोला नहीं यह झूठ है, नसीम जोर से बोला जो मैं कह रहा हूँ वही सत्य है मेरे भाई। वसीम बोला कुछ भी हो हमें इस्लाम धर्म नहीं छोड़ना चाहिए, इस तरह दोनों भाइयों के बीच इस विषय पर काफी देर तक वाद-विवाद होता रहा, छोटे भाई को इस तरह बहस करते देख नसीम थोड़ा आक्रोशित हो गया वह आवेश में बोला मै तो हिंदू बनने जा रहा हूँ, वसीम ने कहा क्या भाई हम सब को छोड़कर? नसीम ने तुरंत कहा पता नहीं पर मैं तो बनुगा इतना कह कर वह घर से बाहर निकल गया। उसकी माँ, बहन और भाई उसे बाहर जाते देख अवाक रह गए और वसीम को इस तरह बात करने के लिए डांटने लगे।

नसीम आवेश में घर से निकला था वह सड़क पर पैदल ऐसे ही चलता गया वह लगभग सदर बाजार पहुँच चुका था बाजार के चहल-पहल को देखकर उसे लगा कि मैं घर से बहुत दूर आ गया हूँ वह बाजार में सड़क किनारे एक चबूतरे पर बैठ गया सोचने लगा यह मैं क्या और क्यों करने जा रहा हूँ, छोटा भाई जिसने कभी भी आज तक मेरा जवाब नहीं दिया था इतना बहस किया क्या परिवार का कोई सदस्य मेरा साथ नहीं देगा? फिर मन में सोचा धर्म छोड़ना इतना आसान नहीं होता है, हमारे पूर्वज कैसे इतनी आसानी से अपने देश, धर्म को छोड़ दिए आज यह बात मेरे समझ से परे की हो रही है। वह सड़क पर अनेक लोगों को पैदल या अपने-अपने वाहनों से आते-जाते देख सोचने लगा कि इसमें किसी के समक्ष मेरे जैसी समस्या तो नहीं ही होगी और ना ही इसमें से कोई मेरे जैसा सोच रहा होगा, सभी अपने-अपने कर्मों के बंधन के मोह माया में लिप्त हैं और भाग-दौड़ कर रहे हैं, वह हताश निराश हो चुपचाप वहाँ ऐसे ही बैठा रहा। शाम होने को था तभी उसकी निगाह अपनी मंगेतर आसमाँ पर पड़ी उसे अपने विद्यालय से घर जाने के रास्ते में यहीं बाजार पड़ता था शायद बाजार में उसे भी कोई सामान खरीदना था। नसीम को इस समय उसे देखकर आंतरिक खुशी महसूस हुई वह उठकर तेजी से चला और आसमाँ के सामने अचानक पहुँच गया, आसमाँ अचानक नसीम को देखकर मुस्कुराती हुई बोली अरे आप यहाँ! क्या कोई विशेष बात है? नसीम उस भीड़-भाड़ वाले जगह पर आसमाँ से कोई बात नहीं करना चाहता था, वह उसे लेकर पास के एक पार्क में पहुँचा और कोने में जहाँ कम लोगों की निगाह जाती हो नीचे घास पर ही बैठ गया और आसमाँ को भी पास में बैठा लिया। आसमाँ बोली अरे आप इतनी देर से चुपचाप हैं कुछ बोलेंगे भी मैं तो कुछ सामान खरीदने के लिए ही बाजार में रुक गई नहीं तो सीधे मकान पर चली जाती यह संयोग था कि आप से मुलाकात हो गई, अब आप बताएँ कैसे यहाँ अकेले घूम रहे हैं? नसीम आसमाँ की बातों पर विशेष ध्यान नहीं दिया वह बस अपनी उलझन को दूर कर लेना चाहता था। उसने आसमाँ का हाथ पकड़ कर बोला यह बताओ आप मेरे साथ हिंदू बनोगी आसमाँ हंसते हुए बोली अब आप जो मुझे बनाएँगे वह सब बनूँगी प्यार जो करती हूँ आपसे, पर यह सब बातें अचानक क्यों कह रहे हैं आप बताइए कुछ छिपा तो नहीं रहे हैं न मुझसे? नसीम आसमाँ के सकारात्मक उत्तर से बहुत रोमांचित हुआ और उसने धीरे-धीरे उसे रेहान और संजय के साथ हुई अब तक की पूरी घटना का वर्णन कर दिया और आज घर में हुई बहस को भी बता दिया। आसमाँ नसीम की सारी बातें सुनकर गंभीरता से बोली देखिए जी मैं एक कट्टर मुस्लिम परिवार

में जन्म ली हूँ मेरे अब्बा और दोनों भाई सब हर मुस्लिम रीति-रिवाज का पालन करते हैं और चाहते हैं कि मैं भी पालन करूँ पर मैंने इस देश के इतिहास और संस्कृति को काफी हद तक पढ़ा है इसलिए मैं अंध मुस्लिम नहीं हूँ मेरे घर में मेरी अम्मी को छोड़कर कोई मुझे पसंद नहीं करता है सब चाहते हैं कि इसकी किसी तरह से एक मुस्लिम से शादी हो जाए ताकि उनका मुझसे पिंड छूटे, मेरे पहनावे और तौर-तरीके से उन्हें लगता है कि कही मैं किसी हिंदू से शादी न कर लूँ। मेरी अम्मी अशिक्षित है इसलिए वह किसी को कुछ नहीं कहती बस जब जरूरत होती है मेरे साथ खड़ी हो जाती है घर में हम दोनों माँ बेटी का रिश्ता ही सामान्य है आपसे मेरी शादी तय है यह संयोग है कि आप भी स्वतंत्र चिंतन वाले व्यक्ति हैं मेरे विचार आपसे मिलते हैं यही ठीक है अगर आप भी कट्टरता को पसंद करते तो मैं स्पष्ट कह रही हूँ कि आपको प्यार कभी नहीं करती इतना कह कर आसमाँ स्वयं नसीम का हाथ पकड़ कर बोली ईश्वर को धन्यवाद है जी जो आप जैसे अच्छे इंसान से मेरा रिश्ता तय करा रहे हैं। नसीम आसमाँ की बात सुनकर भावुक हो गया वह घर में हुई कड़वाहट को थोड़ी देर के लिए भूल गया उसने आसमाँ का दोनों हाथ पकड़ कर उसे चूमने लगा। नसीम के इस व्यवहार से आसमाँ के शरीर में सिहरन महसूस होने लगी वह हाथ छुड़ाने हुए बोली यह क्या कर रहे हैं जी अभी हम लोग वैवाहिक बंधन में नहीं बधे हैं कुछ दिन इंतजार करें। नसीम चैतन्य हुआ और लज्जा बस आंखें झुका कर नीचे जमीन की तरफ देखने लगा।

अँधेरा होने वाला था पार्क में औरों की संख्या धीरे-धीरे बढ़ने लगी थी, उसमें ज्यादातर प्रौढ़ और वृद्ध थे शायद उनकी प्रतिदिन की दिनचर्या थी सभी आपस में बातचीत करने में मशगुल थे, नसीम और आसमाँ की जोड़ी पर लोगों की निगाह कम ही पड़ी। नसीम आसमाँ दोनों एक साथ उठे और पार्क से निकलने लगे आसमाँ बोली देखिए जी मैं नाम की ही मुसलमान हूँ लेकिन मैं अपने देश और सनातन संस्कृति पर गर्व महसूस करती हूँ फिर भी कभी मैंने इस्लाम पंथ छोड़ने के बारे में नहीं सोचा, हाँ यदि आप ऐसा सोच रहे हैं तो गलत तो नहीं है लेकिन घर वालों से इस विषय पर प्रेम से बात करके ही ऐसा करिएगा घर में जो अपनापन मिल जाता है वैसा प्यार अन्यत्र कहाँ मिलेगा। मैं भी कभी-कभी सोचती हूँ कि यदि कट्टरता और जिहादी प्रवृत्ति हटा दिया जाए तो फिर घर में मेरे भाइयों से बढ़कर अपनापन देने वाला कौन है? सब बुराइयों के बाद भी विवाह के बाद एक बार वह घर दोनों भाइयों, अब्बा, अम्मी को छोड़ना मेरे लिए अत्यंत कष्टकारी होगा ऐसा कह कर आसमाँ स्वयं भावुक होने लगी

नसीम साथ चलते-चलते आसमान के कंधे पर हाथ रखकर उसकी बातों से सहमति जताई और उसे सांत्वना देने लगा और बोला अंधेरा हो रहा है आसमाँ चलो तुम्हें घर तक छोड़ आऊँ, आसमाँ तुरंत बोली क्यों यह तो मेरा रोज का काम है मैं सामान लेकर स्वयं चली जाऊँगी आप भी घर जाएँ। लेकिन नसीम नहीं माना वह आसमाँ के साथ चलता रहा और उसे घर जाने के लिए टेंपू पर बैठा कर बाजार से पैदल ही घर लौटने लगा था रास्ते में उसने अपने भाई वसीम और आसमाँ द्वारा कही गई बातों में सामंजस्य बैठाने लगा और सोचने लगा वसीम मेरा भाई है अभी अवयस्क है देश और संस्कृति के बारे में नहीं जानता है इसलिए वह मेरी बात का प्रतिकार किया लेकिन आसमाँ शिक्षित है सब कुछ जानती है इसलिए वह मेरी बातों से सहमति व्यक्त की। सब मिलाकर यदि देखा जाए तो भारतीय शिक्षा, संस्कार और संस्कृति की अज्ञानता ही इस देश की मूल समस्या है अलगाववाद और जिहाद यह केवल दिमागी फितूर है विकृत मनोवृति का परिचायक है और कुछ नहीं।

रात लगभग 8:00 बजे नसीम घर लौटा द्वारा बंद था उसने काल बेल बजाई उसकी बहन साईबा ने दरवाजा खोला नसीम अन्दर प्रवेश किया तो देखा सामने बरामदे में उसकी अम्मी और छोटा भाई चुपचाप बैठे हैं, वसीम अपने बड़े भाई को देखते ही उठकर दौड़ते हुए आया और रोते हुए उसके चरणों में गिर गया और बोला भाई मुझे माफ कर दो मैंने अकारण आपकी बातों का जवाब दे दिया और आपका दिल दुखाया ऐसा मुझे नहीं करना चाहिए था आप बड़े हैं जो कहेंगे वह सब मैं करूँगा मुझे कभी मत छोड़ना भैया नहीं तो मैं अनाथ हो जाऊँगा आप ही मेरे सब कुछ हैं अब मैं आपसे ऐसी बदतमीजी कभी नहीं करूँगा ऐसा कह कर वह और अधिक रोने लगा। नसीम अपने छोटे भाई के इस कारुणिक व्यवहार से सन्न रह गया उसके भी आंख से आंसू गिरने लगे, उसने देखा कि उसकी अम्मी और एक तरफ खड़ी उसकी बहन भी रो रही है, वह वसीम को धीरे से उठाया और गले लगाते हुए बोला ऐसा क्यों सोचते हो मेरे भाई मैं कैसे तुम लोगों को छोड़कर कहीं जा सकता हूँ या कोई अकेले निर्णय ले सकता हूँ। नसीम को महसूस हुआ कि उसकी बहन भी उसके कंधे पर सर रखकर आंसू बहा रही है, उसने उसे भी सहारा दिया और सबको सांत्वना देकर चुप कराया और सबके साथ अपनी माँ के पास जाकर बैठ गया और उसके आंसूओं को पोछने लगा। नसीम की माँ रोते हुए कहने लगी बेटा तुम्हारे अब्बा अब है नहीं हम सब का तू ही एक सहारा है ऐसे बिना कुछ कहे नाराज होकर घर से निकल गया वसीम तुम्हारा छोटा भाई है उसने कुछ कह दिया तो डांटना चाहिए, समझाना

चाहिए लेकिन तूने कुछ खुद नासमझी जैसा व्यवहार किया। नसीम अपनी माँ को समझाते हुए कहने लगा अम्मी मैं किसी से नाराज नहीं था बस आत्म चिंतन के लिए बाहर चला गया था। उसकी माँ बोली तो बता कर जाता पर इस प्रकार आवेश में घर से निकलना ठीक नहीं होता है बेटे पता है तुम्हारे जाने के बाद हम लोग वसीम को बहुत डांटे यह रोने लगा बार-बार भैया-भैया कहते हुए बाहर दौड़ कर जाता फिर लौट कर आ जाता था। नसीम सोचने लगा वाकई मुझसे गलती हो गई मेरे इस व्यवहार से सबको कष्ट हुआ है कुछ देर बाद विषय बदलने के लिए बोला भोजन बना है अम्मी? साईबा बोली तुम नाराज होकर घर छोड़ दोगे तो हम लोग खाना कैसे बना सकते हैं भैया यह तो हम सबके लिए मर जाने वाली बात होगी न। नसीम उठते हुए बोला अरे नहीं रे अब छोड़ो यह सब बातें चलो आज मैं ही सबके लिए खाना बनाता हूँ। साईबा बोली नहीं भैया आप बैठो मैं तुरंत बना देती हूँ न, फिर भी नसीम सब्जी लेकर काटने बैठ गया वसीम भी अपने बहन के साथ रसोई घर में चला गया उन दोनों के अंदर जाने के बाद नसीम की माँ कहने लगी बेटा तुम शिक्षित हो, समझदार हो देश-दुनिया देख रहे हो जैसा तुम निर्णय लेना चाहते हो सोच-समझ कर लो पर हम सबको साथ में लेकर ही किसी फैसले पर पहुँचना हम सबको अकेले मत छोड़ देना। नसीम अपनी माँ को गले लगाते हुए बोला नहीं अम्मी हम सब का निर्णय एक ही होगा और साथ में ही होगा।

पंचम भाग

होली पर्व के दो दिन पूर्व रेहान अपने घर पहुँचा और शाम को अपने आवास पर सभी मुस्लिम बड़े-बुजुर्गों और नौजवानों की एक बैठक बुलाई। रेहान ने सबके समक्ष अपना विचार विस्तार से रख दिया, धर्म परिवर्तन की बात सुनकर वहाँ उपस्थित सभी लोगों को जैसे काठ मार दिया, वे सभी रेहान से इस बात की कत्तई उम्मीद नहीं किए थे उन उपस्थित लोगों के बीच रेहान के पिता बिस्मिल्लाह ही शांत बैठे थे क्योंकि उनको रेहान के विचार की पहले से ही जानकारी थी लेकिन वहाँ उपस्थित अन्य लोगों को रेहान का यह विचार एकदम से बेचैन कर दिया। उसके पड़ोसी रहमत चाचा ने आवेश में कहा कि रेहान तुमने सोच कैसे लिया कि तुम्हारे कहने से हम लोग अपने प्रिय मुस्लिम धर्म को छोड़ देंगे, रेहान इन बातों के लिए पूर्व से ही तैयार होकर बैठा था उसने कहा चचा मेरे कहने से नहीं आप सभी के एक राय से ही यह काम होगा, एक युवक अशफाक बोला भाई आप पढ़े-लिखे हो यह बताओ हमें मुस्लिम धर्म से क्या दिक्कत है कि इसका हम त्याग कर दें। रेहान ने उसे जवाब दिया देखो अशफाक दिक्कत हमें भी है और देश को भी है हम सबके पूर्वज पूर्व में हिंदू ही थे और इस देश में आपसी भाईचारा बनाकर शांति से रहते थे, लेकिन जब से इस देश में मुस्लिम पंथ वाले आक्रांता बनकर आए तब से यह हमारी मातृभूमि इनके अत्याचारों से पीड़ित हो गई रेहान की बात लोग ध्यान से सुनने लगे उसने आगे सबके बीच देश के मध्यकालीन इतिहास और विभाजन की क्रूरतम घटना का विस्तार से वर्णन किया। इसी बीच एक अन्य मुस्लिम युवक जमील बोल दिया भाई यह हमारी मातृभूमि नहीं है हम मुसलमान बाहर से आए हैं हमें यहाँ शासन करना है इसे दारुल इस्लाम बनाना है यहाँ हिंदुओं के साथ मिलकर हम कभी नहीं रह सकते हैं वे काफिर हैं।

जमील की इस बेतुकी बात को बीच में ही काटते हुए रेहान के चाचा

अब्दुल्ला ने कहा गलत बात मत बोलो जमील हमें हिंदुओं से क्या दुश्मनी है यहाँ वे अधिक संख्या में है फिर भी उनसे हमको कोई दिक्कत नहीं है फिर रेहान की तरफ देखते हुए बोले बेटा रेहान यह बताओ यदि हम हिंदू हो जाएँगे तो क्या इस देश की सब समस्या का समाधान हो जाएगा। रेहान अब्दुल्ला को समझाते हुए बोला चचा सब समस्या का समाधान तो नहीं पर हमारी समस्या का समाधान हो जाएगा। अब्दुल्ला रेहान को रोकते हुए बोले नहीं बेटा हमारी समस्या बढ़ जाएगी और क्यों चचा? रेहान ने अब्दुल्ला से प्रश्न किया। अब्दुल्ला बोले हम अकेले नहीं हैं रेहान, और मुसलमान है, हमारे नाते रिश्तेदार हैं उनको हम कैसे छोड़ सकते हैं? रेहान अपने चाचा की बातों का धैर्य पूर्वक जवाब दिया और बोला चचा आप उनकी चिंता क्यों करते हो पहले अपनी चिंता करिए, जब हम सब के पूर्वज हिंदू धर्म छोड़े थे तो क्या उन्होंने अपने रिश्तेदारों की चिंता की थी? जब उन्होंने उस समय सब की चिंता नहीं की तो आज हम क्यों सब की चिंता करें अपने चाचा से इतनी बात कहते हुए रेहान फिर सब की तरफ देखकर कहने लगा यह पवित्र कार्य शुरू तो होने दीजिए आप लोग धीरे-धीरे सभी इसी मार्ग का अनुसरण करेंगे। खून-खून को पुकारता है भाइयों हमारा और हिंदुओं का खून एक ही है ये हम सभी जान लें हमको हिंदुओं से अलग किया गया है और इसी कारण आज हम लोग देश से भी अलग होते जा रहे हैं, इस बात पर ध्यान देना कि कोई भी वहाबी और जमाती हमें केवल अलगाववाद की ही बात क्यों बताता है समरसता की बात क्यों नहीं करता है। रेहान के प्रभावशाली बातों का असर वहाँ उपस्थित बुजुर्गों पर तो पड़ रहा था लेकिन वहाँ बैठे युवक अभी भी अपने मुस्लिम पंथ न छोड़ने पर अडिंग थे उसका कारण भी था एक तो उन नौजवानों के मन में बाहर से आने वाले अलगाववादियों ने कट्टरता जो भर दिया था दूसरा रेहान ने उनको एकदम से अचानक हिंदू होने के लिए कह दिया इससे भी काफी विचलित हो गए और विद्रोही भी, पर रेहान ने अपनी बात उन सबके बीच रखना जारी रखा। स्थिति यह बन गई कि वहाँ उपस्थित समस्त युवकों में से एक दो को छोड़कर शेष सभी वह स्थान छोड़कर चले गए, किसी ने उन्हें रोका भी नहीं।

सभी बुजुर्ग वहाँ बैठे ही रहे तो रेहान को लगा लगता है कि मेरी बात का इन पर असर हो रहा है, रेहान ऐसा सोच ही रहा था तभी रहमत मियाँ बोलने लगे बेटा रेहान तुमने तो हम सबको दुविधा में डाल दिया तुम इतना पढ़े लिखे हो सज्जन हो और हम ही नहीं पूरा गांव तुम्हारी इज्जत करता है तुम्हारी बातों में दम भी है पर बेटा इस उम्र में मुस्लिम धर्म छोड़ना हम सबके लिए मौत के

समान है रेहान रहमत मियाँ की बातों पर थोडा मुस्कुराया और तुरंत बोला चाचा ऐसा मत कहिए मौत नहीं हम सबके लिए यह पुनर्जन्म सरिखा अवश्य होगा। आप लोग जरा सोचिए चचा हमारे पूर्वज किन कठिनाइयों में कितनी पीड़ा में अत्याचार ना सह पाने के कारण अपना श्रेष्ठ हिंदू धर्म छोड़ें होंगे, आज तो हम बस उसका परिमार्जन करने की बात सोच रहे हैं ताकि देश में अब से ऐसा सांप्रदायिक विद्वेष न फैले। चचा मै मुसलमानों को जिहादी होते नहीं देखना चाहता हूँ, मुस्लिम पंथ में रहकर आप देर-सबेर अलगाववाद और कट्टरता ही सीखेंगे जो हम सबके लिए और देश के लिए हर हाल में बुरा ही होगा। रेहान ने आगे और गंभीरता से एक बात बोला हम मुसलमान होकर भी बाहर के देशों के लिए नागरिकता में हिंदू ही माने जाते हैं और पाकिस्तान में तो आज भी यहाँ से गए मुस्लिम बाहरी अर्थात मुहाजिर ही बोले जाते हैं तो क्यों न हम सभी हिंदू हो ही जाए जो अपना ही धर्म है।

अब्दुल्ला अब नरम शब्दों में कहने लगे हिंदू हमें अछूत समझते हैं बेटा इस पर रेहान तुरंत जवाब दिया तो हम भी तो उन्हें काफीर ही कहते हैं न चचा, अब्दुल्ला बोले वह तो ठीक कह रहे हो पर क्या हिंदू हमें स्वीकार करेंगे उनकी इस मामले में क्या इच्छा है? रेहान बात बनते देख बहुत ही उत्साह पूर्वक और विश्वास के साथ अपने चाचा को समझाने लगा चाचा हम अशुद्ध आहार ज्यादा लेते हैं दंगे-फसाद करते रहते हैं देश का विभाजन तक करा लिया तो क्या हिंदुओं की इच्छा से ये सब किया? अब अच्छे कार्यों के लिए उनकी इच्छा की हमें क्या आवश्यकता है चचा एक बात याद रखिएगा हमारा धर्म परिवर्तन नहीं घर वापसी हो रहा है आप सभी बुजुर्ग हैं मैं आप सबका बहुत सम्मान करता हूँ, इसलिए आप सब की सहमति के लिए ऐसा प्रस्ताव लाया हूँ नहीं तो मैं अकेले ही घर वापसी कर लेता और दिल्ली शहर में ही वही बस जाता, लेकिन आप लोग जानते हैं बिना आप सब की इच्छा के मैं कुछ भी नहीं कर सकता हूँ। मुझे यह गांव, यह मिट्टी और अपनी मातृभूमि बहुत ही प्यारी लगती है, आप सब के आशीर्वाद और सहयोग की हमें परम आवश्यकता है, भारत माता हमें पुकार रही है चचा बस आप लोग उस पुकार पर ही ध्यान दें और ऐसा काम करें कि इस पुण्य भूमि में जन्म लेना हम सबका सार्थक हो जाए। आप सभी सकारात्मक भाव से इस विषय पर विचार करें और तब मुझे अपना निर्णय सुनावें मैं होली के दो दिन बाद ही दिल्ली चला जाऊँगा।

दूसरे दिन रेहान दोपहर बाद काशी चला गया रीना से मिलने पूर्व निर्धारित समय के अनुसार वह ठीक 4:00 बजे शाम को संकट मोचन मंदिर पहुँच गया,

वह इधर-उधर देखने लगा पर वहाँ रीना नहीं दिखाई दी इंतजार करने के लिए वह स्थान ढूंढने लगा तभी उसका ध्यान सड़क पर गया जहाँ रीना स्कूटी चलाती हुई उसी की तरफ आ रही थी, दोनों एक दूसरे को देखकर मुस्कुराए रीना क्रीम कलर के सलवार सूट में बहुत सुंदर लग रही थी रेहान सफेद पैंट शर्ट के साथ कत्थई रंग का जैकेट पहन रखा था, रीना उसे देखते ही बोली आज बहुत सुंदर लग रहे हो रेहान, रेहान मुस्कुराते हुए बोला जरूर पर तुम तो बिल्कुल परी दिख रही हो। रीना भी हंसते हुए बोली अच्छा जी तो आओ पहले हनुमान जी का दर्शन पूजन कर लेते हैं तब बैठकर एक दूसरे की तारीफ करेंगे। दर्शन पूजन के बाद मंदिर परिसर में ही दोनों कुछ देर के लिए बैठकर भक्त जनों को मंदिर में आते-जाते देखने लगे रेहान रीना की तरफ देखते हुए बोला आज तिलक नहीं लगाओगी क्या रीना? रेहान का प्रश्न सुनकर रीना तुरंत उठी और हनुमान जी का प्रसाद सिंदूर लाकर रेहान को लगा दिया और बोली रेहान वादा करो कि हम जीवन में एक दूसरे का साथ कभी नहीं छोड़ेंगे, रेहान रीना की तरफ देखते हुए बोला ऐसा क्यों कह रही हो हम दोनों एक दूसरे के लिए ही बने हैं यह संयोग ही था कि बचपन से हम लोग एक साथ पढ़ते-लिखते-खेलते-कूदते बड़े हुए बिछड़ कर पुनः एक हो गए इसीलिए की जीवन भर साथ-साथ हमें रहना है। रीना बोली आओ बाहर एकांत में बैठकर कुछ बातें करते हैं रेहान और रीना दोनों एक साथ मंदिर परिसर के बाहर स्थित एक पार्क में जाकर बैठ गए। युवावस्था में विपरीत लिंग का आकर्षण होना स्वाभाविक ही होता है और वह भी जब पुराने साथी हो और मन से एक दूसरे को चाहते हो, रेहान और रीना की स्थिति इस समय वैसी ही थी रेहान पार्क के चबूतरे पर अपने पास रीना को बैठाते हुए बोला सच कहूँ रीना तो हम दोनों साथी तो पुराने हैं पर तुम्हारे प्यार की अनुभूति पहली बार मुझे तब हुई जब इतने दिनों बाद मिलने पर इसी स्थान पर तुमने मुझे खूब डांटा। तुम्हारे डांटने का भाव बता रहा था कि तुम मुझे कितना प्यार करती हो अपना समझ रही हो, वरना गैरों को कोई क्यों ऐसी बात कहे और जानती हो उस दिन का तुम्हारा प्यार भरा डांट ही आज मेरे जीवन के मार्ग को पूर्णतः बदल दिया है। इस दौरान मैंने भारतीय दर्शन और साहित्य की जितनी पुस्तक पढ़ी हैं उसके पीछे बस तुम्हारा प्यार ही है और इसी कारण मैंने निश्चय किया है कि अब मेरा भावी जीवन हिंदू धर्म और हिंदुस्थान के लिए ही होगा। रीना रेहान की बात सुनते-सुनते बहुत ही भावुक हो गई उसने रेहान का हाथ पकड़ लिया और कहने लगी कि रेहान आज तूमने मुझे दिल से अपना बना लिया नहीं तो उस दिन तुमसे बात करने के बाद मैंने यह निश्चय कर लिया था कि यदि मैं अपने

प्यार को सही राह नहीं दिला पाई तो मैं जीवन भर शादी नहीं करूँगी क्योंकि मैं किसी मुसलमान से शादी करके मुस्लिम बच्चा पैदा करने के लिए नहीं बनी हूँ और न ही इस तरह से देश को धोखा दे सकती हूँ। रेहान रीना की बात सुनकर बोला अरे रीना ऐसा क्यों कहती हो मैं भी तो एक मुस्लिम ही हूँ राष्ट्रवादी हो गया न। रीना ने रेहान को तुरंत जवाब दिया रेहान तुम बात सही कह रहे हो पर यह बताओ ऐसे कितने मुसलमान होंगे इस देश में जो स्वयं तुम्हारी तरह राह बदलने को तैयार होंगे, अधिकतर तो बड़े होकर कट्टर जिहादी और अलगाववादी ही हो जाते हैं, अच्छे माता-पिता भी ऐसा बनने से उनको रोक नहीं पाएँगे क्योंकि मुस्लिम समुदाय का माहौल ही इस देश में ऐसा हो गया है। मेरे जैसी माँ भी नहीं बदल पाएगी रेहान। रेहान प्यार से रीना का हाथ पकड़कर मुस्कुराते हुए बोला चलो तुमने मुझे तो बदल दिया न रीना भी रेहान की बात पर हंसती हुइ बोली मुझे तुम पर पूरा विश्वास है रेहान और सुन लो यह मेरा दृढ़ निश्चय है अगर तुम नहीं बदले तो मैं तुमसे अलग रहकर अपना संपूर्ण जीवन देश हित के लिए ही समर्पित कर दूँगी। रीना की इतनी बात सुनने के बाद रेहान ने रीना की हथेली को कसकर पकड़ लिया और बोला अरे नहीं रीना ऐसा मैं नहीं होने दूँगा मैं तुम्हारे लिए सदा-सदा के लिए बदल गया। रेहान की बात सुनकर रीना मुंह बिचका कर धीरे से बोली मेरे लिए नहीं देश के लिए बदले हो, रेहान हंसते हुए कान पड़कर बोला अरे भाई यही तो तुम्हारी इच्छा थी न इस बात पर दोनों एक साथ खूब खिलखिला कर हंसे।

उन दोनों के बीच ऐसे ही लंबी वार्ता चलती रही रेहान ने कहा रीना मैंने निश्चय कर लिया है कि इस नवरात्रि में घर वापसी कर लूँगा रीना ने प्रश्न किया और गांव के अन्य मुस्लिम परिवार वाले क्या करेंगे, रेहान ने इस पर जवाब दिया उम्मीद तो है पर कुछ कहा नहीं जा सकता है फिर भी अपना प्रयास जारी है जो भी होगा रीना मैं तुम्हें उसकी जानकारी अवश्य दूँगा और तुम भी उस कार्यक्रम में उपस्थित होना क्योंकि तुम ही तो इस कार्यक्रम की प्रेरणा स्रोत हो। रीना बोली यह तो मेरा सौभाग्य होगा मैं जरूर उस महान कार्यक्रम में सम्मिलित रहूँगी बस तिथि, समय और स्थल मुझे बता देना, दोनों को बात करते-करते अंधेरा हो गया अब राह चलने वालों की भी नजर उधर नहीं जा सकती थी रेहान को रीना के साथ इस तरह अकेले में बैठे रहना बेहद प्रिय लग रहा था सोच रहा था काश ऐसे ही पूरी रात हम दोनों बात करते रहे फिर रोमांटिक अंदाज में उसने धीरे से रीना को अपनी बाहों में खींचना चाहा पर रीना बोली नहीं रेहान अभी दिल से ही हम लोग मिले रेहान ने कहा रीना होली का पर्व है आओ गले

तो मिल ले रीना रेहान से अपने को छुड़ाती हुई बोली मन से तो मिल ही लिए अब तन से अगले वर्ष मिलेंगे और उठते हुए बोली अंधेरा हो गया है अब तुम भी गांव जाओ और मैं भी अपने छात्रावास चलती हूँ। रेहान भी उठते हुए बोला अगर त्योहार पर गांव चलना है तो चलो मेरे साथ ही, रीना बोली नहीं रेहान अभी मुझे कुछ लिखना है कल मैं खुद अपने साधन से गांव आ जाऊँगी दीपावली के बाद गांव जाना नहीं हुआ है इसके बाद दोनों एक दूसरे का अभिवादन करके अपने-अपने गंतव्य को रवाना हो गए।

होली के दिन सुबह रेहान कुछ मुस्लिम युवा साथियों अशफाक, अरशद, जमील और रफीक के साथ नहा-धोकर अपने घर से निकला गांव में कुछ दूर आगे बढ़ते ही उसे कुछ छोटे-बड़े लड़के रंग खेलते हुए दिखाई दिए, रविंद्र, गौरव और नवनीत ने जैसे ही इन लोगों को देख रंग की बाल्टी लेकर उनकी तरफ दौड़े अशफाक, अरशद, जमील तो रंग देखकर पीछे हटने लगे पर रेहान और रफीक दोनों आगे बढ़ते रहे रेहान भी अपने पास कुर्ते के पॉकेट में रंग रखा था रविंद्र आगे बढ़कर इन दोनों पर डिब्बे से रंग फेंकने लगा नवनीत ने सबका चेहरा रंगों से रंग दिया रेहान ने भी सबके चेहरे पर रंग लगा दिया अब सबका चेहरा एक जैसा हो गया था दूर खड़े अशफाक, अरशद और जमीन इनको देखकर हंसने लगे इनको हंसता देख छोटे-छोटे बच्चे दौड़े और बचते-बचाते इन तीनों पर भी रंग फेंक दिए अब वहाँ उपस्थित सभी लोग रंग से भीग कर एक जैसे दिखने लगे अर्थात समरस हो गए थे। रेहान सबको बोला भैया लोग आओ पूरा गांव घूम लेते हैं रविंद्र खुश होकर हर हर महादेव का नारा लगाया और सभी हर-हर महादेव के नारे के साथ गांव का चक्रमण करने लगे, कोई भी मिलता तो बच्चे उत्साह में सबको रंग लगा ही देते रेहान और नवीन बच्चों को समझाते देखो भाई थोड़ी सभ्यता से रंग लगाओ उम्र का ख्याल रखो पर आज उनकी बात कौन सुनता है बच्चे तो बच्चे होते है मना करने पर और उत्साहित होकर रंग लगाने लगे। बुजुर्गों ने देखा कि इस वर्ष का होली का पर्व बिना भेदभाव के पूरे गांव में उल्लास के साथ मनाया जा रहा है नौजवानों के अभिवादन पर बुजुर्ग सबको आशीर्वाद देने लगे खूब खुश रहा भैया लोग, खूब आगे बढ़ा, होली मंगलमय हो सबको। नौजवानों के उत्साह और हर हर महादेव के नारों से होली के दिन पूरा केशवपुर गांव गूँजायमान हो गया गांव के मध्य एक ठाकुरबाड़ी थी जहाँ बहुत सी औरतें और लड़कियाँ आपस में एक दूसरे के साथ होली खेल रही थी, रेहान और रविंद्र औरतों की आवाज सुनकर लड़कों को उधर जाने से रोक दिया। अब नौजवानों की टोली हनुमान जी के मंदिर की तरफ निकल गई

वहाँ पहले से ही कुछ लोग मौजूद थे पुजारी और दो-तीन लोग भांग और ठंडई पीसने में व्यस्त थे और कुछ लोग भांग पीकर मस्त थे। इन नौजवानों के समूह को आते देखकर भांग पीकर मस्त लोग दूर से ही झूलते हुए बोले अरे आवा हो भैया लोगन आवा आवा तनिक भंगिया पिला हो। रेहान, रविंद्र, नवनीत और कुछ नौजवान हाथ मुंह धोकर हनुमान जी का दर्शन किए अबीर चढ़ाया और वही अबीर सबको लगाने लगे श्यामलाल को भांग चढ़ गई थी बोला का हो रोहन भैया नौकरियाँ छोड़कर गांव में का घुमत हउआ चुनाव-उनाव लड़बा का, उसके बगल में रामलाल भी मस्ती में था खड़ा हो गया और कहने लगा दत्त मर दे इ रोहन नहीं रेहान हव श्यामलाल उसकी बात काटते हुए आंखें फाड़कर फिर बोला अरे ना ही हो इ रोहन ह रामलाल, श्यामलाल को धक्का देते हुए कहने लगा अरे यार इ बिस्मिल्लाह चाचा क लड़का रेहान हव अब श्यामलाल रेहान को पड़कर हंसते हुए बोला अच्छा इ रोहन नाहीं रेहान हव। मंदिर के पुजारी बलदेव शास्त्री रामलाल और श्यामलाल की बातों को सुनकर कहने लगे ए बचवा रेहान इन लोगन के भांग चढ़ गइल बा तू लोग आगे बढ़ा नाही त इ सब तू लोगन के बहुत परेशान करिंह। पुजारी रेहान को ऐसा बोल ही रहे थे तभी श्यामलाल और रामलाल ढोलक लेकर रेहान के सामने फगुआ बनाकर गाने लगे ढोलक कि थाप सुनते ही जितने नौजवान और बच्चे थे सब झूमने लगे।

रेहान उनसे अलग होकर मंदिर के एक चबूतरे पर जाकर बैठ गया और सोचने लगा इन लोगों ने तो आज मेरा नाम ही बदल दिया मैं रेहान से रोहन हो गया नया नामकरण अच्छा है। वह देख रहा था कि नौजवान वहाँ ठंडई भी पी रहे हैं और नाच भी रहे हैं होली की यह मस्ती उसे अच्छी लगी सब एकाकार हो गए सारा भेद समाप्त है काश ऐसा ही माहौल पूरे वर्ष भर रहता तो कितना अच्छा होता लेकिन जब प्रकृति ही हर समय एक नहीं रहती है तो मनुष्य भी समाज में रहकर एक समान कैसे रह सकता है राग-द्वेष, सुख-दुख, मिलना-बिछड़ना सब का अनुभव करना ही होता है। शाम तक जब सभी लोग मस्ती में होली खेल कर थक गए अपने-अपने घर को चले गए तो रेहान मंदिर से उठकर गांव के एक वरिष्ठ व्यक्ति अवकाश प्राप्त अध्यापक अच्युतानंद तिवारी जी के द्वार पर चला गया, वे द्वार पर ही अकेले बैठे थे रेहान उनका चरण छूकर आशीर्वाद लिया अच्युतानंद जी रेहान को देखकर काफी खुश हुए मुंह मीठा कराए दोनों में हाल-चाल होने लगा। अवसर देखकर रेहान बोल चाचा जी मैं आपसे एक बात कहना चाहता हूँ तिवारी जी ने पूछा बोलो बेटा क्या कहना चाहते हो रेहान ने प्रश्न किया सुना है हम लोगों का परिवार भी पहले हिंदू ही था आपको इसके

बारे में कुछ पता हो शायद, तिवारी जी ने कहा तुम्हारा ही परिवार नहीं आसपास के जितने भी मुस्लिम हैं सब पहले हिंदू ही थे यह तो पता है मुझे पर यह नहीं मालूम कि ये लोग कब और कैसे मुसलमान बने और ना ही अब इन सब बातों की हिंदू समाज में चर्चा ही होती है हाँ इतना जरुर जानता हूँ कि जैसा बाप दादा से जानकारी मिली है कि तुम लोगों का परिवार भी कभी ब्राह्मण था। रेहान तिवारी जी की बात समाप्त होने के बाद धीरे से बोला चाचा तो क्या हम लोग अब हिंदू नहीं हो सकते हैं तिवारी जी तुरंत बोले क्यों नहीं बेटा पर तुम्हारा क्या यह अपना निर्णय है या पूरे मुस्लिम परिवार के साथ रेहान हंसते हुए बोला पूरे परिवार के साथ चाचा आप साथ देंगे न? हाँ बेटा बिल्कुल तिवारी जी का तुरंत जवाब आया और कहने लगे बेटा हम लोग तो तुम सबको पहले हिंदू ही समझते रहे पर क्या करें देश विभाजन के दौरान ही मुसलमानो में जो अलगाववाद का भाव आया उसके कारण हिंदू भी मुस्लिम परिवारों से भेद रखने लगे लेकिन कुछ भी हो बेटा यह कार्य तुम्हारा अद्‌भुत है। रेहान तिवारी जी की बात सुनकर और उत्साहित हुआ और मासूमियत से बोला आप लोग हमें अछूत समझते हैं न चाचा तिवारी जी ने रेहान के कंधे पर हाथ रखकर उसको समझाया तुम सही कह रहे हो लेकिन वह केवल माँस भक्षण और अलग जीवन शैली के कारण ही ऐसा होता है नहीं तो तुम देख ही रहे हो हम सभी मुस्लिम परिवारों के साथ उठते-बैठते हैं खाते-पीते हैं कोई खास अंतर तो नहीं दिखता है अब कुछ तुम बदलो और कुछ हम बदले कुछ दिन बीतते बीतते सब एक हो जाएँगे बेटा फिर कोई अंतर नहीं दिखेगा।

रेहान मूल विषय पर अच्युतानंद तिवारी से बात करने लगा चाचा इस नवरात्रि में हम सब का हिंदू धर्म में वापसी सुनिश्चित है यह जानकारी मेरे अलावा इस गांव में केवल आपको ही हो रही है अभी चर्चा की बहुत आवश्यकता नहीं है निश्चित तिथि और स्थान की जानकारी आपको बाद में दी जाएगी आपको यह काम करना है कि कुछ गणमान्य हिंदुओं के साथ उस स्थान पर अवश्य पहुँच जाइएगा यही आपसे निवेदन है क्योंकि वहाँ हवन-पूजन के बाद सहभोज का भी आयोजन रहेगा। तिवारी जी रेहान की बातों को सुनकर उठकर उसे गले लगा लिए और खूब आशीर्वाद दिया और बोले निश्चित बेटा तुम जो कहोगे उसमें मेरा पूरा सहयोग रहेगा बस समय से मुझे इसकी जानकारी हो जाए। अगर धन वगैरह की आवश्यकता होगी तो उसे भी बताना मैं उसमें भी सहयोग करूँगा। रेहान तिवारी जी की बातें सुनकर और अधिक उत्साहित होकर बोला नहीं चाचा जी धन की व्यवस्था हिंदू संगठनों ने स्वयं उठा लिया है आप लोग

बस उपस्थित होकर हमें आशीर्वाद दीजिएगा द्वार पर अकेले यही दोनों थे इसलिए अन्य बहुत सी बातें इन दोनों लोगों के बीच हुई करीब 2 घंटे तिवारी जी के यहाँ रहने के बाद रेहान उठकर अपने घर आ गया।

होली के दूसरे दिन सुबह ही मुस्लिम परिवार के कुछ बुजुर्ग और तीन चार नौजवान रेहान के द्वार पर आ गए रेहान के पिता ने सबका स्वागत किया रेहान भी उठकर सबको अभिवादन किया और सभी लोगों का मुंह मीठा कराया। रेहान के पड़ोसी रहमत मियाँ, अब्दुल्ला और बिस्मिल्लाह के साथ ही बैठे थे बोले बेटा रेहान हम सब ने तुम्हारी बातों पर काफी विचार किया और तय किया कि तुम्हारा कहना ठीक ही है जब हमारे पूर्वज हिंदू ही थे तो पुनः हिंदू बन जाने में हमें कोई दिक्कत नहीं है क्योंकि इस देश की एकता अखंडता में बार-बार मुस्लिम ही आड़े आ रहे हैं तो देश हित में यही उचित होगा की अलगाववादी तौर तरीका ही समाप्त कर दिया जाए पर बेटा हिंदुओं में जातियाँ बहुत हैं हमारी जाति कौन सी होगी। रेहान हंसते हुए बोला चाचा इसकी चिंता आप छोड़ दें जातियाँ तो मुसलमानो में भी बहुत है पर हैं सभी मुसलमान हीं वैसे ही हिन्दुओं में जातियाँ बहुत हैं पर कहे जाएँगे हिंदू ही। अब्दुल्ला ने बीच में प्रश्न किया और हमारे रिश्तेदार रेहान ने समझाया आप घबराएँ नहीं चाचा जी वो भी धीरे-धीरे हम सब का अनुसरण करेंगे, हिंदू धर्म बहुत विशाल है सैकड़ो वर्ष गुलामी के बाद इस धर्म के अनुयायियों में गिरावट तो आई है पर अब भी सबको अपनाने की इसमें असीम क्षमता है त्यागी जीवन ही इस धर्म का मूल आधार है श्री रामचरितमानस में है न 'ईश्वर अंश जीव अविनाशी चेतन अमल सहज सुख राशि'

अर्थात सभी जीव ईश्वर के अंश हैं बस अंतर धर्म-अधर्म कर्मों का है इसलिए कहा गया है

'कर्म प्रधान विश्व करि राखा'

रेहान ने कहा चाचा हम सनातन धर्म और आर्य संस्कृति के वाहक हिंदू धर्म में पुनः वापसी कर रहे हैं यहाँ धर्म की ही प्रधानता है। रहमत मियाँ पूछे धर्म क्या है बेटा रेहान अब सबको समझाने की मुद्रा में आ गया और बोला 'धारयते इति धर्मः' जो धारण करने योग्य है वही धर्म है इस सृष्टि में सभी को सर्वशक्तिमान ईश्वर ने ही उत्पन्न किया है इसलिए अनावश्यक रूप से किसी को भी पीड़ा नहीं पहुचाने चाहिए, पीड़ा पहुँचाने वाला ही अधर्मी होता है और परहित करने वाला धर्मी होता है 'परहित सरिस धर्म नहीं भाई पर पीड़ा सम नहीं अधमाई' रफीक ने प्रश्न किया हिंदू किसको कहते हैं भैया? रेहान ने उसे जवाब

दिया यह तो राष्ट्र वाचक शब्द है भाई फिर भी समय-समय पर अनेक साहित्यों में इस शब्द की व्याख्या विभिन्न रूपों में की गई है जैसे शब्द कल्पद्रुम कोष के अनुसार 'हीनं दूषयति इति हिंदू' अर्थात जो हीनता को स्वीकार न करें वह हिंदू है, परिजात हरण नाटक में एक श्लोक है

हिनस्ती तपसा पापान् दैहिकान दुष्ट मान सान्
हेतिभी: शत्रु वर्गस्च स हिंदू: अभिधीयते'

जो अपनी तपस्या से दैहिक पापों तथा चित्त को दूषित करने वाले दोषों का नाश करता है तथा शस्त्रों से अपने शत्रु समुदाय का भी संघार करता है वह हिंदू है।

माधव दिग्विजय में जो उल्लेख है उसके अनुसार....

ॐकार मूल मंत्राढय पुनर्जन्म दृढासय:
गोभक्तो भारत गुरु: हिन्दू हिंसन दूषक:

ॐकार जिसका मूल मंत्र है पुनर्जन्म में जिसकी आस्था है भारत ने जिसका प्रवर्तन किया है तथा हिंसा की जो निंदा करता है वह हिंदू है।

रफीक रेहान से इतने दर्शन की बात सुनकर मजाक करने लगा और बोला भैया आप तो पूरे पंडित हो गए इतना सब कैसे पढ़ लिया। रेहान रफीक की बात सुनकर हंसने लगा और बोला अरे भाई कुछ साहित्य पढ़ा हूँ बस उसी का उदाहरण मुझे याद आ गया। रफीक कहने लगा ऐसा करिए भैया अब आप नौकरी छोड़कर गेरुआ वस्त्र धारण करिये जगह-जगह प्रवचन देना शुरू कर दीजिए और हमको चेला बना लीजिए उसकी यह बात सुनकर रेहान के साथ-सभी हंसने लगे रेहान बोला घबराओ मत तुम्हीं को पहले गेरुआ धारण कराएगे इस तरह से घंटा भर वहाँ सबके बीच हंसी मजाक होता रहा। दूसरे दिन रेहान अच्युतानंद तिवारी और अन्य बुजुर्गों और नौजवानों से मिला और सबसे तो नहीं पर अपने पिता को नवरात्रि में घर वापसी के योजना को क्रियान्वित करने का आश्वासन देकर नौकरी पर चला गया।

षष्ठम भाग

दिल्ली जाकर रेहान फैक्ट्री के काम पर लग गया पर नसीम और संजय के साथ प्रतिदिन संघ की शाखा में जाने का क्रम उसका बना रहा। संजय के सहयोग से दोनों ने संगठन के निर्देश पर घर वापसी की सारी योजनाएँ बना ली इसकी गुप्त जानकारी दिल्ली कार्यालय और काशी कार्यालय में कर दी गई रेहान की वापसी उसके गांव से कुछ दूरी पर स्थित जागेश्वर धाम पर नवरात्रि के प्रथम दिन अर्थात विक्रम संवत की जिस दिन शुरुआत होती है उस दिन रखा गया जबकि नसीम की वापसी ठीक रामनवमी के दिन रखा गया जिस दिन पूरा हिंदू समाज भगवान राम का प्राकट्य उत्सव मनाता है रेहान और संजय अक्सर नसीम के घर बैठकर इन समस्त योजनाओं पर चर्चा करते चर्चा में कभी-कभी वसीम और साईबा भी बैठ जाते वसीम तो कुछ नहीं बोलता पर साईबा अवश्य अपनी राय व्यक्त करती थी, संजय को साईबा का बात करने का ढंग और विचार बहुत अच्छा लगता था वह चाहता था कि साईबा हर चर्चा में भाग ले और अपना विचार अवश्य रखें।

रविवार छुट्टी का दिन था संजय दोपहर बाद लगभग 3:00 बजे नसीम के घर अचानक पहुँच गया नसीम घर के किसी काम से बाहर गया हुआ था उस समय वसीम भी घर पर नहीं था घर में केवल साईबा और उसकी अम्मी थी। साईबा संजय को देखते ही उठकर उसका स्वागत की और बैठने को कही संजय भी उसकी माँ का चरण छूकर उनके साथ बैठ गया। घर में आते-जाते संजय सबसे इतना घुल-मिल गया था कि उस समय उन्हें संजय से बातचीत करने में कोई दिक्कत नहीं हो रही थी संजय ने साईबा से पूछा नसीम और वसीम दिखाई नहीं दे रहे हैं कहाँ है दोनों साईबा बोली भैया बाजार गए हैं आते ही होंगे और वसीम अपने किसी दोस्त के यहाँ गया है। संजय आया तो था नसीम से ही बातचीत करने पर उसकी अनुपस्थिति में साईबा से बात करने लगा उसकी पढ़ाई

के बारे में पूछा बीटेक के बाद आगे क्या करोगी तुम साईबा बोली अभी तो आगे पढ़ने का ही इरादा है एम टेक भी वहीं से कर लूँगी। संजय और साईबा को आपस में बात करते देख साईबा की माँ बोली अरे यह उतनी दूर से आया है पानी नहीं पिलाई बस बात करने बैठ गई साईब माँ की बात सुनकर उठना चाही लेकिन संजय ने उसे जाने से रोक दिया और बोला अरे अपना ही घर है प्यास लगेगी तो माँग लूँगा न बैठो अभी और बताओ एम टेक के बाद नौकरी करने का इरादा है या घर गृहस्थी बसाने का साईबा संजय के प्रश्न पर मुस्कुराती हुई बोली जाब यही दिल्ली में अच्छी सी मिल गई तब तो ठीक है नहीं तो कहीं अध्यापन कार्य में लग जाऊँगी। इन दोनों को बात करते देख साईबा की माँ घर के अंदर चली गई माँ के अंदर जाते ही संजय साईबा से खुलकर बात करने लगा बोला और शादी कब करोगी साईबा। साईबा इस प्रश्न पर नजरें झुका कर बोली शादी के बारे में तो अभी सोचा नहीं है पर कोई अच्छा लड़का मिल जाएगा तो कर लूँगी। संजय साईबा के दिल की बात को जानने का प्रयास किया और पूछा कैसा लड़का साईबा, साईबा के मुख से अचानक निकल गया आप जैसा फिर लजाते हुए कहने लगी मेरे कहने का आशय है संजय जी आप जैसा अच्छा लड़का यदि मुझे मिल गया तो मैं शादी उससे अवश्य कर लूँगी। संजय जी मुझे रूढ़िवादी युवक पसंद नहीं है जो औरत को अनावश्यक दबा कर रखता हो। संजय साईबा की बातों से सहमति जताते हुए बोला तुम ठीक कह रही हो साईबा मुझे भी कुछ पुरुषों का यह व्यवहार अच्छा नहीं लगता है अभी संजय की बात पूरी भी नहीं हुई थी तभी अंदर से साईबा की अम्मी साईबा को बुलाने लगी साईबा आओ संजय के लिए मीठा पानी लेती जाओ साईबा अम्मी की आवाज सुनकर बोली आती हूँ अभी और अंदर चली गई साईबा के दिल की बातों को सुनकर संजय के अंदर उसके प्रति प्यार की भावना उत्पन्न होने लगी। वह अकेले बैठे-बैठे आंखें बंद कर साईबा के शारीरिक सौंदर्य और उसकी बातचीत के मोहक अंदाज का रसपान करने लगा तभी साईबा मीठा पानी लेकर कमरे में दाखिल हुई संजय को आंखें बंद किए देख बोली संजय जी किस दुनिया में चले गए। ऐसा कह कर टेबल पर मीठा पानी रखकर संजय के सामने खड़ी हो गई संजय आंखें बंद कर अपनी भावी जीवन में साईबा के सानिध्य का आनंद ले रहा था तभी साईबा के मधुर स्वर से उसका ध्यान भंग हुआ आंखें खोला तो सामने साईबा को मुस्कुराते हुए देखा। उसे वह एक टक देखता रहा संजय को साईबा उस समय एक देवी जैसी दिख रही थी जो मानो उसके जीवन के खालीपन को अपने प्यार से भर देना चाहती हो। साईबा संजय को इस रूप में

देखकर कुछ शरमाती हुई बोली मुझे ऐसे क्यों देख रहे हैं संजय जी क्या बात है कुछ सोच रहे हैं क्या। संजय बहुत प्यार से साईबा को अपने पास बैठाते हुए बोला साईबा मैं तुम्हारे ही बारे में सोच रहा था साईबा उसके पास बैठती हुई बोली क्या सोच रहे थे मेरे बारे में संजय ने जवाब दिया मन और शरीर दोनों से तुम बहुत अच्छी लड़की हो। साईबा का चेहरा संजय की बातों से और उसकी निकटता से लालसुर्ख हो गया और धीरे से बोली आप भी तो बहुत अच्छे हैं संजय जी, संजय साईबा के निकटता का आनंद लेते हुए धीरे से बोला साईबा! साईबा भी बोली जी कहिए फिर संजय ने साईबा की हथेली को अपने हाथों में लेकर कहने लगा अगर दो अच्छाई एक साथ मिल जाए तो उसका परिणाम कैसा होता है, साईबा संजय के इस प्यार भरे स्पर्श से रोमांचित होकर कुछ बोलना चाहती थी तभी उसे प्रवेश द्वार पर किसी के आने की आहट का आभास हुआ, वह तुरंत चैतन्य होकर अपने को संभालते हुई खड़ी हो गई और कमरे से बाहर निकल गई। संजय को साईबा का अचानक इस तरह से जाना अच्छा नहीं लगा पर जैसे ही उसने द्वार पर नसीम की आवाज सुनी तो वह भी सामान्य स्थिति में आने लगा वह टेबल पर रखे मीठा को अपने मुंह में डाला और पानी के गिलास की तरफ हाथ बढ़ाया तभी नसीम कमरे में प्रवेश किया और बोला अरे संजय कब आए संजय बोला यही कोई आधा-पौन घंटा हुआ होगा। नसीम बोला चलो अच्छा किया आ गए, मैं घर के लिए कुछ जरूरी सामान लेने बाजार चला गया था रेहान भी आता ही होगा तब तक मैं हाथ मुंह धो लेता हूँ नसीम कपड़े बदलकर कमरे में संजय के पास आया तभी रेहान भी आ गया तीनों आपस में आगे की तैयारी के बारे में बातें करने लगे। संजय ने दोनों को बताया कि घर वापसी की सारी व्यवस्था संगठन ने कर ली है सुरक्षा का भी इंतजाम हो गया है, संघ स्थान के पास ही हनुमान जी का एक विशाल मंदिर है उसी के प्रांगण में सारा कार्यक्रम होगा। चूँकि संगठन के प्रयास से नसीम के परिवार के साथ तीन-चार और परिवार घर वापसी करने वाले हैं इसलिए प्रशासन को भी सूचित कर दिया गया है जिससे कट्टर लोग कहीं किसी प्रकार का विघ्न न पैदा करें। रेहान बीच में बोला चलो सब कार्य निर्विघ्न संपन्न हो जाए मैं यही ईश्वर से मना रहा हूँ संजय बोला जरूर होगा भाई आप दोनों महान हो, जो इस नवरात्रि के पवित्रतम बेला में अपने पूर्वजों के कृत्यों का परिमार्जन कर रहे हो। नसीम और रेहान संजय की बात पर थोड़ा मुस्करा दिए, नसीम ने संजय की बातों का जवाब दिया यह देश ही महान है संजय जी और जो इस देश को दिल से चाहेगा वह स्वतः महान हो जाएगा। संजय बोला हिंदू धर्म में आते ही तुम लोग

अपना नाम भी हिंदी में कुछ रख लेना। रेहान संजय के कंधे पर हाथ रखते हुए बोला अरे भाई होली के दिन तो गांव वालों ने मेरा नाम अपने से ही रोहन रख दिया है, संजय खुश होकर बोला अच्छा! यह तो ठीक ही हुआ, नसीम को हम सब नितिन बुलाएँगे तभी साईबा ट्रे में नाश्ता चाय लेकर आती हुई उनकी बात सुन ली और संजय की तरफ देखते हुए बोली तो मेरा नाम क्या रखेंगे आप? संजय साईबा के मुंह की तरफ देखकर थोड़ी देर के लिए मौन हो गया उसका चेहरा इस समय काफी खिला हुआ दिखाई दे रहा था, संजय को चुप देखकर नसीम संजय से कहने लगा साईबा के प्रश्न पर तुम चुप क्यों हो गए संजय? संजय बोला चुप नहीं हूँ मैं बस एक अच्छा सा नाम तलाश रहा था इसके लिए शिवानी नाम कैसा रहेगा रेहान? रेहान जल्दी से बोला हाँ-हाँ ठीक रहेगा, रोहन, नितिन, संजय, शिवानी यह सब नाम ठीक है। वसीम का भी नाम बदलकर विशाल रख दो परिवर्तन ऐसे ही होता है न भाई इस दौरान संजय और साईबा अर्थात शिवानी दोनों एक दूसरे को कनखियों से देखकर थोड़ा-थोड़ा शर्माते रहे और हंसते भी रहे। इसी को समय का चक्र कहते है इस देश में कभी मुस्लिम आतताइयों के भय से जो हिंदू मुसलमान बन गए थे अब उन्हीं के वंशजों में से कुछ लोग आज पुनः हिंदू धर्म स्वीकार करने की शुरुआत तो करने लगे। यह भारतीय संस्कृति और हिंदू धर्म के विशाल तेज और अद्भुत सहनशीलता का ही परिणाम है कि ये मुस्लिम परिवार शानदार ढंग से घर वापसी कर रहे हैं।

विक्रम संवत चौत्र शुक्ल प्रतिपदा के दिन काशी परिक्षेत्र में जागेश्वर नाथ शिव मंदिर के विशाल प्रांगण में लगभग 60 मुस्लिम महिला पुरुषों की घर वापसी का कार्यक्रम हिंदू संगठनों के प्रमुख लोगों की देख-रेख में संपन्न हो रहा था, केशवपुर गांव के सभी 8 मुस्लिम परिवार इसमें सम्मिलित था, सब पुरुष धोती-कुर्ता और महिलाएँ साड़ी पहन रखी थी, मस्तक पर तिलक चंदन लगाकर केशवपुर के अन्य हिंदुओं के साथ ये लोग भी हवन में आहुति डाल रहे थे वहाँ सर्वत्र वैदिक मंत्र उच्चारण से वातावरण भक्ति मय बन गया था। कार्यकर्ताओं द्वारा बीच-बीच में भारत माता की जय, वंदे मातरम और हर हर महादेव का उद्घोष सबको उत्साहित करता जा रहा था, रेहान कार्यक्रम में आने जाने वाले सभी लोगों पर निगाह रख रहा था लेकिन वह उस समूह में बार-बार किसी को खोजने लगता, असल में वह चाहता था कि रीना इस अवसर पर उसके साथ उपस्थित रहे। क्योंकि जिसकी प्रेरणा से यह महान कार्य संपन्न हो रहा था कम से कम उसकी उपस्थिति तो आज एकदम से जरूरी है मन में सोचा हो सकता हो आ रही हो, काशी से आना है तो देर तो होगी ही। रेहान अभी ऐसा सोच ही

रहा था तभी उसके फोन की घंटी बजने लगी उसने धड़कते दिल से फोन देखा तो उसके खुशी का अंत नहीं हुआ यह तो रीना का ही नंबर है वह पूछा कहाँ हो, रीना बोली मंदिर के बाहर ही हूँ, रेहान हवन कुंड को प्रणाम कर जल्दी उठकर बाहर आया और हंसते हुए बोला हुजूर आते-आते बड़ी देर कर दी, रीना भी हंसी में ही बोली क्या करूँ मैं देर करती नहीं देर हो जाती है। रेहान और रीना एक साथ आकर हवन कुंड में आहुति डालने लगे रेहान के माता-पिता रीना को देखकर चौंक गए सोचने लगे यह कौन लड़की रेहान के साथ बैठी है इस बीच हवन का कार्यक्रम संपन्न हो गया। मंदिर के पुजारी ने घोषणा की, यहाँ उपस्थित समस्त लोगों को तुलसी और गंगाजल ग्रहण कराया जाए ताकि इन बंधु-भगिनियों का हिंदू धर्म में वापसी पूर्ण हो, गंगाजल और तुलसी ग्रहण करने के बाद हर-हर महादेव का उद्घोष होने लगा, लोग वहाँ इतने उत्साहित हो गए की कुछ देर तक यह जय घोष होता रहा।

इसी बीच रेहान ने रीना का परिचय अपने माता-पिता से कराया, रीना ने उनके चरण छूकर आशीर्वाद लिया और रेहान के पिता से बोली बाबूजी मैं और रेहान इंटरमीडिएट तक एक साथ शिक्षा प्राप्त किए हैं, मैं हरिहरपुर की रहने वाली हूँ। बिस्मिल्लाह बोले बहुत सुंदर बिटिया सदा खुश रहो, इनके बीच बात चल ही रही थी तभी मंच से घोषणा हुई कि आप सभी लोग अपने-अपने स्थान पर बैठ जाएँ मंचीय कार्यक्रम आशीर्वाद देने का प्रारंभ होने जा रहा है घोषणा सुनकर सभी लोग कुर्सियों पर बैठने लगे रीना रेहान से बोली पुनर्जन्म के लिए बधाई, रेहान हंसते हुए बोला सारी बधाईयाँ केवल तुम्हें रीना तुमने मुझे बदल दिया मैं अब रेहान से रोहन हो गया। रीना कुछ आगे कहती इसके पूर्व ही संचालक की आवाज आने लगी मित्रों आज के इस पवित्र कार्यक्रम में महत्वपूर्ण भूमिका निभाने वाला अगर कोई एक व्यक्ति है तो वह है रेहान, इस अवसर पर मैं उन्हें अपना विचार रखने के लिए आमंत्रित कर रहा हूँ। रेहान अपनी कुर्सी से उठकर मंच पर जाने लगा हर हर महादेव के उद्घोष से वहाँ उपस्थित लोगों ने रेहान का जोरदार स्वागत किया। रेहान सबका अभिवादन करते हुए बोलने लगा, बंधुओं, माताओं, बहनों आज से मैं रेहान नहीं रोहन हो गया हूँ आज मेरे साथ लगभग 60 लोगों का पुनर्जन्म हुआ है हमने हिंदू धर्म स्वीकार कर घर वापसी की है मैं चाहूँगा कि इन समस्त मुस्लिम बंधुओं का जो अब हिंदू हो गए हैं अपने घर में आप सभी स्वागत करें। रेहान नहीं अब रोहन के इस कथन पर वहाँ बहुत देर तक ताली बजती रही, रोहन आगे बोलता रहा मित्रों आज जो शुभ कार्य संपन्न हो रहा है उसका असली सूत्रधार मैं नहीं कोई और है, सच बताऊँ

तो मैं बाहर जाकर अलगाववादियों और जिहादियों के कब्जे में चला गया था पर मेरे जीवन में एक देवी आई और उन्होंने मेरे पूरे जीवन को बदल दिया, जिसके कारण मैं ही नहीं मेरा परिवार, पास-पड़ोसी, मित्र, शुभचिंतक सब बदल गए, उसी मानसिक बदलाव को आज मूर्त रूप प्रदान किया जा रहा है। मेरे जीवन को बदल देने वाली वह देवी सबके लिए तो अदृश्य रही पर मेरा उन्होंने हमेशा साथ दिया समय-समय पर सलाह भी दिया और जरूरत पड़ने पर मुझे कड़े शब्दों में हिदायत भी देती रही, वह देवी और कोई नहीं मेरे बचपन की साथी, सहपाठी, मेरी मार्गदर्शक, मेरी प्रेरणा स्रोत मेरे सामने बैठी देवी रीना है। रोहन के ऐसा कहते ही वहाँ उपस्थित सभी लोगों की निगाह एक बारगी रीना की तरफ चला गया, रीना को रोहन के मुंह से अपनी इतनी प्रशंसा सुनकर बहुत ही अस्वाभाविक लगा पर सोची अपना रोहन ऐसा बोल रहा है तो उसमें भी मेरे लिए आत्मीयता ही है, मेरे लिए प्यार छिपा है इसलिए वह धीर-गंभीर बन चुपचाप बैठी रही, रोहन आगे बोलता रहा इन्हीं देवी के कारण मैं अनेक हिंदू धर्म शास्त्रों का, अपने देश के इतिहास का कुछ अध्ययन किया और तब हिंदू धर्म और राष्ट्र के सन्निकट आया। मै इस मंच से अपने माता-पिता, परिवार और केशवपुर के वरिष्ठ ग्राम वासियों को भी हृदय से धन्यवाद देता हूँ जो इस पुनीत कार्य में मुझे हमेशा उत्साहित करते रहे। मैं दिल्ली में रहता हूँ और वही एक कंपनी में काम करता हूँ देवी रीना की प्रेरणा से वहाँ भी ठीक रामनवमी के दिन तीन-चार मुस्लिम परिवार हिंदू धर्म ग्रहण करने वाले हैं यानी घर वापसी करने वाले हैं। मैं चाहूँगा कि इस अवसर पर देवी रीना भी अपने मन की बात सबके समक्ष रखें, आप बचपन से ही एक प्रतिभाशाली छात्रा रही है वर्तमान में आप काशी हिंदू विश्वविद्यालय में इतिहास विषय की शोध छात्रा हैं और साथ ही वहाँ अध्यापन कार्य भी कर रही हैं, उनके व्याख्यान कई शिक्षण संस्थानों में होते रहते हैं ये विश्वविद्यालय में अति लोकप्रिय हैं। ऐसा मुझे विश्वास है की देवी रीना अपने प्रतिभा से अपने परिवार, गांव और क्षेत्र का नाम अवश्य रोशन करेंगी अब इनकी बातों को आप स्वयं उनके ही मुख से सुने, आइए रीना जी ऐसा बोलकर रोहन मौन हो गया।

तालियों की गड़गड़ाहट के बीच रीना मंच पर आई और सब का अभिवादन करने के बाद बोलना शुरू किया, मेरे समक्ष उपस्थित वरिष्ठ जनों मै आप सबको प्रणाम करती हूँ, रोहन जी ने मेरी कुछ ज्यादा ही तारीफ कर दी मैंने और इन्होंने भी वही किया जो भारत माता के पुत्रों को स्वयं प्रेरणा से करना चाहिए, मैं अपने माता-पिता और गुरुजनों से प्राप्त शिक्षा और संस्कार को अब अध्ययन-अध्यापन

के द्वारा विभिन्न स्थानों पर व्यक्त करती रहती हूँ। आज समाज में यही समस्या नहीं है कि लोग हिंदू संस्कार और हिंदू धर्म शास्त्रों को जानते नहीं और उसका अध्ययन भी नहीं करते बल्कि यह भी समस्या है कि जितना जानते हैं तदअनुरूप वे व्यवहार भी नहीं कर पाते हैं। सामान्य जन आसानी से जातिवादी हो जाता है, वर्ग वादी हो जाता है, संप्रदायवादी हो जाता है इसके लिए उसे अध्ययन की आवश्यकता नहीं पड़ती है समाज में उत्पन्न इस क्षुद्र सोच से यह बुराई उसे स्वतः मिल जाती है, पर इसके स्थान पर हम हिंदूवादी और राष्ट्रवादी नहीं होते हैं क्योंकि परिवार में, समाज में, राजनीति में और शिक्षा में इसकी चर्चा तक नहीं हो पाती है, आश्चर्य यह भी है कि यदि कोई व्यक्ति या संगठन हिंदुवाद या राष्ट्रवाद का विषय लाता भी है तो अपने हीन मानसिकता के कारण कुछ कथित प्रबुद्ध लोग उसे सांप्रदायिकता की श्रेणी में लाकर खड़ा कर देते हैं कि देश में लड़ाने की बात मत करो। अब आप लोग इस पर विचार करें कि आप जातिवादी, वर्गवादी होकर अपने ही हिंदू भाइयों से लड़ जाते हो, कट मर जाते हो, संप्रदाय के लिए लड़ते हो वह सब आपके लिए ठीक होता है पर जब असली लड़ाई और संघर्ष हिंदुत्व और राष्ट्र की आती है तो सबको उस संघर्ष से मुंह मोड़ लेने की शिक्षा दी जाने लगती है जबकि हिंदुत्व को जीवन में लाना और राष्ट्रीयता के लिए अपना सर्वस्व समर्पण करना ही हमारे जीवन का सबसे बड़ा मकसद होना चाहिए और उसी के लिए हमें मिलजुल कर संघर्ष करना चाहिए। अध्ययन करते-करते आज मैं अपना जीवन देश के लिए समर्पित करने में लगी हूँ इसी के लिए आप सबका सहयोग और आशीर्वाद चाहिए। रीना की इस सार गर्भित वाणी को उपस्थित सभी श्रोता मंत्र-नुग्ध होकर सुनते रहे और भारत माता की जय, वंदे मातरम बोलकर उसका उत्साहवर्धन करते रहे। रीना ने आगे बोलना शुरू किया रोहन जी बहुत ही मृदु स्वभाव के हैं मैंने तो इनसे वही कहा जो देश के हित के लिए उपयुक्त माना जाता है मेरे इतने कहने मात्र से इनका स्वयं का भगीरथ प्रयास प्रारंभ हो गया इनका भारतीय धर्म शास्त्रों का अध्ययन करना उसके अनुरूप संघर्ष करना यह बहुत बड़ी बात है यही नहीं उसके अनुसार स्वयं के साथ-साथ दिल्ली से लेकर यहाँ तक इतने अन्य लोगों का हिंदू धर्म में शामिल करा देना आज हम सबके लिए सबसे महत्वपूर्ण बात हो गई है। अलगाववाद की राह पर चलते-चलते अचानक राष्ट्रवादी बनना सबके बस की बात नहीं होती है, मैं स्वयं इनके कार्यों से बहुत अभीभूत हूँ ये मेरे लिए अब श्रद्धा के पात्र हो गए हैं, हमारी बचपन की मित्रता है उस नाते से साधिकार मुझे जो कहना होता है मैं इनसे कह देती हूँ पर इनकी महानता है कि कभी भी इन्होंने

इसे अन्यथा नहीं लिया, इस कारण मै इनकी महानता को बारम्बार प्रणाम करती हूँ। रोहन मंच पर ही था रीना की वाणी ने उसे भावुक कर दिया, मंच के सामने बैठे रोहन के माता-पिता ने एक दूसरे को देखा और मुस्कुराए रोहन के पिता जिनका नाम अब जयकिशन हो गया था अपनी पत्नी रुक्मणी की तरफ देखकर बोले देख रही हो लगता है कि तुम्हारा बेटा बहुत आगे निकल गया है अब हमें बहू ढूंढने की भी आवश्यकता नहीं रही, रुक्मणी भी मुस्कुराती हुई धीरे से बोली जी लगता तो यही है पर लक्ष्मी है यह लड़की।

अपना भाषण समाप्त कर रीना ने मंच पर उपस्थित सभी लोगों का अभिवादन किया, रोहन रीना के साथ ही मंच से उतरने लगा और अपने माता-पिता के बगल में रीना के साथ बैठ गया अंत में हिंदू संगठन के प्रमुख कैलाश बाबू ने हिंदू बनने वाले नए लोगों को आशीर्वचन दिया और उपस्थित अन्य लोगों से आग्रह किया कि इस पवित्र राष्ट्रीय कार्य में आप सभी अपने-अपने हिसाब से लग जाएँ, रोहन के कार्यों का भी सहयोग करें रुके नहीं बल्कि चलते रहें क्योंकि आज यही समय की माँग है। संगठन के अधिकारी के आशीर्वचन के बाद हर हर महादेव के नारों के साथ सभा का समापन हुआ। सहभोज और प्रसाद ग्रहण करने के बाद सभी आगंतुक अपने-अपने गंतव्य स्थलों को जाने लगे, रोहन रीना को सबसे मिलवाने लगा जयकिशन से बोला पिताजी यह रीना हमारे पड़ोसी गांव हरिहरपुर की रहने वाली है जयकिशन बोले अच्छा-अच्छा बहुत सुन्दर फिर उन्होंने रीना से पूछा तुम्हारे पिता का नाम बेटी रीना तुरंत बोली श्रीमान सुक्खु जयकिशन ने प्रसन्नता जाहिर की अच्छा वो सुक्खु वह तो बहुत अच्छे राजमिस्त्री है बेटी चलो ठीक है कभी घर पर आना तो मुझसे भी मिलना फिर रीना बोली जरूर पिताजी अवश्य आऊँगी। इसके बाद रीना सबका अभिवादन करके चलने लगी तो रोहन उसे छोड़ने सड़क तक आया रीना प्रोफेसर सिन्हा की कार से आई थी इतनी दूर कार्यक्रम में जाने के लिए प्रोफेसर साहब स्वयं ही यह गाड़ी उसे दे दिए थे।

केशवपुर गांव और आसपास के गांवों में आज इतने मुसलमानों की हिंदू धर्म में वापसी की काफी चर्चा हो रही थी, इन समस्त गांवों के कुछ कट्टर मुस्लिम इस बात से काफी आक्रोश में हो गए, वे केशवपुर जाना चाहते थे पर गांव हिंदू बाहुल्य होने के कारण सहम गए। इधर केशवपुर गांव में नवरात्रि के प्रथम दिन चहल-पहल बढ़ गई लोग काफी उत्साहित होकर इस नए हिंदू परिवारों का दोपहर के बाद ही स्वागत करने का बेसब्री से इंतजार कर रहे थे, अंधकार होने के पूर्व रोहन और अच्युतानंद तिवारी जी के साथ सभी पुरुष-स्त्रियाँ गांव पहुँच

गई। गांव के लोग बहुत खुश थे सबने मिलकर भारत माता की जय और हर-हर महादेव का नारा लगाया उनमें उपस्थित कुछ उत्साही लड़कों ने आवाज दी रोहन भैया की जय पर रोहन ने ऐसा नारा लगाने से सबको रोका और बोला नहीं भाइयों इस समय केवल भारत माता की जय का हीं नारा लगे उसके बाद तो काफी देर तक भारत माता की जय और हर-हर महादेव का उद्घोष होता रहा। तिवारी जी सबको शांत कराने लगे तभी रफीक जो अब अनिल हो गया था सबको मस्जिद की तरफ ले गया और वही रुकने का आग्रह कर स्वयं कहीं चला गया लोग वहीं खड़े हो गए और अनिल का इंतजार करने लगे कुछ ही देर में लोगों की निगाह अनिल पर गई जो थाल में केसरिया वस्त्र में लपेटे हुए कोई चीज ला रहा था उसके पास आने पर पता चला कि वह शंकर जी की एक छोटी सी मूर्ति है। अनिल गांव के पुरोहित, अच्युतानंद तिवारी और रोहन के साथ मस्जिद में घुस गया और मंत्रोच्चारण के बीच शंकर जी की मूर्ति की वहाँ स्थापना कर दी किसी ने उसे रोका नहीं सभी लोग उस लड़के का उत्साह और भक्ति भाव देखते रह गए एक बार फिर से समवेत स्वर में लोगों ने हर हर महादेव का नारा लगाया। अच्युतानंद जी बाहर निकलकर सबको चबूतरे पर बैठने के लिए बोले और कहने लगे आज अनिल ने अपने साथ-साथ इस मस्जिद की भी घर वापसी करा दी आज वर्ष का प्रथम दिन है माँ दुर्गा के प्रथम स्वरूप शैलपुत्री की पूजा हो रही है उनके आराध्य शंकर जी की मूर्ति की स्थापना के लिए इससे अच्छा और कोई दिन नहीं हो सकता था अब मेरी बात आप लोग ध्यान से सुने, यहाँ बैठकर हम सभी एक घंटा भजन कीर्तन करें इस मूर्ति की प्राण प्रतिष्ठा स्वतः हो जाएगी। सभी लोग वहाँ उत्साह से भजन कीर्तन करने लगे और फिर 1 घंटे बाद प्रसाद ले-ले कर अपने घर गए।

सप्तम भाग

दूसरे दिन रोहन माता-पिता और गांव के बड़े बुजुर्गों का आशीर्वाद लेकर दिल्ली नौकरी पर चला गया। केशवपुर गांव का नया स्वरूप सबके समक्ष था सांप्रदायिक कट्टरता की दूरी अब समाप्त हो चुकी थी, रीति-रिवाज में चलने की आदत जो बचपन से मिली रहती है उसे यकायक तो नहीं बदला जा सकता है पर यदि मन बदल जाए तो धीरे-धीरे सब कुछ आसान हो जाता है। समाचार पत्रों के माध्यम से पूरे जनपद में यह खबर फैल गई की केशवपुर के समस्त मुस्लिम परिवार सनातन धर्म स्वीकार कर लिए हैं, यह खबर जहाँ हिंदुओं को उत्साहित करने वाला था तो कुछ अलगाववादियों के लिए बेहद कष्टकारी था। केशवपुर के आसपास के गांवों में तो उसी दिन चर्चा हो गई थी पर अब इस परिवार के मुस्लिम रिश्तेदार केशवपुर आने लगे लेकिन यहाँ आकर जब अपने रिश्तेदारों को जो अब हिंदू हो गए थे हिंदुओं के साथ समरस होते देखे तो बातचीत करके वापस चले गए। कोई एक दो रिश्तेदार अवश्य यह कहते कि भाई यदि बदलना ही था तो हमें भी बता दिए होते एक बार हम भी विचार कर लेते रोहन के पिता जयकिशन ने सबको समझाया भाइयों यह तो शुरुआत है बस अपनी-अपनी सुविधा अनुसार आप लोग भी ऐसी घर वापसी का निर्णय ले सकते हैं, हम उसमें आप लोगों का पूरा सहयोग करेंगे।

केशवपुर में दो-तीन दिन तक कुछ रिश्तेदारों का ही आना जाना रहा लेकिन तीन दिन बाद वहाँ एक दिन घर वापसी करने वालों के बीच जमाती और वहाबी कट्टरपंथियों के मूल्ले-मौलवी लगभग दस-पंद्रह की संख्या में गोल बनाकर आए उन्होंने आकर सीधे धमकी देना प्रारंभ कर दिया कि तुम लोग काफिर हो गए हो यदि जल्द से जल्द पुनः अल्लाह के बंदे नहीं बनते हो तो हम तुम्हारे खिलाफ फतवा जारी करेंगे। जय किशन बहुत ही मीठे वाणी में बोले भाई तुम लोग यह जान लो कि अब हम लोग हिंदू हो गए हैं और हम पर अब किसी

भी अतवे-फतवे का असर नहीं होने वाला है। आप लोग आए हैं आपका स्वागत है क्योंकि हम हिंदू हैं सब का स्वागत करते हैं लेकिन........ इतना बोल ही पाए थे जयकिसन तब तक उन्होंने देखा कि गांव के 15-20 नौजवान नवनीत, रविंद्र, अनिल, गौरव आदि के नेतृत्व में उनके दरवाजे पर आ गए रविंद्र ने सीधे उन मूल्लों को समझाया देखो भाई अगर तुम लोग मुस्लिम पंथ में रहना चाहते हो तो रहो पर किसी को हिंदू बनने से रोकोगे तो हम भी शांत नहीं रहने वाले, हम हिंदू उदार हैं तो इसका मतलब यह नहीं कि हम कमजोर हैं, इतना कह कर रविंद्र मौन हो गया इसी बीच नवनीत ने स्पष्ट कह दिया कि जैसे मानोगे हम लोग मना देंगे। अनिल ने स्पष्ट कह दिया कि भाई लोग कान खोल कर सुन लीजिए अब हम लोग हिंदू हो गए हैं और अपने रिश्तेदारों को भी हिंदू बनाएगे अब हमें ऐसा करने से कोई नहीं रोक सकता है अभी इन लोगों की ऐसी बातें हो ही रही थी तभी केसरिया ध्वज लहराते हुए 20-25 की संख्या में हिंदू जागरण मंच के कुछ नवयुवक भारत माता की जय, वंदे मातरम और हर हर महादेव का नारा लगाते हुए बाइक से केशवपुर इन लोगों के बीच पहुँच गए, इनकी प्रतिक्रिया में एक जमाती ने ऊँची आवाज में नारा दिया नारे तकबीर.... .. आगे कुछ और बोलता तभी गौरव ने उसका गर्दन पकड़ लिया और बोला अब आगे अगर तुमने कुछ बोला तो यही तुम्हें दबा देंगे। इसके बाद माहौल बिगड़ता देख मूल्ले वहाँ से खिसक जाने में ही अपनी भलाई समझने लगे। केशवपुर के आसपास इसकी भी चर्चा होने लगी किसी ने मूल्लों की धमकी की सूचना पुलिस को दे दी पुलिस आई और सबको सुरक्षा का आस्वासन देकर जाने लगी और गांव वालों को समझाई कि देखिए कोई भी कुछ भी आकर करें आप लोग कानून अपने हाथ में मत लेना बस हमें इसकी सूचना अवश्य दे देना।

दिल्ली में हनुमान जी के मंदिर पर ठीक रामनवमी के दिन नसीम और तीन अन्य मुस्लिम परिवारों की घर वापसी हुई उनके नाम बदल दिए गए नसीम के अलावा जो अन्य तीन मुस्लिम परिवार हिंदू बने वे तो हिंदू इलाके में ही रहते थे, उनके लिए तो कोई समस्या नहीं हुई पर नसीम जो अब नितिन बन गया था तो मोतिया खान मुस्लिम क्षेत्र में ही रहता था यद्यपि उसका मकान मेंन गली जो सड़क के तरफ जाती थी उसी के पास थी अर्थात मोहल्ले के बाहर की तरफ, तब भी आने-जाने वाले कट्टर मुस्लिम उस परिवार को गाली देते और जान से मारने की धमकी तक देते थे। नितिन ने कुछ शिक्षित और सज्जन मुसलमानों से इस विषय पर बातचीत की पर वे इस मामले में असहाय दिखे, नितिन ने महसूस किया की बस्ती में जिन लोगों की उसने कभी यथासंभव

आर्थिक और अन्य सहयोग भी किया था वे भी उससे दूरी बनाने लगे हैं उसने रोहन से इस संबंध में चर्चा की, रोहन ने उसे आश्वासन दिया कि कल हम लोग संजय के साथ चलकर प्रशासन को इसकी सूचना देंगे। रात में नितिन के घर पर पत्थर बाजी होने लगी कुछ मुस्लिम युवक उसे माँ बहन की भद्दी गालियाँ देने लगे नितिन का पूरा परिवार रात भर डर के मारे जागता रहा नितिन को समझ में नहीं आ रहा था कि अब क्या करें वह सोचने लगा जब भारत में यह हाल है मुसलमानों का तो वे पाकिस्तान, अफगानिस्तान, बांग्लादेश में हिंदू या अन्य अल्पसंख्यकों की क्या दुर्दशा करते होंगे।

दूसरे दिन संजय और रोहन ने संगठन के बड़े अधिकारियों से मिलकर नितिन और उसके परिवार के संरक्षण की व्यवस्था प्रशासन से सुनिश्चित कराई। पुलिस की गाड़ियाँ उस क्षेत्र में विशेष चक्रमण करने लगी इससे नितिन के परिवार को कुछ राहत मिली फिर भी लोगों की गालियाँ और धमकियाँ उसे रह-रह कर मिलती ही रहती थी, उसने चिन्हित किया कि उसके घर के आसपास रहने वाले कुछ बाहर के अंजान परिवारों के लड़के इसमें विशेष रूप से सक्रिय हैं। शिवानी दिल्ली इंजीनियरिंग कॉलेज में पढ़ने जाती थी जो उसके आवास से पांच-छः किलोमीटर की दूरी पर था वह ऑटो से ही प्रतिदिन पढ़ने जाती थी, उसे इधर आभास हुआ कि कोई उसका बराबर पीछा कर रहा है मुंह ढका रहता था इसलिए वह किसी को पहचान नहीं पाती थी, अब कॉलेज आते जाते उसे एक अनजान डर सताने लगा उसकी पढ़ाई बाधित होने लगी कभी कॉलेज जाती कभी नहीं उसे अपने भाई नितिन को भी इसकी जानकारी नहीं दी उसे लगा कि कहीं मेरी पढ़ाई ही ना छूट जाए।

इधर संजय और रोहन का नितिन के घर आना जाना बढ़ गया इन दोनों को लगने लगा कि यह परिवार अभी भी काफी भयभीत है, रोहन ने संजय से कहा कि संजय जी नितिन को इस स्थिति का आभास पहले से ही था उसने मुझे यह बताया था कि मैं मुस्लिम क्षेत्र में रहता हूँ इसलिए मुझे अपने परिवार की चिंता है। हमें प्रशासन के अलावा भी कुछ ऐसा काम करना चाहिए जिससे इस परिवार का भय दूर हो सके। संजय ने कहा जरूर, संजय अपने संगठन की तरफ से एक योजना बनाई और निश्चित किया कि अब साप्ताहिक बैठके नितिन के घर पर ही होंगी जिसमें शस्त्रधारी युवक अधिक आएँगे और दो-तीन दिन के अंतराल पर ये शस्त्रधारी उन घरों का भी चक्कर लगायेंगे जिन घरों से ये अवांछित मुस्लिम युवक निकलते रहते हैं।

सोमवार का दिन था शिवानी प्रति सोमवार को दिल्ली कॉलेज के पास

स्थित शंकर जी के मंदिर में अवश्य जाया करती थी, आज उसने कॉलेज के बाद लगभग 4:00 बजे सोची की जल्दी से शंकर जी का दर्शन करके दिन में ही घर निकल जाऊँ वह जैसे ही शंकर जी के मंदिर की तरफ पैदल ही बढ़ने लगी उसने देखा सामने से संजय मोटरसाइकिल से मंदिर की तरफ आ रहे हैं वह मंदिर के सिंह द्वार पर ही रुक गई और संजय का इंतजार करने लगी, संजय उसे देखते ही चौंक गए और पूछा अरे शिवानी तुम कब से शंकर जी का दर्शन करने लगी? शिवानी चुहलबाजी में बोली जब से आपसे भेंट हुई है संजय शिवानी के जवाब पर ठहाका लगाया और कहने लगा कि यह तो अच्छी बात है चलो संगत का कुछ तो असर हुआ, शिवानी पुनः संजय से हल्के अंदाज में कहने लगी की बस संगत ऐसे ही बनाए रखिए देखिए आगे क्या-क्या होता है। अच्छा-अच्छा कहते हुए संजय बोला आओ पहले विधिवत दर्शन कर लेते हैं सोमवार के कारण मंदिर में भीड़ अधिक थी एक जगह बैठकर संजय और शिवानी दोनों ध्यान मग्न हो गए संजय शिव स्तुति का पाठ करने लगा नमामि शमीशान निर्वाण रूपम विभुम व्यापकं ब्रह्म वेद स्वरूपम........ संजय द्वारा उच्च स्वर में किया जा रहा यह पाठ शिवानी को बहुत सुंदर लगा वह उस समय केवल संजय को ही देख रही थी संजय ने स्तुति समाप्त की दोनों उठे एक साथ गर्भगृह की परिक्रमा किए पुजारी से प्रसाद लेकर परिसर में स्थित एक चबूतरे पर जाकर बैठ गए। संजय ने पूछा शिवानी सच बताओ मंदिर में कब से आना शुरू की शिवानी बताई चूँकि यह मंदिर कॉलेज के पास ही है तो अक्सर साथ की हिंदू सहेलियाँ खाली घंटे में यहाँ आ जाती थी तो उनके साथ मैं भी आ जाती थी पर मुस्लिम होने के कारण मुझे यहाँ पूजा करने की आदत नहीं थी लेकिन बार-बार आते-आते धीरे-धीरे मुझे यहाँ आना अच्छा लगने लगा और प्रति सोमवार को यहाँ आती हूँ और बस दर्शन करके कुछ देर बैठकर चली जाती हूँ आज पहली बार आपके साथ पूजा किया, परिक्रमा किया और प्रसाद लिया। संजय कहने लगा कि कितना अच्छा संयोग है शिवानी की तुम्हारा नामकरण भी शिव के नाम पर हुआ, शिवानी मुस्कुराई बोली जरूर और यह भी संयोग है कि हम दोनों की यहाँ मुलाकात हो गई और साथ ही साथ दर्शन भी किए। संजय शिवानी की आंखों में झांकते हुए बोला इसमें भी ईश्वर का कुछ ना कुछ संकेत है शिवानी, शिवानी संजय के इस बात पर नजरें झुका ली और बात बदलते हुए बोली आपके मुख से शिव स्तुति बहुत सुंदर लग रहा था संजय जी मुझे भी याद करा दीजिए न। संजय शिवानी के भक्ति भाव पर बहुत खुश हुआ और बोला आओ तुम्हें श्री रामचरितमानस खरीद कर दे देता हूँ उसी में यह स्तुति है पूरा

रामचरितमानस पढ़ते-पढ़ते उसे भी तुम याद कर लोगी, दोनों उठकर मंदिर परिसर से सटे गीता प्रेस की दुकान पर गए, संजय श्री रामचरितमानस का एक पुस्तक खरीदने लगा तभी शिवानी का फोन बजने लगा उसने देखा कि यह तो उसके भाई का फोन है नितिन पूछने लगा कहाँ हो शिवानी अभी घर नहीं आई तुम ठीक तो हो शिवानी बोली हाँ भैया ठीक हूँ शंकर जी का दर्शन करने मंदिर पर आ गई थी यही संजय जी मिल गए हैं उन्हीं के साथ हूँ श्री रामचरितमानस की एक पुस्तक ले रही हूँ नितिन बोला ठीक है लेकिन अंधेरा होने लगा है इसलिए अकेले नहीं संजय के साथ ही आना उसे बोल देना कि मैं और रोहन उसका इंतजार कर रहे हैं। शिवानी बोली ठीक है भैया उसके बाद फोन बंद करके संजय से कहने लगी भैया ने आपको बुलाया है देर भी हो गया है आपको साथ चलना पड़ेगा, संजय श्री रामचरितमानस की पुस्तक शिवानी को देते हुए कहने लगा चलो मैं तो जीवन भर साथ देने को तैयार हूँ, हंसते हुए शिवानी बोली पहले घर तक तो साथ चलिए फिर जीवन भर की बात करिएगा शिवानी के इस बात पर संजय हंसने लगा।

कुछ दूर पर संजय की मोटरसाइकिल थी वहाँ तक पैदल चलते हुए संजय ने पूछा तुम्हें कॉलेज आते जाते डर तो नहीं न लगता है, शिवानी थोड़ा गंभीर होकर बोली संजय जी सच कहूँ तो डर लगता है ऐसा लगता है कि कोई मेरा पीछा कर रहा है पर मैं कॉलेज से इधर जल्दी ही घर पहुँच जाती हूँ आज ही इतनी देर हुई है पर मैंने इसे आपको ही बताया है भैया को नहीं बताया नहीं तो वे परेशान हो जाएँगे। संजय शिवानी के इस बात पर गंभीर हो गया और बोला चलो ठीक है जब भी देर हो मुझे बता दिया करो मैं कंपनी से 4:00 बजे तक घर आ जाता हूँ पास में ही घर है तुम्हें पहुँचा दिया करूँगा। संजय की मोटरसाइकिल पर शिवानी बैठ गई संजय के साथ वह इधर काफी घुल-मिल गई थी फिर भी आज वह पहली बार उसके साथ बाइक पर बैठी तो उसे संकोच होने लगा पर रात में मोटरसाइकिल के चलते ही उसे ठंडी हवा से जब सीहरन महसूस होने लगी तो संजय के शरीर से धीरे-धीरे सट गई अब उसका मन करने लगा कि वह दोनों हाथों से संजय को पीछे से पकड़ ले लेकिन उसने अपने को रोका और वैसे ही अपने को संभाल कर बैठी रही। संजय तेजी से बाइक चला रहा था और कुछ सोचता जा रहा था कि अचानक एक जगह उसे ब्रेक लेना पड़ा शिवानी तो बिल्कुल असावधान थी ब्रेक लगते ही उसने तुरंत संजय को आगे से पकड़ लिया वह पूरी तरह से संजय से चिपक गई संजय को इस तरह से शिवानी का स्पर्श अच्छा तो लगा पर दुर्घटना न हो इस कारण बोला अरे

शिवानी संभालो अपने आप को शिवानी थोड़ा शर्माती हुई बोली अब आप ही को न संभालना है अचानक ब्रेक लेंगे तो क्या होगा। संजय पुनः बाइक चलाते हुए बोला हाँ सही कह रही हो शिवानी मेरी ही गलती थी।

शिवानी का घर मेंन रोड से थोड़ा हटकर गली में था गली के पूर्व एक चौराहा पड़ता था उसके आगे बढ़ते ही रोड पर ही चार-पांच दुकाने थी जिसमें एक चाय-पान और मिष्ठान की भी दुकान थी, संजय ने देखा कि वहाँ पांच-छ लड़कों का झुंड दुकानों से आगे बढ़कर खड़ा है जैसे ही उन सब की निगाह बाइक पर पीछे बैठी शिवानी पर पड़ी सब आपस की वार्ता बंद कर उसी की तरफ देखने लगे, मोटरसाइकिल को अब शिवानी के घर की तरफ गली में मोड़ना था तो संजय ने उसकी रफ्तार धीमी कर दी थी ज्योंही बाइक उनके सामने से निकलने लगी एक बोला देखो यह चिड़िया कब तक बचती है एक न एक दिन इसे भी उठाना ही पड़ेगा। संजय और शिवानी दोनों को यह बात स्पष्ट सुनाई दी पर कोई कुछ बोला नहीं, शिवानी को मकान के अंदर पहुँचा कर संजय बोला शिवानी तुम अंदर जाओ मैं अभी आता हूँ कह कर जल्दी से वह मेंन रोड की तरफ बढ़ गया, शिवानी मना करती रही पर वह रुका नहीं वह जल्दी से ऊपर पहुँची और सारी बात वहाँ बैठे रोहन और नितिन को बता दी। नितिन और रोहन घर में रखे हाँकी और राड लेकर तेजी से बाहर आ गए वह जल्दी से गली से बाहर मेंन रोड पर संजय के पास पहुँचना चाहे लेकिन तब तक संजय ने एक-दो को थप्पड़ लगाना शुरू कर दिया और बोला आगे से यदि तुम लोगों ने शिवानी पर बुरी नजर डालने का प्रयास किया तो मैं तुम सबको जान से मार डालूँगा। वे अय्यास, नसेबाज और आवारा लड़के थे संजय के अचानक आक्रमण की उन्हें उम्मीद नहीं थी वे सब मिलकर संजय को अकेले देख उसका प्रतिरोध करना चाहे लेकिन तब तक वहाँ रोहन और नितिन भी पहुँच गए उनके हाथों में हाकी और राड देखकर वे सब डर गए और भागने लगे लेकिन संजय ने उनमें से एक को पकड़ लिया और उसकी जमकर पिटाई की वह लड़का संजय के पैरों पर गिरकर क्षमा माँगने लगा और बोला आगे से अब ऐसा नहीं होगा भैया। रास्ते पर आने-जाने वाले लोग वहाँ मारपीट होते देख कुछ देर के लिए रुकते पर रात थी इसलिए आगे बढ़ जाते, शहरों में राह चलते होने वाले झगड़े में किसी की कोई खास रुचि नहीं रहती है। सबके वहाँ से चले जाने के बाद पास के दुकानदारों ने कहा कि भैया यह सब प्रायः यहाँ बैठे रहते हैं इनका क्या धंधा है हम नहीं जानते हैं यह सब आते हैं चले जाते हैं कहाँ के रहने वाले है हम यह भी नहीं बता सकते हैं पर आते हैं इसी बस्ती से। एक

दो माह से ही हम सब हम लोग इन सब लड़कों को देख रहे हैं डर के मारे इनको कुछ कहते नहीं धंधा है न अपना।

दुकानदारों और आस-पास के लोगों से कुछ और जानकारी लेकर यह तीनों लोग वापस घर आ गए, रोहन संजय को समझाने लगा कि भाई इस तरह से अकेले लड़ने के लिए नहीं निकलना चाहिए कुछ हो जाता तो। संजय ने भी इस बात को महसूस किया कि हाँ सही कह रहे हो पर उन सब ने शिवानी के बारे में ऐसा कुछ कह दिया था कि मैं आपे से बाहर हो गया था। नितिन इस घटना को लेकर और चिंतित हो गया और कहने लगा कि लगता है इस बस्ती में कुछ षड्यंत्र चल रहा है हमें सजग रहना चाहिए मुझे अपनी तो नहीं पर शिवानी की चिंता विशेष हो रही है, विद्यालय वह अकेले ही आती जाती है संजय बोला उसकी चिंता छोड़ो जब भी उसको देर होगी मैं उसे यहाँ पहुँचा दिया करूँगा। रोहन बीच में बोला वह तो ठीक है पर हमें इस घटना की खबर प्रशासन को कर देनी चाहिए, नितिन कहने लगा हाँ जरूर इन सबकी हरकतें बहुत खतरनाक हो सकती हैं पुलिस प्रशासन को इन सब की हर गतिविधि की खबर होती रहे तो ही ठीक रहेगा। संगठन के कुछ और प्रमुख लोगों के साथ संजय, नितिन और रोहन ने समीप के थाने और उच्च अधिकारियों को इस घटना की विस्तृत सूचना तैयार करके दे दी, पुलिस कप्तान अरुण गौतम ने इनको भरोसा दिलाया कि मैं इन गतिविधियों के तह तक जाने का प्रयास करूँगा और मोतियाखान इलाके को अपने विशेष निरीक्षण पर रखूंगा, हाँ आप लोग भी थोड़ा जानकारी लेने का प्रयास करते रहिएगा और तुरंत हमें सूचित करिएगा।

उस दिन की घटना के बाद वे लड़के उस दुकान के आसपास फिर नहीं दिखाई दिए कारण एक तो उस दिन उन्हें जमकर मार पड़ी थी दूसरे पुलिस की गाड़ी रह-रह कर उस इलाके में चक्रमण करती दिखने लगी थी। नितिन को लगने लगा कि अब हमारी समस्या समाप्त हो गई है शिवानी, वह और उसका छोटा भाई विशाल अपनी नौकरी पढ़ाई लिखाई के सामान्य गतिविधि में लग गए। शिवानी हर सोमवार को कालेज से लौटते वक्त जरूर शंकर जी के मंदिर में जाती थी एक दिन ऐसे ही कॉलेज के बाद वह मंदिर में चली गई और दर्शन के बाद घंटे भर वही बैठी रही उसे वहाँ ऐसे ही चुपचाप बैठे रहना काफी अच्छा लग रहा था शाम होने को था लोग दर्शन-पूजन के लिए आने लगे। बीच-बीच में घंटे की आवाज और हर-हर महादेव का नाद उसे वहाँ बहुत ही आध्यात्मिक शांति प्रदान कर रहा था। पूरे मंदिर में फैली हुई मधुर सुगंध से शिवानी पूरी तरह आत्मविभोर हो गई वह सोचने लगी कि हिंदू समाज की स्त्री पुरुषों को पूजा पाठ

और मंदिर में आने जाने का जो स्वाभाविक अधिकार प्राप्त है यह बहुत ही सुंदर है। मंदिर में आते ही लोगों की भक्ति भावना देखने लायक होती है शायद यह ऐसा क्षण है जो पुरुष और महिला दोनों को जीवन की अनेक समस्याओं के लिए संघर्ष करने के दौरान कुछ समय के लिए मुक्ति प्रदान कर देती है। व्यक्ति थोडी देर के लिए ही सही अपने को ईश्वर के शरण में पहुँचा ही देता है। यद्यपि यह भी सही है कि मंदिर परिसर से बाहर निकलते ही फिर वही जीवन में व्याप्त माया, मोह और आपाधापी प्रारंभ तो हो ही जाना है। शिवानी ऐसे ही बातों के सोचने में आनंद का अनुभव कर ही रही थी कि तभी उसे संजय की याद आई कि कास इस समय संजय जी आ जाते तो मैं उन्हीं के साथ घर चली जाती।

संजय कंपनी से आज थोड़ा देर में घर पहुँचा उसकी माँ संजय को घर में आते ही बोली चल संजय मुझे आज शंकर जी का दर्शन करा दे। संजय थका तो था पर माँ को बोला ठीक है माँ अभी मैं तैयार हो जाता हूँ, उसके मन में आया कि हो सकता है वहाँ शिवानी भी हो इसलिए उसने उसे फोन मिलाया शिवानी संजय के बारे में सोच ही रही थी कि तभी संजय का फोन आया वह बोली संजय जी मैं मंदिर परिसर में ही बैठी हूँ आपको ही याद कर रही थी संजय बोला अभी तक मंदिर में ही हो। शिवानी कहने लगी क्या करूँ यहाँ से जाने का मन ही नहीं कर रहा है संजय ने उससे कहा कि अच्छा ऐसे ही बैठी रहो मैं माँ के साथ वहाँ आ रहा हूँ। शिवानी संजय की बात सुनकर चौंक गई और बोली माँ के साथ! लेकिन शिवानी की बात सुनने की पूर्व ही संजय ने फोन काट दिया। शिवानी सोचने लगी संजय जी माँ के साथ क्यों आ रहे हैं फिर उसके मन में बात आई की हो सकता है वह भी अपने पुत्र के साथ दर्शन करने के लिए मंदिर आ रही हो आज सोमवार है न। चलो अच्छी बात है इसी बहाने उनके माँ से भी मेरी मुलाकात हो जाएगी।

शिवानी का ध्यान बार-बार मंदिर के प्रवेश द्वार पर चला जाता था इंतजार में उसके दिल की धड़कनें तेज हो गई थी वह संजय को मन से बहुत प्यार करने लगी थी सोचने लगी उनकी माँ मुझे देखेंगी तो क्या सोचेंगी पता नहीं उनका स्वभाव कैसा होगा, उनको मेरा संजय जी से मिलना कहीं बुरा न लग जाए अगर उन्होंने मुझे डांट दिया तो? ऐसी बातें वह मन में सोचते-सोचते अंदर ही अंदर घबराने लगी तभी उसने देखा कि संजय अपनी माँ का हाथ पकड़े मंदिर में प्रवेश कर रहा है वह एकटक संजय और उनकी माँ को देखने लगी, संजय की निगाह भी मंदिर परिसर में चारों तरफ शिवानी की तलाश में घूमने लगी, अपनों का आकर्षण बड़ा ही प्यारा होता है संजय और शिवानी की आंखें चार

हुई। शिवानी बहुत तेजी से उधर बड़ी जिधर यह दोनों लोग थे, शिवानी बहुत प्यार से संजय की माँ का चरण स्पर्श किया संजय की माँ मंदिर के गर्भगृह की तरफ ध्यान लगाई हुई थी अचानक उन्होंने महसूस किया कि कोई लड़की उनके चरण छू रही है उन्होंने आशीर्वाद के रूप में हाथ उठाया और बोली खुश रहो बेटी। संजय अपनी माँ को दुविधा में नहीं डालना चाहता था उसने शिवानी का माँ से तुरंत परिचय कराया, माँ यह शिवानी है यही दिल्ली इंजीनियरिंग कॉलेज में पढ़ती है संजय की माँ तुरंत बोली अच्छा बहुत सुंदर हो बेटी तुम्हारे संस्कार भी अच्छे हैं नहीं तो आजकल यह सब पढ़ाई करने वाली लड़कियाँ तो अक्सर हाय हेलो ही करती हैं संजय की माँ को इस तरह से बात करते देख शिवानी को आंतरिक आनंद का अनुभव हुआ वह हंसने लगी। संजय की माँ ने संजय से प्रश्न किया क्यों बेटा तुम भी तो इसी कॉलेज में पढ़ते थे न, संजय ने जवाब दिया हाँ माँ उसकी माँ ने फिर प्रश्न किया पर यह तो तुमसे बहुत बाद में कॉलेज में प्रवेश की होगी संजय जल्दी में अपनी माँ के प्रश्न का जवाब दिया हाँ माँ सही कह रही हो संजय की माँ ने शिवानी की तरफ देखते हुए फिर प्रश्न किया तो इससे तुम्हारा परिचय कैसे हो गया? संजय की माँ के द्वारा बार-बार प्रश्न पर प्रश्न करने से शिवानी को घबराहट होने लगी, पर संजय बहुत ही संयत होकर माँ के प्रश्नों का जवाब दे रहा था बोला इससे मेरा परिचय इसी मंदिर में हुआ था माँ लेकिन संजय के माँ को इस जवाब से संतुष्टि नहीं मिली, कहने लगी बदमाश कहीं के तुम मंदिर में ईश्वर दर्शन करने आते हो की लड़की दर्शन करने, सच-सच बताओ इस लड़की से तुम्हारी जान पहचान कैसे हुई? संजय अपनी माँ के कंधों को अपने बाँहों से पकडते हुए कहने लगा तुम भी गजब हो माँ तुम यहाँ शंकर जी की पूजा करने आई हो कि शिवानी की तहकीकात करने, तब उसकी माँ ने गंभीरता से बात कही बेटा मैं माँ हूँ तुम्हारी आई तो हूँ मैं यहाँ शंकर भगवान का दर्शन करने ही पर तुमने इस बिटिया का परिचय कराया तो कुछ विशेष बात होगी इसमें तभी न, इसीलिए मैं इसके बारे में पूरी बात जान लूँ तो इसमें बुराई क्या है। संजय भी माँ को अब सही जानकारी दे देना चाहता था, कहने लगा असल में मेरे साथ कंपनी में एक नितिन जी काम करते हैं यह उन्हीं की बहन है उनके घर पर ही मेरा इनसे परिचय हुआ हर सोमवार को यहाँ दर्शन करने आती हैं इसलिए यहाँ भी इनसे भेंट मुलाकात होती रहती है। संजय की माँ संजय के जवाब से संतुष्ट हुई और बोली हाँ अब सही परिचय कराया तुमने इसका उसके बाद वो शिवानी का हाथ पकड़ कर बोली चलो बेटी साथ में दर्शन करते हैं।

शिवानी को संजय की माँ का व्यवहार अच्छा लगा वह संजय की तरफ देखकर मुस्कुराई और माँ को सहारा देते हुए मंदिर के अंदर चली गई तीनों एक साथ दर्शन पूजन किए संजय माँ से कहने लगा माँ शिवानी को शिव स्तुति कंठस्थ है, यह सुनकर उसकी माँ शिवानी की तरफ देखने लगी और बोली क्यों बेटी सच में शिवानी भी सहमति में सर हिलाई और कहने लगी इन्हीं की सुनकर मैंने भी याद कर लिया है माँ जी। संजय की माँ बोली अरे तो सुनाओं न शिवानी अपनी आंखें बंद कर मधुर कंठ से शिव स्तोत्र का पाठ सश्वर करने लगी, संजय और उसकी माँ को शिवानी का भक्ति भाव बहुत ही सुंदर लगा। पाठ समाप्त हो गया तो संजय की माँ ने उसके सर पर हाथ रखकर कहा बेटी तुम्हारा स्वर बहुत सुंदर ही है संस्कृत का उच्चारण थोड़ा और ठीक कर लो और अभ्यास करो तो तुम कोई भी भजन अच्छा गा सकती हो। ये तीनों अब उठकर मंदिर परिसर से बाहर निकले तो अंधेरा गहरा हो चुका था, संजय की माँ बोली बेटा रात हो गई है शिवानी को छोड़ आओ मैं पैदल ही घर चली जाऊँगी, संजय ने कहा अरे पैदल क्यों जाओगी माँ, साथ चलो तुम्हें घर छोड़ते हुए इसे भी घर पहुँचा दूँगा। तीनों मोटरसाइकिल पर बैठकर चल दिए संजय मोटरसाइकिल को घर के सामने रोककर अपनी माँ को उतारने लगा तभी शिवानी के फोन की घंटी बजने लगी शिवानी ने जवाब दिया बस भैया आ रही हूँ संजय जी हैं साथ में, नितिन बोला तुम्हें देर नहीं करना चाहिए शिवानी मैं घबरा जाता हूँ आओ जल्दी कह कर फोन काट दिया। संजय की माँ शिवानी से बोली बेटी घर के अंदर आओ कुछ खा पी कर जाओ, शिवानी माँ का चरण छूते हुए बोली देर हो रही है माँ पर आऊँगी जरूर एक दिन घर में, कहकर संजय की ओर देखकर थोड़ी मुस्कुराई संजय बोला तुम जल्दी बैठो नहीं तो और विलंब हो जाएगा।

शिवानी माँ का आशीर्वाद लेकर संजय के पीछे मोटरसाइकिल पर बैठ गई, मोटरसाइकिल चल दी संजय की माँ लाइट की रोशनी में देर तक उन्हें एक साथ जाते देखती रही, फिर घर के अंदर आ गई। शिवानी संजय से इतना घुल मिल गई थी कि उसे संजय के साथ चलने में अब कोई भय नहीं रह गया था, सड़क पर संजय की मोटरसाइकिल फर्राटा भरने लगी, मोटरसाइकिल से संजय को शिवानी के घर जाने में लगभग 15 से 20 मिनट का समय लगता था, शिवानी के घर के मोड़ के पूर्व एक और मोड पड़ता था जहाँ थोड़ा अंधेरा रहता था वहाँ मोटरसाइकिल को धीमा करना ही पड़ता था क्योंकि मोड पर एक बारगी यदि कोई सामने आ जाए तो दुर्घटना की संभावना हो सकती थी। उस दिन की मारपीट की घटना के बाद से दोनों को अंधेरे में थोड़ी सावधानी बरतनी ही थी,

शिवानी संजय को पीछे से कसकर पकड़ी हुई थी। संजय मोटरसाइकिल से उस मोड पर जैसे ही पहुँचा उसे लगा कि अंधेरे में कोई उस पर वार कर रहा है, वह कुछ समझता तब तक किसी ने स्टिक से उस पर वार कर दिया, यह संयोग था कि यह वार उसके हेलमेट पर लगा और फिर फिसलते हुए वह चोट उसके पीछे पीठ पर लगी, यद्यपि मोटरसाइकिल की रफ्तार कम थी फिर भी हड़बड़ाहट में संजय का नियंत्रण मोटरसाइकिल से हट गया, मोटरसाइकिल पलट गई तो ये दोनों भी गिर गए पैर में हल्की चोटें दोनों को आई लेकिन ये लोग जब तक संभलते तब तक चार-पांच की संख्या में लड़के चाकू, हाकी और डंडा लेकर संजय पर टूट पड़े। संजय शारीरिक रूप से मजबूत कद-काठी का था लेकिन उसे चोट लग चुकी थी, फिर भी उसने साहस दिखाया और चोट की परवाह न करते हुए एक लड़के पर आक्रमण करके उसकी हाकी छीन लिया और दनादन सब पर प्रहार करने लगा, लेकिन यह अकेला और वह सब पांच की संख्या में थे, संजय पर भारी पड़ने लगे, शिवानी मेंन रोड पर आकर सहायता के लिए चिल्लाने लगी, पर सड़क पर आते-जाते लोग अंधेरा होने के कारण रुकना उचित नहीं समझे वह घर पर फोन मिलाने का प्रयास करने लगी, तभी एक लड़का शिवानी का हाथ पकड़ कर अंधेरे में ले जाने का प्रयास करने लगा, संजय उनमें से दो-तीन को चोटिल करके उधर लपका और उस लड़के के हाथ पर ही स्टिक चला दी, चोट लगते ही वह हाय अल्ला कह कर वहीं बैठ गया शिवानी तब तक घर पर फोन मिला दी थी लेकिन बचाओ बचाओ के चिल्लाहट में वह कुछ कह नहीं पा रही थी नितिन घबराते हुए बोला अरे तुम दोनों कहाँ हो वह इतना ही जवाब दे पाई मोहल्ले के पहले वाले मोड पर, इसी बीच उनमें से एक लड़के ने संजय के पैर पर वार कर दिया संजय लड़खड़ाकर गिर गया इतने में उनमें से दो लड़कों को अवसर मिल गया शिवानी को पड़कर वे ले जाने लगे संजय को काफी चोट लगी थी वह चल नहीं पा रहा था उसके बाद भी वह हिम्मत करके उनमें से एक को खींचने लगा लेकिन दर्द से संजय पर बेहोशी छाने लगी। शिवानी भय के मारे बचाओ-बचाओ और जोर-जोर से चिल्लाने लगी लेकिन कहीं से सहायता मिलना मुश्किल था शिवानी को लगा अब मेरा अपहरण यह सब कर लेंगे तभी संयोग से इतने में पेट्रोलिंग करती पुलिस की गाड़ी वहाँ पहुँच गई पुलिस की गाड़ी देखते ही ये पांचो बदमाश संजय और शिवानी को छोड़कर भागने के चक्कर में पड़े लेकिन चोट तो उनको भी लगी थी इसलिए भाग नहीं पाए तब तक सात-आठ की संख्या में पुलिस के जवान उनको पकड़ लिए। पुलिस ने वायरलेस से थाना और उच्च

अधिकारियों को भी इस घटना की सूचना दे दी। 15- 20 मिनट में पुलिस की फोर्स और आ गई। रोहन, नितिन, विकास और संगठन के पांच-छः युवक भी वहाँ पहुँच गए, संजय को ज्यादा चोट लगी थी शिवानी और संजय की दोनों की सरकारी अस्पताल में भर्ती हो गई। उच्च अधिकारियों के निर्देश पर पकड़े गए लड़कों से कड़ाई से पूछताछ प्रारंभ हो गई। जांच में बहुत चौंकाने वाले खुलासे हुए ये सभी लड़के विदेशी निकले जो पिछले 1 वर्ष से मोतिया खान इलाके में कुछ मुसलमानों के ही मकानों पर कब्जा करके रह रहे थे, पूरी फोर्स बस्ती में रात को ही चिन्हित मकानों की तलाशी ली तो लगभग 20 और लड़के पकड़ में आए उनके घरों में काफी मात्रा में असलहे और विस्फोटक सामग्री बरामद हुई। मकान मालिक मय परिवार गायब दिखे अगल-बगल पूछताछ से पता चला कि वह काफी दिनों से गायब हैं उनका कुछ भी पता नहीं है, पुलिस प्रशासन को आश्चर्य इस बात का हुआ की बस्ती के इतने लोग गायब हैं कुछ की लड़कियाँ तक गायब हैं पर किसी ने इसकी थाने में सूचना तक नहीं दी।

लगभग 2 घंटे हो गए संजय घर नहीं पहुँचा तो संजय के भाई-बहन और उसकी माँ चिंतित हो गई, उन लोगों ने संजय को फोन मिलाया तो वह स्विच ऑफ बता रहा था, उनके पास और किसी का नंबर नहीं था अब परिवार वालों को किसी अनहोनी की चिंता सताने लगी रात अधिक हो गई थी कहीं बाहर अकेले निकलने में भी दिक्कत थी। इधर अस्पताल में चिकित्सकों की जांच से साफ हुआ कि शिवानी की चोट हल्की है पर संजय की चोट गंभीर थी उसे दर्द बहुत हो रहा था संभवत पैर की हड्डी टूट चुकी थी जो एक्सरे रिपोर्ट से ही स्पष्ट होगा। शिवानी को जब अपने दर्द से राहत मिली तो उसे अचानक संजय की माँ का ख्याल आया तो वह घबरा गई, रात अधिक हो गई है संजय जी के घर न पहुँचने से वे लोग घबरा रहे होंगे, उसने तुरंत संजय का फोन लिया तो देखी कि उसका फोन स्विच ऑफ हो गया है उसने उसे तुरंत ऑन किया तो कई मिस कॉल की सूचना आने लगी वह समझ गई कि यह घर का ही फोन होगा। उसने वह नंबर डायल किया, संजय के नंबर से कॉल आता देख उसकी माँ ने फोन उठाया और बोली अरे बेटा तू कहाँ है काफी देर हो गया है इधर हम लोग सभी तुम्हारा इंतजार कर रहे हैं। शिवानी धीरे से बोली माँ जी मैं शिवानी बोल रही हूँ और कह कर रोने लगी। संजय की माँ शिवानी की रुलाई सुनकर बहुत घबरा गई, जब नितिन ने फोन पर शिवानी को रोते देखा तो उससे फोन लेकर स्वयं बात करने लगा और माँ जी को सब घटना जो घटित हुई थी उसको बता दिया और कह दिया कि घबराने की कोई बात नहीं है संजय होश

में है उसके पैर का एक्सरे हो रहा है आते ही मैं उससे बात करा दूँगा।

लेकिन माँ तो माँ होती है अपने पुत्र की कुशलता के लिए वह तड़पने लगती है, रात में ही संजय के परिवार के लोग एक रिश्तेदार को फोन करके उन्हीं की गाड़ी से अस्पताल आ गए। संजय की माँ संजय को देखकर परेशान हो गई लेकिन शिवानी ने उन्हें ढाढ़स बढ़ाया और बोली माँ जी आप परेशान न हो सब ठीक है मैं अस्पताल में इनकी देखभाल कर लूँगी संजय की माँ शिवानी के सर पर हाथ रख कर बोली बेटी तुमको भी तो चोट है शिवानी ने कहा मैं ठीक हूँ माँ जी चोट हल्का है। नितिन और रोहन ने भी संजय की माँ को समझाया आप परेशान न हो माँ जी हम सभी रात भर यही रहेंगे। उधर बस्ती में मेरे घर के पास पुलिस की भी कार्यवाही प्रारंभ हो चुकी है अब सब ठीक हो जाएगा आप लोग घर जाएँ कल इच्छा होगी तो आ जाइएगा। घर लौटते वक्त संजय की माँ विचार करने लगी कि संजय की चिंता तो मुझसे ज्यादा यही लोग कर रहे हैं इसी को मानवता कहते हैं लेकिन शिवानी का लगाव संजय से कुछ अधिक ही दिख रहा है हो सकता है यह दोनों एक दूसरे को हृदय से चाहते हो, अपने मन से ईश्वर का ध्यान किया और उन्ही पर सब कुछ छोड़ दिया।

संजय के पैर पर प्लास्टर लग गया था वह लगभग 6-7 दिन तक अस्पताल रहा फिर घर आ गया, कंपनी से भी उसे मेडिकल छुट्टी मिल गई थी नितिन और रोहन कभी-कभी उसके घर चले जाते थे लेकिन शिवानी लगभग रोज ही संजय को देखने चली जाती थी घर पर संजय की बहन दिव्या और भाई सूरज तथा उनकी माँ से वह काफी घुल मिल गई। एक दिन संजय के यहाँ जैसी ही वह पहुँची तो देखी की सभी भाई-बहन और माँ एक साथ बैठे हैं संजय सेब खा रहा था, शिवानी को देखते ही दिव्या उसे प्यार से अपने पास बैठाई और उसे भी फल देने लगी लेकिन शिवानी ने फल लेने से मना कर दिया और बोली यह इनके स्वास्थ्य के लिए है मुझे बस पानी पिला दीजिए। शिवानी ने देखा आज परिवार काफी खुश दिख रहा है संजय की माँ बोली बेटी उस दिन यदि दिन रहते तुम घर चली गई होती तो यह दुर्घटना नहीं घटती। शिवानी इस पर कहने लगी नहीं माँ जी वे सब मेरा अपहरण करना चाहते थे और काफी दिन से इसके लिए लगे थे उस दिन यदि मैं अकेले घर जाती तो संभव था वह सफल भी हो जाते लेकिन संजय जी के कारण मै बच गई अगर ये साथ नहीं रहते तो पता नहीं आज मैं कहाँ रहती जिंदा भी रहती या नहीं, इतनी बात कह कर वह रोने लगी। दिव्या शिवानी का सर अपने कंधे पर रखकर उसे सांत्वना देने लगी। माँ जी ने कहा बेटी दुखित मत हो सब ईश्वर की कृपा है शिवानी रोते हुए बोली

माँ जी मुझे बहुत कष्ट हो रहा है कि मेरे कारण संजय जी की जान पर खतरा आ गया इनको चोट लगी थी और मैं उस समय निःसहाय थी पर मैंने देखा कि ये उस दर्द में भी जान पर खेल कर उन दरिंदों से लड़ते रहे और मुझे बचाने का प्रयास करते रहे, वह दृश्य मै जीवन भर नहीं भूल सकती हूँ। संजय के घर का माहौल कुछ समय के लिए काफी कारुणिक हो गया, माँ जी जाकर शिवानी के पास बैठ गई और उसके पीठ पर हाथ रखकर उसे सांत्वना देने लगी। संजय फल खा चुका था कहने लगा शिवानी दुखित क्यों होती हो तुम भगवान शंकर की भक्त हो सब ईश्वर पर छोड़ दो जो हुआ सब संजोग था मेरा कर्तव्य था तुम्हारी रक्षा करना और उस समय जो हो सका मैंने वही किया अब रोओ मत मुझे यहाँ खुश करने आई हो की रुलाने, संजय ने ऐसे अंदाज में यह बात कही कि वहाँ सभी लोग हंसने लगे शिवानी भी रोते-रोते हंसने लगी।

नितिन अपने बस्ती में पुलिस प्रशासन की त्वरित कार्यवाही पर बहुत खुश हुआ, उसे इस बात की तसल्ली हुई कि अब इस बस्ती में शांति रहेगी, उसने देखा की बस्ती के संभ्रांत मुसलमान भी प्रशासन का सहयोग कर रहे हैं क्योंकि वे भी इन आपराधिक चरित्र के लड़कों से परेशान थे इन सब का व्यवहार वहाँ से गुजरने वाली मुस्लिम औरतों के साथ भी बुरा ही रहता था लेकिन भय के कारण और अंध मुस्लिमवाद का पर्दा जो इनके ऊपर पड़ा था उसके कारण ये कभी उनके विरुद्ध मुखर नहीं हुए थे। लेकिन अब वे भी समझ गए कि यदि शांति से जीवन जीना है तो इन बाहरी और आतंकवादी मुसलमानों से दूरी बनाना ही होगा। बस्ती के लगभग 20 घरों के मालिकों का अता-पता नहीं था इसलिए प्रशासन ने विदेशी लोगों को गिरफ्तार कर उन घरों को सील कर दिया। कुछ दिन घर के मालिकों का इंतजार करने के बाद उन सभी घरों की नीलामी कर दी गई, भय बस किसी मुस्लिम ने उन घरों की नीलामी नहीं ली तो आसपास के हिंदुओं ने ही बढ़-चढ़कर उन समस्त घरों की नीलामी अपने नाम करा ली। अब अनेक हिंदू परिवार उन घरों में आकर रहने लगे एक घर में हिंदू जागरण मंच का कार्यालय खुल गया। नितिन को अब अकेलेपन का एहसास वहाँ नहीं होता था। हिंदू समाज की सहिष्णुता अद्‌भुत होती है उस बस्ती के कुछ सज्जन मुसलमानों का मेल-जोल अब इन नव आगंतुक हिंदुओं से बढ़ने लगा। कभी-कभी ये मुस्लिम हिंदू जागरण मंच के कार्यालय पर भी आ जाते थे ऐसे ही एक दिन एक मोहम्मद करीम नाम के बुजुर्ग मुसलमान अपने साथी मियाँ नवाजुद्दीन के साथ हिंदू जागरण मंच के कार्यालय पर आए, उस समय वहाँ नितिन, रोहन के साथ कुछ और हिंदू नौजवान बैठे थे। रोहन ने उन दोनों का

स्वागत किया सभी लोग एक साथ बैठकर आपस में सामाजिक और राष्ट्रीय महत्व के विषय पर चर्चा करने लगे। करीम ने कहना शुरू किया कि भाइयों देश के विभाजन का दर्द तो हमें भी है पर क्या करें राजनीतिक स्तर पर जब देश में अलगाववादी विचार को ही महत्व दिया जा रहा है सांप्रदायिक आधार पर तुष्टिकरण हो रही है तो हम भी स्व को लगभग भूल ही गए हैं, नहीं तो बचपन में हमें यही आभास होता था कि हम हिंदू ही हैं बस हमें मुसलमान नाम दे दिया गया है जब भी अवसर आएगा तो हिंदू धर्म हमें स्वीकार कर लेगा। लेकिन विभाजन के पूर्व न राजनीत, न सरकार और न हीं हिंदू संगठनों की तरफ से ऐसा प्रयास हुआ जिसके कारण हम इस देश और मिट्टी से पुनः जुड़ पाते। मियाँ नवाज की उम्र भी 70 वर्ष के ऊपर की हो चुकी थी कि इन चर्चाओं का असर उनके चेहरे पर एक दर्द के रूप में साफ झलकने लगा और कहने लगे कि आप लोग नहीं देखे हैं पर हमें वह विभाजन का दृश्य याद है छोटे थे पर क्या हिंदू क्या मुसलमान जो हमेशा एक साथ मिलजुल कर रहते थे गलत राजनैतिक सोच के कारण अचानक एक दूसरे के प्रति हिंसक हो गए। ऐसा कहकर उनकी आंख में आंसू आ गए और बोले आप लोग मानो या न मानो पर यह सच है कि यहाँ की स्थिति इतनी खराब हो चुकी थी कि हम सभी पाकिस्तान चले जाने के लिए सोचने लगे इसकी जानकारी बिना की वहाँ हमारे साथ कैसा व्यवहार होगा, पर मजबूरी बस हम वहाँ गए नहीं लेकिन सच यह भी है कि हम वहाँ अपनी जन्म भूमि छोड़कर जाना भी नहीं चाहते थे बहुत दुविधापूर्ण जीवन था, उस समय हम सबका। नवाजुद्दीन की बातें सुनकर एक बारगी सभी लोग कुछ देर के लिए मौन हो गए, नितिन ही मौन को तोड़ा और करीम से बोला अच्छा चाचा यह बताइए अगर अब आप लोगों को हिंदू बनाने का प्रयास किया जाए तो क्या आप सभी हिंदू बन जाओगे? करीम बहुत ही दर्द भरे भाव में बोले अब मुश्किल है बेटा समय बहुत बीत गया है अब युवाओं का समय है जो कट्टर और जिहादी अधिक होते जा रहे हैं। हम बुजुर्गों का प्रयास उसमें कुछ भी सार्थक नहीं हो सकता है हाँ युवाओं में कुछ आप जैसे हैं यदि उनको आप लोग अपने संपर्क में रखेंगे तो हो सकता है कि वे आप लोगों की तरह क्रांतिकारी कदम उठा ले।

कई दिन हो गए थे संजय का पैर अब ठीक होने लगा था लेकिन प्लास्टर कटने में अभी भी लगभग दो सप्ताह का समय था, शिवानी अब प्रतिदिन तो नहीं पर समय मिलने पर प्रायः उसके घर चली जाती थी। एक दिन ऐसे ही उसके घर लौट जाने के बाद संजय की माँ अकेले में संजय से शिवानी के बारे

में विशेष जानकारी लेने लगी। संजय माँ को साफ-साफ बताया माँ यह एक ब्राह्मण हिंदू परिवार था जो कभी मुसलमान हो गया था लेकिन वे लोग अब स्वेच्छा से पुनः हिंदू हो गए हैं। माँ जी मुसलमान के नाम पर थोड़ा सोचने लगी संजय माँ को सोचनीय अवस्था में देखकर उनके समक्ष देश का संक्षिप्त दर्शन और बाहरी आक्रमण के बाद के ऐतिहासिक घटनाओं का वर्णन करने लगा और साथ ही शिवानी तथा उसके परिवार के संस्कार का भी वर्णन किया। माँ जी को शिवानी का व्यवहार अच्छा लगता था इसलिए उसके मन में वह बैठ चुकी थी, संजय की बातें वह सुनती रही, संजय ने कहा माँ इन घर वापसी करने वालों को यदि हम लोग नहीं अपनाएँगे तो कौन अपनाएगा? माँ जी संजय को समझाइ बेटा असल में अब तुम्हारे पिता है नहीं जो कुछ देखना और करना है हमीं लोगों को करना होगा। शहर में रिश्तेदारी का बहुत मतलब तो रहता नहीं सब अपने-अपने कार्यों में लगे रहते हैं, परिवार में तुम ही बड़े हो एक तरह से अपने भाई-बहनों के अभिभावक भी हो तो जो भी निर्णय लेना है इन सब बातों को ध्यान में रखकर ही हमें लेना चाहिए। वैसे तुमको स्पष्ट कर दूँ कि शिवानी सबको पसंद है मैं भी उसे अपना बहू बनाना चाहती हूँ बस एक बार उसकी माँ और भाई से मेरी बात तो हो जाए, संजय बोल दिया अब मैं पूर्णतः स्वस्थ हो जाऊँ तब न।

ऐसे बहुत दिन हो गए संजय धीरे-धीरे पैर रखकर अब चलने की स्थिति में हो गया, अभी बाइक चलाने में उसे दिक्कत हो रही थी फिर भी कंपनी में वह टेंपो पकड़कर नौकरी पर जाने लगा था। एक दिन नितिन के घर पर तीनों दोस्त एक साथ मिल गए, यह संयोग था कि उसी दिन रोहन को गांव जाना था इसलिए नितिन उसे स्टेशन छोड़ने चला गया। कमरे में संजय और शिवानी की माँ ही रह गई थी शिवानी की माँ संजय से शिवानी के बारे में ही बात करने लगी बोली बेटा शिवानी से तुम्हारी दोस्ती अधिक प्रगाढ़ है मैं उसकी माँ हूँ उसके भाव को समझती हूँ वह तुमसे प्रेम करती है तुम्हारे मन में उसके लिए क्या भाव है यह तो मैं नहीं बता सकती इसलिए मैं चाहती हूँ कि तुम भी स्पष्ट बता दो क्योंकि उसकी अंतिम परीक्षा समाप्त होते ही मैं उसकी शादी कर देना चाहती हूँ। तुम हाँ करोगे तभी तो मैं कुछ समझ पाऊँगी, संजय शिवानी की माँ से अचानक शादी की बातें सुनकर थोड़ा शर्मा गया लेकिन संयत होकर बोला माँ जी यह सत्य है कि हम दोनों एक दूसरे से प्रेम करते हैं पर यह भी सत्य है की शादी हम दोनों बिना बड़ों की मर्जी से नहीं करेंगे। अब इस विषय पर कोई भी निर्णय आप और मेरी माँ मिल बैठ कर ले लेंगी वह हमें मंजूर होगा।

शिवानी की माँ और संजय देर तक ऐसे ही बातें करते रहे इसी बीच शिवानी विद्यालय से आ गई वह संजय को देखते ही खुश हो गई और अपनी किताबें रखकर उसी के पास आकर बैठ गई तथा उससे हाल-चाल करने लगी। दोनों को आपस में बात करते देख शिवानी की माँ अंदर चाय बनाने चली गई, उनके जाते ही संजय शिवानी से मुस्कुराते हुए कहने लगा शिवानी, माँ हम दोनों की शादी की बात कर रही हैं करोगी ना मुझसे? शिवानी इस समय संजय से हंसी मजाक करने के मूड में थी पर संजय के ही मुंह से शादी की बात सुनकर एकदम से लजा गई, उसके गाल शर्म के मारे लाल हो गए, नजरे झुकाकर वह एकदम से मौन हो गई। उसे मौन देखकर संजय कुछ आगे बोलना चाहा लेकिन तभी शिवानी की माँ कमरे में चाय के साथ आ गई, माँ के आते ही शिवानी उठकर घर के अंदर चली गई। उसकी माँ बुलाती रही पर वह आई नहीं संजय चाय पीता रहा और शिवानी के मौन हो जाने और अचानक उठकर चले जाने के बारे में सोचता रहा कि शिवानी को बुरा तो नहीं लगा। लेकिन उसकी माँ ने कहा था कि वह मुझसे प्रेम करती है, संजय को गंभीर देख शिवानी की माँ उसे टोकी बेटा क्यों गंभीर हो गए शिवानी कुछ कहीं तो नहीं न। संजय बोला नहीं माँ ऐसी तो कोई बात नहीं हुई मैं अब घर चलता हूँ फिर मुलाकात होगी और चाय पीकर संजय उठा और घर चला गया।

अष्टम भाग

महीनों बाद रोहन गांव पहुँचा था, इस बार गांव का वातावरण काफी बदला-बदला दिखाई दे रहा था, जातियाँ तो थी पर सांप्रदायिक भेद लुप्त हो चुके थे सभी लोग एक जैसे दिखाई दे रहे थे मस्जिद के स्थान पर शिवालय का निर्माण हो चुका था, अजान के स्वर गायब थे उसके स्थान पर ब्रह्म मुहूर्त में मंगल ध्वनि सुनाई देने लगी, शिवालय पर अधिक संख्या में नर-नारी सोमवार व शनिवार को जल चढ़ाने चले जाते थे। रोहन ने महसूस किया कि वास्तव में सांप्रदायिक सद्‌भाव ही समाज और राष्ट्र को एकजुट कर सकता है और अलगाववाद को जन्म ही नहीं लेने नहीं देता है। रोहन को प्रतिदिन मंदिर जाने की आदत नहीं थी लेकिन जिस दिन सोमवार था वह स्नान करके गांव के युवा साथियों के साथ शिवालय में दर्शन करने और जल चढ़ाने चला गया, इसके पीछे उसका भक्ति भाव भी था और सामाजिक एकता का भी भाव सम्मिलित था। दो दिन गांव में रहकर रोहन रीना से मिलने शहर चला गया रीना का शोध कार्य पूरा हो चुका था वह अस्थाई रूप से विश्वविद्यालय में इतिहास की प्रोफेसर बन चुकी थी वह छात्रावास छोड़कर विश्वविद्यालय के आवास में रहने लगी थी। उसके साथ उसके भाई और बहन भी रहने लगे थे उनकी शिक्षा का जिम्मा अब रीना के ही कंधों पर था। रोहन और रीना संकट मोचन मंदिर पर ही मिले, दर्शन कर लेने के बाद दोनों अपनी भविष्य के बारे में बातें करने लगे। पार्क के चबूतरे पर बैठी हुई रीना बोली रोहन हम दोनों के पारिवारिक परिवेश अलग-अलग है तुम्हारा परिवार मुसलमान से हिंदू ब्राह्मण बना है जबकि मैं गांव की एक निहायत गरीब परिवार की हूँ जिसे आजकल दलित बोला जाता है तो हम लोग अपने-अपने माता-पिता से सहमति ले ले तब आगे कोई कदम उठाए। रोहन को रीना की बातों में सामाजिक रूढ़िवादिता का भय दिखाई देने लगा, वह रीना से व्यंग में बोला क्या रीना तुम भी ऐसा सोचती हो। तुम तो एक क्रांतिकारी विचार

की लड़की हो कैसे ऐसी भीरुतापूर्ण बातें कर रही हो। हम दोनों बचपन के साथी हैं एक दूसरे को चाहते हैं शादी कर लेंगे बस। रीना उसके व्यंग को समझ गई वह रोहन को लगभग डांटती हुई बोली अरे यार क्रांतिकारी का मतलब यह नहीं होता है कि हम अपने परिवार और समाज से अलग हो जाए, जो माता-पिता हमें इतने दिनों तक पढ़ाए-लिखाए है उनके भी कुछ स्वप्न होंगे हम लोगों को लेकर, हमें उसका भी ध्यान देना चाहिए। यह भी संभव हो सकता है कि वह हमारी बातों से हमारी निर्णयों से सहमत हो तो एक बार उनसे बात तो कर ही लेना चाहिए न। रोहन हाथ जोड़ते हुए कहा अरे रीना नाराज मत हो मैं तो तुम्हारा अनुगामी हूँ जैसा कहोगी मैं वैसा ही करूँगा। रीना मुंह बनाती हुई कहने लगी अब बातें मत बनाओ, जीवन के प्रति गंभीर हो जाओ और अपने माता-पिता से स्पष्ट बात कर लो वैसे उस दिन जागेश्वर नाथ धाम पर उनको कुछ संकेत हो ही गया होगा, बस तुम्हें उनसे सहमति ले लेनी है मैं भी जब घर जाऊँगी तो माता-पिता से अनुमति ले लूँगी।

रोहन रीना से विषय बदलते हुए दूसरी बात करने लगा और बोला एक बात और रीना मैं शादी के बाद एक अति महत्वपूर्ण निर्णय लेने वाला हूँ जिसकी तुमसे एक बार चर्चा की थी रीना ने पूछा क्या? रोहन ने तुरंत जवाब दिया मैं नौकरी इसी वर्ष छोड़ दूँगा और गांव में सड़क के किनारे जो मेरी पुस्तैनी 5 एकड़ भूमि है उसी पर एक विद्यालय का निर्माण करूँगा, इस पर तुम्हारे सहयोग और मार्गदर्शन कि मुझे निहायत जरूरत पड़ेगी। मैंने तय कर लिया है कि देश, धर्म और समाज के लिए कुछ तो काम करूँ बस इंतजार है तुम्हारा मेरे जीवन में आने का। रीना रोहन की बातों से काफी रोमांचित हो गई उसने रोहन के हाथों को अपने हाथों में ले लिया और कहने लगी रोहन, मैं तुमसे अलग कहाँ हूँ अब हम दोनों का विचार और कार्य एक ही है। हमारे गांव से विश्वविद्यालय बहुत दूर नहीं है मैं गांव से ही आया-जाया करूँगी बस कुछ समय की बात है हम दोनों वैवाहिक बंधन में बंध तो जाएँ। रोहन रीना की बातें सुनकर बिल्कुल रोमांटिक मूड में हो गया वह रीना का हाथ कसकर पकड़ लिया और उसे एक झटके में अपनी तरफ खींचना चाहा लेकिन रीना पीछे की तरफ हट गई और प्यार से आंखें तरेरते हुए और बोली पागल मत बनो रोहन इतनी जल्दी नहीं और इंतजार करो। रोहन झेप गया और तुरंत बाद बदलते हुए बोला उसे शिक्षण संस्थान का नाम बताओ रीना। मैं आगामी सरस्वती पूजन के दिन तुम्हारे ही हाथों से भूमि पूजन और नामकरण कराना चाहता हूँ। रीना रोहन को टोकते हुए बोली नामकरण तो ठीक है पर भूमि पूजन अपने माता-पिता के हाथों से कराओं ऐसे कार्यों में

बुजुर्गों का आशीर्वाद जरूरी होता है। रोहन रीना को स्पष्ट किया और बोला वह तो रहेंगे ही रीना पर यह शुभ कार्य मेरे जीवन को बदल देने वाली तुम्हारे जैसी शुभ लक्ष्मी के हाथों ही संपन्न होगा यह मेरा दृढ़ निश्चय है। अब तुम उस शिक्षण संस्था का एक अच्छा सा नाम सूझा दो। रीना रोहन के भाव को समझ कर कुछ देर मौन रह गई फिर उसके मन में कुछ विचार आया और रोहन से बोली तुम्हारे गांव का नाम केशवपुर है और बड़ा पवित्र नाम है तो क्यों ना इसी पर नामकरण हो जाए "केशव ज्ञान केंद्र" जिसमें हर प्रकार की शिक्षा बच्चों को दी जाएगी और अनेक प्रकार के प्रशिक्षण केंद्र होंगे और सबको भारतीय संस्कृति और दर्शन का ज्ञान देने का प्रबंध भी रखा जाएगा। रोहन रीना के विचारों से खुश हुआ और कुछ देर तक ऐसे ही बातें करता रहा और शाम होने के पूर्व रीना से विदा होकर गांव लौट आया।

रोहन इस बार एक सप्ताह की छुट्टी लेकर गांव आया था वह दो विषयों पर माता-पिता से स्पष्ट बात कर लेना चाहता था। दूसरे दिन वह दोपहर का भोजन करके अपनी माँ के पास आंगन में ही बैठ गया और उनसे बात करने लगा। घर गृहस्थी की कुछ बातें हुई उसके बाद वह माँ से पूछा माँ मेरी दो इच्छाएँ हैं क्या उसकी पूर्ति आप और बाबूजी कर देंगे? रोहन की माँ का तुरंत जवाब आया अरे पगले ऐसा क्यों कह रहा है, तुम हम दोनों की एकमात्र संतान हो, शिक्षित हो सही राह पर चल रहे हो भला हम लोग तुम्हारे इच्छा का अनादर कैसे कर सकते हैं। तुम्हारे इच्छा पर हम सब का जीवन बदल गया हम हिंदू धर्म अपना लिए अब ऐसी कौन सी इच्छा रह गई तुम्हारी पहले कहो तो? रोहन माँ के वात्सल्य भाव से काफी उत्साहित हुआ और सोचा की माँ से घुमा-फिरा कर बात करने से कोई फायदा नहीं स्पष्ट बात कर लेना ही ठीक है वह माँ से बोल दिया माँ में नौकरी छोड़कर एक विद्यालय खोलना चाहता हूँ सड़क किनारे जो भूमि है उसी पर रोहन की माँ का तुरंत जवाब आया यह तो बड़ा पवित्र कार्य है बेटा पर इसके लिए तुम्हें इतनी अच्छी नौकरी छोड़ने की क्या आवश्यकता है। इसके लिए तुम पहले अपने पिताजी से अनुमति ले लो। रोहन ने कहा पिताजी से मैं इसकी अनुमति ले लूँगा पर पहले तुम आशीर्वाद दे दो। रोहन की माँ हंसते हुए बोली अरे तू भी कैसी बातें कर रहा है माँ तो हमेशा पुत्र को आशीर्वाद ही देती है इसमें माँगने की कोई जरूरत ही नहीं है मेरा आशीर्वाद सदा तुम्हारे साथ है अब तुम अपनी दूसरी इच्छा की बात करो। रोहन माँ के समक्ष थोड़ा शरमाते हुए सर झुका कर बोला माँ मैं अब शादी करना चाहता हूँ। शादी की बात सुनकर उसकी माँ चौंकते हुए बोली क्या उस लड़की

से जो तुम्हारे साथ थी और उस दिन मंच से बोल रही थी? रोहन माँ का हाथ पकड़ कर बोला हाँ माँ इस समय वह विश्वविद्यालय में प्रोफेसर हो गई है मैंने तो बताया था न कि हम दोनों इंटर तक साथ-साथ पढ़े हैं पढ़ने में वह बहुत तेज थी और स्वभाव भी उसका बहुत अच्छा है माँ। रोहन की माँ रोहन द्वारा रीना की अधिक तारीफ करते देख हंसने लगी और कहने लगी ठीक है ठीक है उसकी बहुत तारीफ मत कर उस दिन बताया था तूने हरिहरपुर की रहने वाली है और उसके पिता राजगीर मिस्त्री हैं लेकिन जाति उसकी? रोहन मुंह बनाता हुआ बोला माँ जाति से हमें क्या लेना-देना? लेना देना है बेटे यह रोहन के पिताजी की आवाज थी जो आंगन में प्रवेश करने के पूर्व माँ बेटे की बातों को सुन चुके थे। रोहन पिता के आते ही चारपाई से उठ गया और चुपचाप एक तरफ खड़ा हो गया अब उसके समझ में नहीं आ रहा था कि क्या कहें। रोहन के पिता चारपाई पर बैठते हुए अपनी पत्नी की तरफ देखते हुए बोलने लगे तुम जानती हो रोहन की माँ यह हम लोगों का एकलौता पुत्र है इसकी जो इच्छा उचित थी उस सब की पूर्ति हमने किया है, यह स्वयं करने में भी बहुत कुछ सक्षम है पर अब इसके व्यक्तिगत जीवन का सवाल है जिसमें समाज और परिवार को भी साथ रखना है सब कुछ के बावजूद सामाजिक मान्यता जरूरी है।

रोहन के पिता रोहन को अपने पास बैठाए और उसके कंधे पर हाथ रखकर उसे समझाने लगे बेटा भावुकता से निर्णय लेना कभी-कभी हानिकारक भी हो जाता है। हम लोग अभी मुसलमान से हिंदू बने हैं हमारी जमीन जायदाद भी पर्याप्त है और उस लड़की का परिवार निहायत गरीब है और जाति की दृष्टि से अत्यंत निचली जाति का माना जाता है। रोहन पिता की बात को बीच में ही काटते हुए बोल दिया क्या निम्न जाति और गरीब परिवार में जन्म लेना गुनाह हो गया पिताजी? आज तो वह एक प्रतिष्ठित विश्वविद्यालय में सुविख्यात प्रोफेसर हो गई है और देखा जाए तो इधर कई गांवों में वह सबसे उच्च हो गई है। रोहन के पिता रोहन का भाव समझ गए और उसको फिर समझाने लगे अरे मैंने यह कब कहा कि गरीब परिवार में जन्म लेना गुनाह है, बेटा मेरा यह कहना है कि हम लोग अभी हिंदू बने हैं और वह परिवार पहले से ही हिंदू है और फिर जाती भी उसकी अलग है तो क्या वे लोग हमसे संबंध बनाने के लिए तैयार हो जाएँगे? एक बार उस परिवार का भी तो राय ले लेना चाहिए। रोहन अब पिता की बातों के पीछे छिपे भाव को समझ गया आगे फिर अपने पिता से कहने लगा पिताजी अगर आप रीना को अपना बहू मानने को तैयार हो जाए तो हम सभी मिलकर समाज को परिवर्तन के दौर में लाने की प्रक्रिया भी प्रारंभ कर देंगे। रोहन

के पिता रोहन की बातों को सुनकर स्पष्ट बोल दिए कि बेटा पहले रीना से कहो कि वह अपने माता-पिता और परिवार की रजामंदी ले ले फिर हम भी सोचेंगे। सब कुछ के बावजूद हम लड़के वाले हैं कहकर रोहन के पिता चारपाई से उठने लगे रोहन अपने पिता की बातों को सुनकर थोड़ा आक्रोशित हो गया और कह दिया कि क्षमा करना बाबूजी इसमें लड़का वाला और लड़की वाले का कहाँ प्रश्न खड़ा होता है कहीं हम लोग दकियानूसी बातों पर तो नहीं न चले गए? रोहन के पिता जय किशन आंगन में चलते-चलते अपने पुत्र की लगने वाली बात सुनकर झूझला गए और खड़ा होकर रोहन से धीरे से बोले मैं दकियानूसी हो सकता हूँ बेटा पर तुम जैसे शिक्षित, समझदार, विकासशील और यशस्वी पुत्र का पिता हूँ तो कैसे दकियानूसी हो सकता हूँ। रोहन का दिमाग अपने पिता की इस तरह की बातें सुनकर चकरा गया वह चारपाई से उठ गया वह समझ गया कि पिता को हमारी बात नागवार लग गई, वह तुरंत पिता के पैरों पर गिर गया और रोने लगा उसके मुख से भर्राई हुई आवाज आने लगी, क्षमा करना पिताजी आज मैं जो कुछ भी हूँ आप जैसे यशस्वी माता-पिता के कारण और इस बात का मुझे गर्व भी है आपके आशीर्वाद से ही मेरे अंदर यह शक्ति आई है वरना मैं भी एक सामान्य मुसलमान की तरह कट्टर और अलगाववादी ही रहता और इस देश पर बोझ बना रहता। मैं आप और माँ के समक्ष अनुशासनहीनता नहीं करना चाहता हूँ और न ही इस विषय पर बहस करना चाहता हूँ, मैं अपने दिल की बात कह दी है अब आप लोग जैसा कहेंगे मैं वैसा ही करूँगा। रोहन इतनी बातें कह कर अपने आंसू पोंछते हुए माता-पिता की तरफ बिना निगाह डाले बाहर निकल गया। आंगन में उसके माता-पिता पुत्र को इस तरह जाते देख स्वयं अपने आंसू नहीं रोक पाए, रोहन की माँ अपने पुत्र को रोकती उसके पहले ही वह घर से बाहर निकल गया जय किशन अपनी पत्नी रुक्मणी से कहने लगे कि रोहन की तो हर बात हम लोग मान ही लेते हैं फिर यह हम लोगों की बातों पर दुखित क्यों हो रहा है अच्छा होगा सब कुछ हम लोग इसी पर छोड़ देते हैं।

रोहन घर से निकला तो सीधे गांव के पुराने हनुमान जी के मंदिर पर चला गया और वहाँ घंटो ऐसे ही बैठा रहा। दोपहर का समय था इसलिए मंदिर पर कोई आ-जा नहीं रहा था, रोहन उदासी में अपने भावी जीवन के बारे में विचार करने लगा कि अगर उसके माता-पिता इस विवाह को इनकार कर देते हैं तो क्या होगा। हमारे तो सारे स्वप्न ही चकनाचूर हो जाएँगे रीना मेरे बारे में क्या सोचेगी? रीना के बगैर तो मेरे जीवन का कोई मतलब नहीं, मैं तो आजीवन शादी ही नहीं करूँगा। ऐसा मन में विचार करते-करते रोहन समाज और सामाजिक

बंधन के बारे में काफी मनन चिंतन करने लगा, ईश्वर ने तो कोई विभाजन नहीं किया फिर यह मानव कौन होते हैं जातियाँ बनाकर विभाजन करने वाले? शिष्ट-अशिष्ट, शिक्षित-अशिक्षित, संस्कृत-विकृत, धनवान-निर्धन ये शब्द ऐसे हैं जो गुणों-अवगुणों के आधार पर एक मानव से दूसरे मानव में अंतर तो पैदा कर देता है पर जन्म के आधार पर भेद करना यह तो ठीक नहीं है। हमें इन कुरीतियों से लड़ना ही पड़ेगा। रोहन हनुमान जी के मंदिर पर बहुत देर तक कल्पनाओं में ऐसे सोचते-सोचते मानसिक थकान की स्थिति में पहुँच गया, मंदिर परिसर में एक दरी थी रोहन उसी को धूप में बिछाकर लेट गया और निद्रा में चला गया। कुछ देर बाद धूप हल्की हुई तो उसे ठंडी महसूस होने लगी, कुछ आवाज सुनकर उसकी नींद खुल गई तो देखा मंदिर के पुजारी साफ सफाई में लगे हैं रोहन उनका अभिवादन किया। पुजारी पूछने लगे बेटा यहाँ ऐसे क्यों सोया था कोई परेशानी तो नहीं है न। रोहन उठकर दरी समेटने लगा और पुजारी से बोला नहीं पुजारी जी ऐसी कोई बात नहीं बस मन थोड़ा चंचल हो गया था इसलिए यहाँ आ गया। आप नहीं थे तो सोचा धुप में ही लेट जाता हूँ, पुजारी कहने लगे अच्छा किया बेटा देखो यह मंदिर बहुत पुराना है सिद्ध पीठ है यहाँ मन से आते ही व्यक्ति बाधा मुक्त होने लगता है यहाँ का विश्राम फलीभूत होता है बेटे आओ पहले हनुमान जी का दर्शन कर लो प्रसाद ले लो फिर बैठकर बातें करेंगे। पुजारी ने गर्भ गृह का पट खोल दिया रोहन हनुमान जी का साष्टांग हो दर्शन किया और प्रसाद लेकर बाहर एक तरफ चबूतरे पर बैठ गया। शाम होने लगा था गांव के इक्का-दुक्का स्त्री-पुरुष आने लगे, दर्शन कर प्रसाद लेकर चले भी जाते कोई-कोई रोहन और पुजारी के साथ कुछ देर के लिए बैठ भी जाता। मंदिर परिसर में अब धीरे-धीरे अंधेरा छाने लगा था कुछ देर में ही मंदिर दर्शनार्थियों से खाली दिखने लगा तो रोहन पुजारी से धीरे से प्रश्न किया पुजारी जी आप तो हनुमान जी के भक्त हैं कुछ ज्योतिष भी जानते हैं कुछ मेरे भविष्य के बारे में बताइए। पुजारी रोहन की बात सुनकर उसकी तरफ ध्यान से देखने लगे और बोले कल सुबह स्नान करके आना कोई नहीं रहेगा शांति रहेगी तब कुछ बताऊँगा, अभी तुम घर जाओ माता-पिता तुम्हारा इंतजार कर रहे हैं।

रोहन पुजारी को प्रणाम बोलकर सीधे घर आ गया अंधेरा हो गया था घर में प्रवेश करते ही उसकी माँ बोली बेटा कहाँ चला गया था काफी देर हो गई तुम्हें घर आने में। रोहन कहने लगा बस माँ मंदिर चला गया था वही पुजारी जी के साथ बैठ गया। माँ बोली अच्छा किया बेटा पर बता कर जाना चाहिए था। रात में खाते वक्त पिता पुत्र साथ हुए तो जय किसन पुत्र के कंधे पर हाथ रखकर

रोहन से पूछे बेटा नाराज तो नहीं न हो, रोहन थोड़ा झेपते हुए बोला नहीं पिताजी आप लोगों से नाराज होकर मैं कहाँ रहूँगा, बस ऐसे ही अपने भविष्य के बारे में सोच रहा था। जयकिशन ने रोहन को समझाया इतना मत सोचा कर बेटा ईश्वर पर भरोसा रखो सब ठीक हो जाएगा हम हमेशा तुम्हारे हित के बारे में ही सोचते रहते हैं तुम रीना से कह कर उसके परिवार की सहमति ले लो। रोहन पिता की बातों से संतुष्ट हुआ और बोला ठीक है पिताजी। भोजन करके रोहन आज जल्दी ही सो गया सुबह उसे पुजारी जी के बुलावे पर मंदिर भी जाना था। रात में उसका ध्यान बार-बार मंदिर, मूर्ति और पुजारी की बातों पर अधिक जा रहा था, बेटा यह सिद्ध पीठ है जो मन से यहाँ आता है बाधा मुक्त होने लगता है यह वाक्य उसके जेहन में बार-बार गूँजने लगी। वह मन से हनुमान जी की मूर्ति का दर्शन करने लगा और चिंता मुक्त होने लगा तथा धीरे-धीरे निद्रा में चला गया। रोहन सुबह जल्दी उठ गया स्नान करने के बाद कपड़ा पहनकर एक उलेन चादर लेकर माँ को बोल दिया माँ मैं हनुमान जी के मंदिर जा रहा हूँ एक-डेढ़ घंटे बाद आऊँगा पिताजी पूछे तो बता देना। रुक्मणी बेटे को आज खुश देखकर बहुत आनंदित हुई और बोली जा बेटा मंदिर हमें भी प्रसाद लेते आना। हनुमान जी के मंदिर पर जब रोहन पहुँचा तो देखा पुजारी आंख बंद किए बैठे हैं रोहन चुपचाप जाकर पहले हनुमान जी का दर्शन किया और फिर पुजारी जी के सामने जाकर बैठ गया। बैठने के थोड़ी ही देर बाद रोहन की आंखें बंद होने लगी वह ध्यान में चला गया, कुछ देर के लिए वह अपनी शुध-बुध भूल गया, जीवन में पहली बार वह अपने को ध्याननावस्था में पाया, कुछ देर ऐसे ही पड़े रहने के बाद उसे ऐसा लगा कि कोई उसे बुला रहा है। उसने धीरे-धीरे अपनी आंखें खोल दी सामने पुजारी जी उसी की तरफ देख रहे थे और कहने लगे बेटा तुम्हारा भविष्य बहुत उज्ज्वल है तुम्हारे जीवन में कोई क्रांतिकारी विचार रखने वाली लड़की का आगमन होने वाला है। तुम्हें अनेक कठिनाइयों का सामना करना होगा पर उन समस्त कठिनाइयों को पार करते हुए तुम समाजहित और राष्ट्रहित में काम करते जाओगे। धीरज और धैर्य से तुम सफलता प्राप्त कर लोगे। माता-पिता और परिवार सब तुम्हारे अनुकूल रहेंगे। हनुमान जी की पूजा करते रहना उनकी कृपा तुम पर बराबर बनी रहेगी, चलो एक बार फिर हनुमान जी का दर्शन करो और प्रसाद लो।

प्रसाद लेकर रोहन घर पहुँचा घर में अंदर जाते ही उसने देखा माँ और पिताजी एक साथ बैठे हैं वह मुस्कुराते हुए दोनों का चरण छुआ तथा उन्हें प्रसाद दिया, जय किशन पूछे मंदिर से आ रहे हो बेटा रोहन ने जवाब दिया हाँ पिताजी

सुबह ही चला गया था बहुत ही विधिवत दर्शन पूजन किया। जय किशन मुस्कुराते हुए बोले बेटा बस जीवनभर ऐसे ही खुश रहा करो। रोहन की माँ बेटे को इतना खुश देखकर बोली अब इस घर में एक बहू की आवश्यकता है वह जल्द आ जाए तो सब ठीक हो जाए रोहन घर के अंदर जाते हुए बोला आप लोगों का आशीर्वाद रहा तो यह काम भी हो ही जाएगा।

रीना प्रोफेसर बनने के बाद बहुत अधिक व्यस्त हो गई अध्यापन कार्य के साथ-साथ उसने एक पुस्तक लिखना प्रारंभ कर दिया जिसका शीर्षक था "स्वतंत्रता आन्दोलन की भयंकर भूलें- विभाजन एक सबक" इस विषय पर उसका बहुत बड़ा शोध इस बात का चल रहा था कि वह कौन सी नीति थी, क्या परिस्थितियाँ बन गई थी जिसके कारण हमारी स्वतंत्रता की लड़ाई इतनी कमजोर हो गई कि हिंदू से पथांतरित मुसलमान हंसते हुए देश का विभाजन करा लिए और नेतृत्व उसका प्रतिकार भी नहीं कर पाया, मुसलमान दंगे पर देंगे करते गए और हिंदू खामोश उसे सहते रहे कहीं-कहीं उन्होंने विरोध भी किया तो देश का नेतृत्व उनके समर्थन में नहीं आया। इन समस्त विषयों को रीना अपने व्याख्यान में जगह-जगह रखती थी जिसके कारण विश्वविद्यालय के शिक्षार्थियों का एक बहुत बड़ा समूह उसका अनुयाई बन गया। गणतंत्र दिवस के अवसर पर रीना का दिया गया भाषण विश्वविद्यालय में चंद वामपंथी और लीगी विचार वालों को बुरा लगा था वे ऐसे अवसर तलाशते रहते थे जहाँ रीना का विरोध कर सकें, क्योंकि वामपंथियों के पास बहुत तर्क नहीं होता है उनकी बातों में राष्ट्रवादी भावनाओं का सर्वथा अभाव रहता है इसलिए उनकी बातें देशवासियों को बहुत समझ में नहीं आती है और लीगी विचार तो स्वतः अलगाववादी और कमजोर होता है इनको अपने फैलाव के लिए परजीवी लता की तरह एक वृक्ष की आवश्यकता होती है इस देश में कम्युनिस्ट उनको एक वृक्ष के रूप में सहारा मिले थे लेकिन अब जबकि उस वृक्ष की जड़ ही कमजोर हो गई है तो इन लीगी फैलाव का मौका मिलना अब दूभर होता जा रहा है ऐसे में रीना का विरोध स्वतः बेअसर होता गया जिसके कारण उसके विचारों को बल मिला और उसकी लोकप्रियता बढ़ती गई।

शैक्षणिक कार्य के अति व्यस्तता के बावजूद रीना गांव में रह रहे माता-पिता से मिलने माह में एक दो बार अवश्य आ जाती थी। रीना के कुछ आर्थिक सहयोग से सुक्खु जो स्वयं राजगीर मिस्त्री थे गांव में अपने मकान का कुछ विस्तार कर लिए चार कमरों का एक पक्का मकान उनका बन गया था। शनिवार का दिन था रीना अकेली ही स्कूटी से शाम को गांव आ गई प्रोफेसर होने के

बावजूद अपने माता-पिता की सेवा का अवसर वह किसी भी हालत में नहीं छोड़ना चाहती थी शाम को उसने स्वयं भोजन बनाया और रात में पिता को पहले भोजन कर कर माँ बेटी एक साथ खाने बैठ गई। भोजन करते वक्त उसकी माँ सुभागी बोली शादी कब करोगी? रीना बोली माँ पहले भोजन तो कर लेने दो फिर शांति से इस विषय पर बात करेंगे। भोजन कर लेने के बाद माँ बेटी दोनों ने बर्तन वगैरह सब साफ कर दिया सुभागी जाकर अपने कमरे में लेट गई तो रीना जाकर धीरे-धीरे उसका पैर दबाने लगी सुभागी उसको रोकते हुए बोली क्या बिटिया अब तुम मास्टरनी हो गई हो अभी शहर से आई हो आराम करो क्यों कष्ट कर रही हो। रीना बोली माँ कहाँ रोज भेंट हो रही है आज आई हूँ कल चली जाऊँगी कभी-कभी तो समय मिलता है तुम्हारी सेवा का आज जो कुछ भी मैं हूँ सब आप और बाबूजी के आशीर्वाद से ही हूँ फिर वो सुभागी का हाथ पकड़ कर कहने लगी माँ इन हाथों ने कितना परिश्रम किया है मेरे लिए आज तो मैं इसे बस सहला भर रही हूँ, माता-पिता के त्याग और परिश्रम का बच्चे कभी कर्ज नहीं उतार सकते हैं। रीना की यह बात सुनकर सुभागी उठ बैठी और कहने लगी ऐसी बात मत बोल बिटिया यह तो हर माता-पिता का कर्तव्य होता है ऐसा ही कर्तव्य तुम भी अपने बच्चों के लिए करोगी और रीना का हाथ पकड़ कर बोली अब बता तू शादी कब करने वाली हो मैं तुम्हारी माँ हूँ कुछ भी मत छिपाना मुझसे तू कहेगी तभी ना हम लोग लड़का ढूंढेंगे। एक तो अपनी बिरादरी में इतनी ऊँची पढ़ाई-लिखाई वाला कोई लड़का ही मिलना मुश्किल है दूसरे लड़के वाले अकड़ में दहेज बहुत माँगते हैं तो सब इंतजाम करना पड़ेगा न बिटिया। रीना अपनी माँ की चिंता सुनकर थोड़ी देर मौन रही फिर बच्चों की तरह सुभागी के गले में बाहें डालकर कहने लगी माँ तुम इन सब की चिंता छोड़ दो तुम लोगों को न लड़का ढूंढना है और न हीं दहेज देना है सुभागी रीना की बात सुनकर चौंकते हुए बोली तो क्या तूने स्वयं लड़का ढूंढ लिया है, रीना एक तरह से लजाते हुए और अपना गाल सुभागी के कंधे पर रखकर बोली हाँ माँ। सुभागी का तुरंत प्रश्न हुआ बिरादर या गैर बिरादर रीना वैसे ही नजरे झुकाकर बोली गैर बिरादर माँ। सुभागी यह सुनकर गंभीर हो गई और रीना का चेहरा सामने रखकर बोली बिटिया वह लड़का कहाँ का रहने वाला है कौन है बताओगी मुझे तुम्हारे बाबू तो यह सुनकर घबरा जाएँगे। रीना अभी भी नम्र स्वर में ही पूछी क्यों माँ? सुभागी कहती रही जाति-बिरादरी की बात है बिटिया गांव है, लोग तरह-तरह की चर्चा करने लगते हैं रीना अब गंभीर होने लगी और पूछी क्या चर्चा करेंगे माँ ये लोग सुभागी ने जवाब दिया यही की शहर में जाकर मेरी लड़की

बिगड़ गई है अपने से शादी कर रही है वह भी गैर बिरादरी में। रीना इस बात पर थोड़ा कड़े शब्दों में कहने लगी तो इससे क्या होगा माँ न इन लोगों ने मुझे पढ़ाया लिखाया न किसी प्रकार का सहयोग किया और न ही प्रोफेसर बनाया, अब ऐसे लोग मेरे बारे में अनावश्यक चर्चा करते हैं तो करने दो मुझे तो बस अपने माँ बाबू का आशीर्वाद चाहिए। इतनी बात कह कर रीना सुभागी की तरफ प्यार से देखते हुए बोली मुझे आशीर्वाद दोगी न माँ, सुभागी ने तुरंत जवाब दिया हाँ बिटिया पर मुझे पूरी बात तो बताओ।

रीना रोहन के बारे में पूरी बात अपनी माँ को बता दी और कह दी कि हम दोनों बचपन से एक दूसरे को भली-भांति जानते हैं अब वो पूरा परिवार हिंदू हो चुका है और वहाँ ब्राह्मण आदि सभी हिन्दुओं के साथ वे प्रेम से रहते हैं। सुभागी रीना की बात सुनती रही लेकिन उसके मन में एक बात बार-बार खटक रही थी और उसने रीना से पूछ ही लिया बिटिया यह तो ठीक है कि वे लोग फिर से हिंदू हो गए हैं पर वे लोग बड़े हैं क्या हम जैसे गरीब के यहाँ शादी करेंगे। रीना अब हंसते हुए बोली माँ उसकी चिंता छोड़ो बस तू और बाबू हाँ बोल दो मैं बिना आप दोनों के आशीर्वाद के यह शादी नहीं करूँगी चाहे जो भी हो। हाँ बाबू से तुम ही बात कर लेना मुझे उनसे बात करने में शर्म आएगी, सुभागी ने फिर प्रश्न पूछा और जाति-बिरादरी का विरोध होगा तो। रीना सुभागी को प्रेम से समझाने लगी माँ ऐसा विरोध अब बहुत कमजोर हो गया है, इस समय जाति भावना केवल राजनीतिक स्तर पर अधिक है और वो भी केवल वोट लेने के लिए नहीं तो समय बहुत तेजी से बदल रहा है जाति के बंधन अब समाप्त होते जा रहे हैं तुम नहीं समझ पा रही हो माँ पर शिक्षा के आधार पर सबके कर्म अलग होते जा रहे हैं और संबंध भी धीरे-धीरे उसी के आधार पर बनने लगे हैं इसलिए बहुत सी बातों को अब हमें भी स्वीकार करना पड़ेगा। माँ तू भी जानती है परिवर्तन हमेशा ऐसे ही होता रहा है, होता रहेगा और ऐसा ही परिवर्तन मैं और रोहन करने जा रहे हैं।

इस प्रकार काफी देर तक रात में बातें करते-करते रीना और सुभागी दोनों माँ बेटी सो गई। सुबह रीना पास पड़ोस के लोगों का हाल-चाल लेने उनके घर चली गई क्योंकि उसे शाम को शहर लौटना भी था। सुभागी को अवसर मिला तो सुक्खु से रीना की शादी की चर्चा प्रारंभ कर दी और धीरे-धीरे उन्हें सब कुछ बता दिया। केशवपुर गांव का नाम सुनते ही सुक्खु जान गया कि बिस्मिल्लाह सिद्दीकी का परिवार जो अब हिंदू हो गया है, उसे अपने पुत्री पर पूरा विश्वास था लेकिन फिर भी उसके मन में यह विचार आ ही जाता था कि

एक तो वे लोग जमीदार रहे हैं क्या मुझ गरीब से अपना संबंध बनाएगे और दूसरा समाज और जाति की जो अड़चने है उसे क्या हम लोग झेल पाएँगे वह काम पर नहीं गया घर पर ही रुक गया केवल रीना से बात करने के लिए। दिन में भोजन के बाद रीना से सुक्खु उसका हाल-चाल पूछते-पूछते शादी के विषय पर आ गया और कहने लगा बेटी जैसा कि तुम जानती ही हो हम लोग बहुत गरीब परिवार के हैं तुम विश्वविद्यालय में प्रोफेसर हो गई हो अब मुझसे समझदार हो देश दुनिया ज्यादा घूम रही हो, बस इतना ही कहूँगा कि जो भी निर्णय लेना सोच समझ कर लेना क्योंकि तुम्हारे भाई बहनों का भी भविष्य तुम्हारे ऊपर ही है। रीना अपने पिता के कंधे पर हाथ रखकर कहने लगी बाबू आप घबड़ायें न आप लोगों के स्नेह और आशीर्वाद से ही अब तक मुझ पर ईश्वर की कृपा रही है मैं आगे भी कोई ऐसा कदम नहीं उठाऊँगी जिससे किसी को कोई दिक्कत हो सबके सहमति से ही सब कुछ होगा बस आपका आशीर्वाद हमें मिलता रहे। सुक्खू भावुक होकर बोला आशीर्वाद है बिटिया मैं क्या पूरा गांव तुम पर नाज करता है इसलिए मैं भी प्रयास करूँगा कि सबका आशीर्वाद तुमको मिले।

इस प्रकार केशवपुर और हरिहरपुर गांव के वरिष्ठ लोगों के प्रयास से रोहन रीना की यह अनूठी शादी तय हो गई। जिसकी काफी चर्चा आस-पास के गांव में होने लगी थी कुछ रूढ़िवादियों के विरोध के स्वर भी आए पर वो असरहीन रहा। विशेष करके केशवपुर हरिहरपुर गांव के हर घर में लोग रीना को देवी शक्ति का प्रतीक बताने लगे। केशवपुर के गांव में अच्युतानंद तिवारी के द्वार पर गांव के ही कुछ ब्राह्मण समुदाय के चार-पांच युवा बुजुर्ग एक दिन शाम को यूँ ही गपशप करने बैठे थे उसी में रोहन के शादी की चर्चा चल दी तो एक बुजुर्ग ब्रह्मदेव पांडे कहने लगे यह तो ठीक नहीं हो रहा है भाई तिवारी जी ने उनसे प्रश्न किया क्या ठीक नहीं हो रहा है। ब्रह्मदेव ने कहा यही की जय किशन के परिवार में एक अछूत की लड़की बहू बनकर आ रही है, इस बात पर अच्युतानंद जी जो लेटे थे उठ कर बैठ गए और बोले क्या पंडित जी आप भी गजब के मूर्ख हैं अब वह लड़की अछूत हो गई है, और जय किशन का परिवार मुसलमान से हिंदू हो गया तो शुद्ध हो गया? आप ही जैसे लोगों के कारण आज ब्राह्मण जाति काफी बदनाम है क्या हास्यास्पद तर्क है आपका जो मुसलमान से हिंदू बना वह शुद्ध हो गया और जो हिंदू ही है भले ही गरीब हो अछूत कैसे हो गया? ब्रह्मदेव अच्युतानंद के स्पष्ट जवाब पर थोड़ी देर के लिए मौन हो गए लेकिन माने नहीं धीरे से कहने लगे भाई जातिगत भेदभाव तो रहेगा ही मैंने अपनी बात कह दिया जो समझ में आया। अच्युतानंद ने फिर उनको समझाया पंडित जी क्यों

जातिगत भेदभाव रहे जब सभी शिक्षित हो रहे हैं हर जाति के लोग हर क्षेत्र में आगे बढ़ रहे हैं तो फिर अंतर कैसा। वहाँ रविंद्र और नवनीत दो युवा भी बैठे थे रविंद्र ब्रह्मदेव की तरफ देखकर बोला चाचा जी क्या आपको पता है उस लड़की के द्वारा ही यह मुस्लिम परिवार का लड़का रोहन भैया हिंदू बनने के लिए तैयार हुए और उनके आपसी प्यार का ही परिणाम यह हुआ कि यही नहीं दिल्ली में भी बहुत से मुस्लिम हिंदू बने हैं ब्रह्मदेव ने चौकते हुए कहा अच्छा बेटा तो हमें यह सब नहीं मालूम था क्या करूँ, तिवारी जी की तरफ देखते हुए बोले पंडित जी अभी भी मैं थोड़ा जातिवादी और रूढ़िवादी ही हूँ जात-पात पर बहुत विश्वास करता हूँ इसलिए ऐसी बातें बोल दिया क्षमा करना आप लोग ठीक कह रहे हैं परिवर्तन ऐसे ही होता है। पूजनीय है वह लड़की भगवान उसको लंबी आयु दे ब्रह्मदेव जी के इस बात पर वहाँ उपस्थित सभी लोगों के चेहरे खिल गए।

हरिहरपुर गांव के हर घर में शादी की बातचीत स्त्री-पुरुष आपस में करने लगे क्योंकि रीना इस गांव के हर घर की दुलारी थी, वहीं अन्य जाति के लोगों में तो नहीं विशेष कर सुक्खु के जाति के कुछ लोग इसकी आलोचना खुलकर करने लगे। एक दिन सुक्खू घर पर ही थे तभी उनके द्वार पर बिरादरी के चार-पांच नेता टाइप के लोग दोपहर के बाद आ गए उसमें हरबंस और राजेश दूसरे गांव के थे लेकिन लालता, रमेश और राम मूरत नाम के तीन लोग हरिहरपुर गांव के ही थे। सुक्खु ने सबको आदर से बैठाया, सभी लोग आपस में हाल-चाल करने लगे। हरबंस नेता थोड़ा अधिक उम्र के थे कहने लगे सुना है सुक्खु भैया आप अपनी प्रोफेसर लड़की की शादी एक मुस्लिम लड़के से कर रहे हैं सुक्खु ने जवाब दिया नहीं भैया वह परिवार अब मुस्लिम नहीं एक वर्ष हो गया हिंदू हो गया है। साथ में बैठा राजेश बोला अरे हरबंस भैया जो भी हुआ हो लेकिन वे सब बड़ी ही जाति के जमींदार रहे हैं उन सब ने काफी शोषण किया हैं हम सबका। सुक्खु उनकी ताव की बात सुनकर धीरे से बोला भैया मैं इ सब क्या जानू मैंने तो जीवन भर सबका घर मकान बनाया लोग हमको पैसा दिए और प्रेम से बात किया बस इतनी ही बात मैं जानता हूँ। सुक्खु की इस बात पर हरबंस कहने लगा हाँ हाँ अब आपकी लड़की प्रोफेसर हो गई है न तो आपको अब अपने पुराने दिन भूल गए जाति बिरादरी भूल गई अरे आपको तो इस लड़की की शादी अपने ही बिरादरी में एक अच्छा लड़का ढूंढ कर कर देना चाहिए था, इस पर राजेश बोल दिया अरे इनकी लड़की अब इनके बस में है ही नहीं शहर में रहती है न बाहर की उसे हवा लग गई है इसलिए मनमानी हो गई है। गांव

आती होगी और इनको मूर्ख बनाती होगी। राजेश के इस वाहियात कथन पर सीधा-सादा सुक्खू कुछ बोलता उसके पूर्व ही गांव का रमेश, राजेश को टोक दिया भैया उस लड़की के बारे में कुछ भी गलत मत बोलना इस गांव की ही नहीं आसपास के कई गांव में वैसी चरित्रवान, संस्कारी और प्रतिभाशाली पुत्री आप ढूंढने से भी नहीं पाओगे उसके बारे में जो भी जानना है इस गांव में नहीं तो आप लोग स्वयं विश्वविद्यालय जाकर पता कर ले आज भी वह माता-पिता और हम सबको वही आदर भाव देती है जैसा पहले भी देती रही थी वह देवी है देवी।

रीना के बारे में रमेश के इस कथन को सुनकर राजेश झेप गया सुक्खू अभी तक मौन थे राजेश की बातों से उसको कष्ट हुआ पर रमेश के कथन से उसे काफी सांत्वना मिली, सर उठाकर उन लोगों से कहने लगा पता नहीं आप लोग किस मकसद को लेकर यहाँ आए हैं पर जहाँ तक मेरा और मेरी पुत्री की बात है तो वह मेरे ही नहीं पूरे गांव के ह्दय का टुकड़ा है गरीबी में मैंने उसे पढ़ाया लिखाया, उच्च शिक्षा के लिए एक प्रोफेसर कृष्णकांत मिश्र ने उसकी मदद की पीएचडी के लिए उन्हीं की मदद से वह काशी हिंदू विश्वविद्यालय गई जहाँ उसे एक प्रोफेसर सिन्हा जी मिले जिनके साथ उसने इतिहास विषय पर शोध किया वह अक्सर प्रोफेसर साहब के यहाँ ही खाती-पीती थी उस परिवार का लगाव आज भी उसके साथ है एक तरह से देखा जाए तो जिनको आप लोग ऊँची जाति या शोषक बोल रहे हैं उनके ही मदद उसको बारंबार मिलता रहा है मैंने तो इसमें कही भेद नहीं देखा है। आज वह अपने बचपन के साथी के साथ शादी करना चाहती है वह भी हिंदू परिवार ही है भले ही वे लोग ऊँची जाति के कहे जाते हो तो मैं क्यों उसमें अड़चन बनू जब उस परिवार को कोई दिक्कत नहीं तो मुझे क्यों होगी। हरबंस सुक्खु की बात गर्दन नीचे करके सुनता रहा और प्रश्न किया क्या आपसे शादी के लिए आपकी पुत्री ने पूछा था सहमति ली थी सुक्खु ने कहा हाँ बार-बार उसने यह भी कहा था कि यदि आप दोनों माता-पिता मुझे आशीर्वाद नहीं देंगे तो मैं यह शादी नहीं करूँगी। सुक्खू की यह बात सुनकर गांव के ही अन्य लोग इस वार्ता में जो अब तक चुपचाप बैठे थे हरबंस और राजेश से अब कहने लगे कि भैया आप लोग अनावश्यक परेशान हैं जाति-जाति का बेकार रट लगा रहे हैं यह शादी हम सबकी मर्जी से ही हो रही है अब आप लोग चले यहाँ से।

नवम भाग

सरस्वती पूजा पर विद्यालय के निर्माण के लिए भूमि पूजन की तिथि निश्चित करके रोहन अपने नौकरी पर दिल्ली आ गया। यहाँ इस दौरान नितिन अपनी माँ को लेकर संजय के घर गया जहाँ हंसी-खुशी से दोनों परिवार वालों ने मिलकर संजय और शिवानी की शादी तय कर दी, जिसकी तिथि आगामी फाल्गुन मास में नियत की गई। अड़चन नितिन और आसमाँ की शादी में उत्पन्न हो गया आसमाँ के पिता और उसके दोनों भाई जब यह सुने की नसीम (नितिन) का परिवार अब हिंदू हो गया है तो वे भड़क गए। वहाबियों के संपर्क में रहने के कारण इनमें कट्टरता अधिक थी वह हिंदुओं से विशेष द्वेश करते थे, अब उन्होंने तय किया कि आसमाँ की शादी अब नितिन से न करके किसी दूसरे मुस्लिम परिवार में करेंगे। आसमाँ के विचार और उसके व्यवहार को उसके भाई और पिता बिल्कुल ही पसंद नहीं करते थे इसलिए वे लोग इसकी शादी जल्दबाजी में पहले एक मुस्लिम नसीम से तय किये थे लेकिन उसके हिंदू बन जाने के कारण इन लोगों ने बिना उससे पूछे गुपचुप तरीके से एक अशिक्षित मुस्लिम युवक जो व्यापार करता था उसी से निश्चित कर दी।

कुछ बातें ऐसी होती हैं जिसे चाहे जितना छिपाओ छिपती नहीं आसमाँ की अम्मी को जब इसकी जानकारी हुई तो उसने अपने पुत्री से कह दिया और स्पष्ट कर दिया कि तुम्हारी शादी तुम्हारे भाई और अब्बा नसीम से न करके कहीं और तय कर दिए हैं अब तुम्हें जैसा निर्णय लेना है जल्दी ले लो मैं तुम्हारा पूरा सहयोग करूँगी। आसमाँ ने नितिन से इस संबंध में बात की और बोली जो भी निर्णय लेना है जल्दी करो क्योंकि अब समय नहीं है घर के वातावरण से ऐसा लग रहा है कि यह लोग कभी भी मेरा निकाह उस लड़के से कर सकते हैं पर यह निश्चित है कि मेरे जीते जी ये लोग ऐसा नहीं कर सकते हैं क्योंकि मैं किसी भी हालत में एक ज़ाहिल, गवार से शादी नहीं करूँगी। नितिन आसमाँ

को फोन पर ढाढ़स बढ़ाया और उससे आज ही विद्यालय में मिलने का वादा किया। कंपनी से कुछ पहले छुट्टी लेकर नितिन सीधे आसमाँ के विद्यालय पहुँच गया विद्यालय की छुट्टी हो चुकी थी नितिन गेट पर ही उसका इंतजार करने लगा जब सब बच्चे चले गए तो आसमाँ विद्यालय से निकलने लगी गेट से बाहर निकलते ही उसने नितिन को मोटरसाइकिल पर बैठे देखा देखते ही मुस्कुराई और बोली अरे कब आ गए आप सूचना नहीं दिए नहीं तो जल्दी आ जाती नितिन बोला कोई बात नहीं अपनों की इंतजार का भी एक अलग आनंद होता है। आसमाँ मुंह बनाते हुए मोटरसाइकिल पर नितिन के पीछे बैठते हुए बोली अच्छा-अच्छा अब चलिए बात बहुत बनाते हैं। आप नितिन बोला मंदिर चलोगी, आसमाँ ने कहा अब जहाँ ले चलना है जल्दी ले चलो शाम होने में अभी एक घंटे का समय है कहीं बैठकर एकांत में बातें कर लेते हैं।

नितिन आसमाँ को उसी शंकर जी के मंदिर पर ले आया जहाँ शिवानी अक्सर आती थी, नितिन ने कहा दर्शन करोगी आसमाँ, आसमाँ ने कहा नहीं मैं यही ठीक हूँ दर्शन पूजन की बहुत आदत नहीं है मुझे आप जाइए पूजा करके जल्दी आइये यही सामने घास के मैदान पर तब तक मैं बैठी हूँ। नितिन मंदिर में चला गया और आसमान बैठी वहाँ दर्शन पूजन करने वालों को आते-जाते देखती रही, पहली बार वह किसी मंदिर में प्रवेश की थी यहाँ का पूरा वातावरण उसे अच्छा लग रहा था बीच-बीच में घंटे की आवाज और आते-जाते भक्तों के हर-हर महादेव की जय घोष से उसे थोड़ी शांति मिली और उसके मन में भक्ति का भाव आने लगा। लोगों को इस तरह से आते जाते देखते हुए वह कुछ देर के लिए दूसरी दुनिया में चली गई और अपने से ही कहने लगी धन्य है यह देश, इसकी संस्कृति, यहाँ का धर्म, यहाँ का रीति-रिवाज हम भाग्यशाली हैं जो ऐसे देश में जन्म लिए हैं खुद को इसमें एकाकार कर देना चाहिए नितिन का कदम अच्छा है सच में वह प्यार करने लायक है। आसमाँ के पास आकर नितिन ने उसे आवाज दी, आसमाँ का ध्यान भंग हुआ वह आनंद में थी वैसे ही बोली हूँ..., नितिन उसके पास बैठते हुए बोला क्या सोच रही हो। आसमाँ ने कहा बस इस देश, धर्म और आपके बारे में सोच रही थी नितिन उसकी आंखों में झांकते हुए बोला प्रसाद लोगी, आसमाँ ने तुरंत अपनी हथेली आगे रख दी हाँ दे दीजिए। प्रसाद देकर नितिन ने प्रश्न किया क्या सोच रही थी मेरे बारे में? आसमाँ ने प्रसाद ग्रहण कर लिया और एकदम प्यार के भाव में आकर बोली यही कि कब आप मुझे अपना बनाएँगे और अपने घर लाकर रखेंगे। मुझे अपना घर अब काल कोठरी जैसी दिखने लगी है न प्यार, न भाव और न किसी प्रकार का अधिकार बस

शरीर का एक रिश्ता है जिसे जिंदा लाश की तरह निभाते जाओ निभाते जाओ बहुत घुटन महसूस होता है वहाँ पर मुझे। नितिन आसमाँ का हाथ पकड़ कर कुछ कहने ही जा रहा था तभी संजय ने उसे आवाज दी अरे नितिन कब आए यहाँ पर और फिर आसमाँ की तरफ प्रश्न भरी निगाह से देखने लगा, संजय को देखते ही नितिन खुश हो गया और उसने जल्दी से आसमाँ का परिचय उससे करा दिया, संजय सीधे दर्शन करके ही वहाँ आया था इसलिए उन दोनों के साथ वही बैठ गया, नितिन ने संजय से कहा मित्र बहुत सही समय पर मिले हो हम दोनों की समस्या का समाधान अब तुम्हें ही करना है। उसके बाद संजय ने उनकी पूरी बात सुनी कुछ देर तीनों में मनन चिंतन चलता रहा अंत में संजय ने उन दोनों को समझाया देखो घबराने की बात नहीं है मुसलमानों की शादियाँ सामान्यतया हम लोगों के विपरीत समय में होती है अर्थात खरमास में जो अभी लगभग एक माह बाद चढ़ने वाला है इसी दौरान हम लोग व्यवस्था करके इसी स्थान पर तुम दोनों की शादी करा देंगे। आसमाँ चिंतित अवस्था में ही बोली आखिरकार कब? संजय हंसते हुए आसमाँ की तरफ देखा और बोला अरे इतनी उतावली मत होइए आसमाँ जी मेरे मन में इसकी चिंता है और नितिन की तरफ देखकर बोला क्यों महाशिवरात्रि के दिन करना ठीक रहेगा नितिन खुश होकर बोला बहुत अच्छा होगा। संजय तुरंत सबको सावधान करते हुए बोला पर इस बात की खबर हम तीनों के अलावा और किसी को ना हो उस दिन की सारी व्यवस्था मैं कर दूँगा। पुजारी जी से बात हो जाएगी संगठन के कुछ लोग रहेंगे और घर वालों को सूचना उसी दिन दी जाएगी ऐसे तो शादी तुम दोनों की धूमधाम से होती लेकिन उसे बाद में देखा जाएगा पहले आप दोनों एक दूसरे के तो हो जाएँ। महाशिवरात्रि के दिन ही आसमाँ जो हम लोगों की भाभी बनेगी की घर वापसी भी हो जाएगी क्यों आसमाँ जी? आसमाँ संजय की बात पर नजरे नीचे झुका ली और धीरे से बोली घर वापसी तो हमारी आज ही हो गई आप मेरा नाम भी बदल सकते हैं और नितिन की तरफ तिरछी निगाह से देखकर बोली मैंने इन्हें मन से प्यार किया है तो आप मुझे आज से भाभी भी बुला सकते हैं संजय इस बात पर ठठाकर हंसा और मजाक में बोला ओ हो लगता है प्यार बहुत गहरा है आप दोनों का भाभी जी, आसमाँ ने मुस्कुराते हुए कहा हाँ जी। नितिन ने बीच में हस्तक्षेप करते हुए कहा मजाक छोड़ो संजय अब देर हो रही है आसमाँ को छोड़ दें नहीं तो इसके घर वाले शक करेंगे, संजय उठते हुए कहा हाँ हाँ छोड़ दो पर भाभी को अब आसमाँ नहीं अरुणिमा बुलाइए, अ से आसमाँ और अ से ही अरुणिमा कैसा रहेगा। नितिन कुछ कहता उसके पूर्व ही आसमाँ

मतलब अरुणिमा ने कहा बहुत अच्छा रहेगा। इसके बाद तीनो हंसते हुए वहाँ से उठे और मंदिर परिसर से बाहर आ गए। नितिन अरुणिमा को मोटरसाइकिल पर बैठाकर उसे बाजार तक छोड़ने चला गया और संजय अपने मकान पर आ गया।

योजनानुसार शिवरात्रि के महापर्व पर नितिन और अरुणिमा की शादी वैदिक रीति-रिवाज के साथ संपन्न हो गई, संजय, उसके भाई-बहन और उसकी माँ, रोहन तथा नितिन की माँ, उसके भाई-बहन साथ में संगठन के लोग वहाँ उपस्थित थे। अरुणिमा की अम्मी किसी रिश्तेदार के साथ वहाँ कुछ समय के लिए आई और अपने बेटी को आशीर्वाद देकर चली गई अरुणिमा अपनी माँ से गले मिलकर रोने लगी यह सोचकर कि पता नहीं अब माँ बेटी का मिलन दोबारा हो पाएगा कि नहीं। सभी लोगों ने बर-बधू को आशीर्वाद दिया अरुणिमा नितिन की पत्नी बनकर उसके घर आ गई, शिवानी को उसकी भाभी मिली, अरुणिमा को एक प्यारी सी बहन जैसी ननद तथा प्यारा देवर प्राप्त हुआ और माँ को एक बेटी जैसी बहू प्राप्त हुई। अरुणिमा के भाइयों और उसके पिता को अचानक हुई इस शादी कि जानकारी बाद में हुई तब वे काफी क्रोधित हुए उनके मन में तुरंत विचार आया कि दोनों कि हत्या कर दी जाय पर वे उसमें सफल नहीं हो पाए क्योकिं अरुणिमा कि रक्षा के लिए नितिन, संजय, संगठन के लोग और पुलिस प्रसाशन बराबर मुश्तैद रहता था। अरुणिमा के रिपोर्ट पर प्रसाशन ने अरुणिमा के पिता एवं भाइयों को कड़ी हिदायत दे दी इस कारण अरुणिमा के परिवार वाले मायूस होकर परिस्थिति से समझौता कर लिए।

फाल्गुन मास में ही संजय और शिवानी की भी शादी थी। संजय अपने दोस्तों के साथ बारात लेकर शिवानी के घर पहुँचा। बारात की अगवानी में अनेक लोगों के अलावा मोहल्ले के कुछ वरिष्ठ और उदारवादी, राष्ट्रवादी मुसलमान भी उपस्थित हुए, मोहल्ले के एक बड़े हाल में यह वैवाहिक कार्यक्रम रखा गया था विद्वान ब्राह्मणों के द्वारा वैदिक मंत्रोच्चार के साथ विवाह की समस्त क्रियाएँ पुरी की गई। विवाह संपन्न हो गया तो बर-बधू एक साथ सबके समझ उपस्थित हुए, सभी उपस्थित लोगों ने बारी-बारी से उनको आशीर्वाद देना प्रारंभ किया। ध्वनि विस्तारक यंत्र भी वहाँ लगा था जिनको कुछ बोलना होता था वे वहाँ आशीर्वाद के रूप में कुछ कह भी देते थे। सामान्यत: विवाह-शादी में लोग एक दूसरे से मिलते हैं, आनंद लेते हैं, लेकिन संजय की शादी एक ऐसी लड़की से हो रही थी जिसका परिवार लगभग 1 वर्ष पूर्व ही सनातन धर्मी हुआ था। इसलिए रोहन और नितिन ने एक संक्षिप्त वैचारिक कार्यक्रम भी इसी के साथ जोड़ लेना मुनासिब समझा। जब सभी लोग बोल लिए, आशीर्वाद दे दिए तो रोहन ने देखा

कि एक बुजुर्ग मुसलमान धीरे-धीरे वर-वधू के पास गए उनको आशीर्वाद दिया और फिर उन्होंने ध्वनि विस्तारक यंत्र पकड़ लिया बिना भूमिका के उन्होंने बोलना शुरू किया "बंधुओं मै तो इसी मोहल्ले का रहने वाला एक भारतीय मुसलमान हूँ मेरी उम्र लगभग 80 से ऊपर हो चुकी है मैं मुसलमान शब्द के पूर्व भारतीय इसलिए लगाया कि अक्सर मुसलमान यह कहते सुने जाते हैं कि मैं मुसलमान पहले हूँ देश हमारे लिए बाद में है पर बंधुओं विभाजन का दृश्य मैंने देखा है उस समय मेरी जवानी थी वातावरण बहुत अशांत था चारों तरफ डर व भय का वातावरण था। उस समय देश के अधिक संख्या में मुसलमान मुस्लिम लीग के पक्ष में थे जो विभाजन कि जिम्मेदार थी। उन मुसलमानों में कुछ तो पाकिस्तान चले गए पर ऐसे गद्दार मुस्लिम अभी भी इस देश में रह गए जो देश से अधिक मुस्लिम पंथ को महत्व देते हैं। मुसलमान तो मैं भी हूँ पर मैं वह दृश्य कैसे भूल सकता हूँ जब हिंदुओं ने ही हमारी रक्षा की और आग्रह पूर्वक हमें यहाँ रोक लिया पाकिस्तान नहीं जाने दिया। उस समय भी उन हिंदू बंधुओ ने हमारे परिवार के श्रेष्ठ लोगों से यही कहा था कि आप लोग भी हिंदू ही हैं दबाव में मुस्लिम पंथ स्वीकार कर लेने से कोई गैर नहीं हो जाता है भाई। मित्रों मैं हिंदुओं के उस प्यार और अपनत्व के भाव को कैसे भूल सकता हूँ उस क्षण को जब भी याद करता हूँ तो आज भी मेरा मन इस देश और धर्म के प्रति श्रद्धा से भर जाता है।

वे मुस्लिम बुजुर्ग अपनी बात कहते जा रहे थे और उनके चेहरे पर का एक-एक भाव भी सभी उपस्थित लोग देख रहे थे। पुनः वे नितिन और रोहन की तरफ देखकर बोलने लगे बेटा तुम दोनों को मैं हार्दिक बधाई देता हूँ कि तुम लोगों ने परिवार सहित हिंदू धर्म में वापसी कर ली है घर वापसी के लिए नितिन ने मुझे एक बार बात किया भी था पर उस समय भ्रम के कारण मैंने उसे अस्वीकार कर दिया। लेकिन इधर मेरे मोहल्ले के दो बुजुर्ग करीम और नवाजुद्दीन से मेरी बात चीत होती रही है तो मेरा भी मन अब परिवार सहित हिंदू धर्म में वापसी का हो रहा है मैं इस शुभ अवसर पर इसी बात की घोषणा आप सब के समझ कर देना चाहता था जो कर दिया अब आप संगठन के लोग मिलकर हमारी इस परिवार सहित घर वापसी करा ले बस यही बात कह कर मैं अपनी बात समाप्त कर रहा हूँ आप सबको धन्यवाद और शुभकामनाएँ। उन्होंने जैसे ही अपनी बात पूरी की सबने खड़े होकर करतल ध्वनि से उनका अभिनंदन किया, इसके बाद पूरा पंडाल भारत माता की जय के नारो से गुजने लगा।

दशम भाग

रीना का विश्वविद्यालय में अध्यापन कार्य के साथ-साथ पुस्तक भी लिखने का कार्य जारी था। इसलिए उसका इधर अपने गुरु प्रोफेसर मनोज सिन्हा के घर पर जाना नहीं हो पा रहा था। रविवार का दिन था वह सुबह 9:00 बजे प्रोफेसर सिन्हा के आवास पर अचानक पहुँच गई। देखा प्रोफेसर सिन्हा के साथ उसके पुराने गुरु प्रोफेसर कृष्णकांत मिश्रा जी भी बैठे है, प्रोफेसर सिन्हा रीना को देखते ही बोले आओ-आओ रीना देखो प्रोफेसर मिश्र मेरे मित्र भी आए हैं रीना प्रोफेसर मिश्र को देखते ही बहुत खुश हुई और अपने दोनों गुरुओं का चरण छूकर आशीर्वाद लिया प्रोफेसर मिश्रा ने रीना का सब हाल-चाल पूछा। रीना अपने बारे में सब बातें बता दी और यह भी बता दिया कि गुरु जी इस समय मैं एक पुस्तक लिख रही हूँ। प्रोफेसर मिश्रा ने सुखद आश्चर्य व्यक्त किया बोले अरे यह तो बहुत अच्छी बात है बेटी पर विषय क्या है? अभी रीना इस पर कुछ बताती तब तक उसने देखा कि श्रीमती सिन्हा ट्रे में नाश्ता आदि लेकर बाहर आ रही हैं रीना दौड़ कर गई और उनका अभिवादन करके उनके हाथ से ट्रे ले लिया और बोली माताजी जब मैं हूँ तब आपको यह सब करने की जरूरत नहीं मेरा तो एक तरह से घर ही है यह। श्रीमती सिन्हा कहने लगी मैंने तुम्हें देखा नहीं था बेटी नहीं तो आवाज दे देती इसके बाद सभी लोग एक साथ बैठकर चाय नाश्ता करने लगे रीना कहने लगी गुरु जी इस पुस्तक का शीर्षक है "स्वतंत्रता आन्दोलन की भयंकर भूलें- विभाजन एक सबक" प्रोफेसर मिश्र रीना से उस पर कुछ प्रकाश डालने को कहे तो रीना ने संक्षिप्त शब्दों में नेताओं द्वारा किए गए उन ऐतिहासिक गलतियों को रेखांकित किया जिनके कारण देश में अलगाववादी तत्व पनपे तथा आज भी वह अलगाववादी मानसिकता देश में जिंदा है। इसी बीच प्रोफेसर सिन्हा ने इन दोनों की वार्ता में हस्तक्षेप किया और प्रोफेसर मिश्र को बताएँ कि अरे कृष्णकांत जानते नहीं रीना ने अपने विचारों से यहाँ के मलिक वगैरह वामपंथियों

की नाक में दम कर रखा है वे सब जगह-जगह इसकी आलोचना के लिए गोष्ठियाँ करते रहते हैं, प्रोफेसर मिश्र ने रीना की तरफ गर्व से देखते हुए कहा सही राह पर हो बेटी तुम वैसे भी इस देश में वैचारिक परिवर्तन की बहुत ही आवश्यकता है। प्रोफेसर सिन्हा ने आगे कहा यही नहीं कृष्णकांत इसने इस दौरान एक क्रांतिकारी कदम और उठाया है प्रोफेसर मिश्र ने आश्चर्य व्यक्त किया क्या भाई? प्रोफेसर सिन्हा ने बताया इसने अपने पास के गांव के कुछ मुस्लिम परिवार को हिंदू बनने के लिए प्रेरित भी किया और अब वे हिंदू हो भी गए हैं। प्रोफेसर मिश्र बोले अच्छा-अच्छा वो केशवपुर गांव के लोग न, रीना ने सर हाँ में हिलाया जी गुरु जी प्रोफेसर मिश्र रीना की तरफ देखते हुए उसे आशीर्वाद दिए और कहने लगे रीना सच कहो तो यह काम बहुत जोर-शोर से 100 वर्ष पूर्व ही प्रारंभ कर देना चाहिए था। प्रोफेसर सिन्हा ने स्पष्ट किया कि कृष्णकांत आर्य समाज ने शुरू तो किया था पर उसे नेताओं ने आगे नहीं बढ़ाया, रीना बोली यही तो भयंकर गलतियाँ हैं इस तरह से इन लोगों में एक लम्बी वार्ता चलती रही लगभग 1 घंटे बाद प्रोफेसर कृष्णकांत वापस चलने को उठे तो रीना भी उठ गई और उनको विदा करने गेट तक आई और पुनः प्रोफेसर सिन्हा से मिलकर अपने कमरे पर चली गई।

बसंत पंचमी के दिन सरस्वती पूजन का पर्व पर केशवपुर गांव के दक्षिण दिशा में राष्ट्रीय राजमार्ग के किनारे रोहन के पिता जयकिशन की पुश्तैनी पांच एकड़ भूमि पर "केशव ज्ञान केंद्र" भवन निर्माण के लिए भूमि पूजन का कार्य रीना के हाथों संपन्न हो रहा था, रीना की इच्छा थी कि रोहन और उसके माता-पिता भी साथ में बैठे रोहन रीना के साथ में ही बैठा था पर उसके माता-पिता और रीना के माता-पिता पास में ही एक साथ बैठकर आपस में बातचीत करने लगे। केशवपुर और हरिहरपुर के वरिष्ठ लोग भी वहाँ उपस्थित थे लगभग डेढ़ 2 घंटे में भूमि पूजन का कार्यक्रम संपन्न हुआ, सभी उपस्थित लोग प्रसाद ग्रहण करने लगे, बातचीत के दौरान जय किसन सुक्खू से हंसते हुए कहने लगे सुक्खू भाई अब हम दोनों समधी होने वाले हैं, आगामी वैशाख माह में यह विवाह संपन्न हो जाना है। बारात आपके यहाँ केशवपुर जाएगी, सुक्खू इस बात पर कुछ कहते उसके पूर्व ही हरिहरपुर के बड़े प्रतिष्ठित व्यक्ति उदय प्रताप कहने लगे अरे पंडित जी आप जमकर बारात लेकर आइए पूरा गांव आप लोगों का भरपूर स्वागत करेगा इस अनोखी शादी में हम सब सुक्खू के साथ हैं। बिटिया रीना ने पूरे गांव और क्षेत्र का नाम रोशन किया है यह तो एक तरह से जाति भेद, वर्ग भेद और संप्रदाय भेद समाप्ति की शुरुआत हो रही है हम पूरे समाज

को बता देना चाहते हैं कि समाज में व्याप्त वैमनस्यता को समरसता व आपसी भाईचारा के भाव से समाप्त भी किया जा सकता है। उदय प्रताप सिंह के इस महान विचार को ताली पीट करके वहाँ उपस्थित अच्युतानंद तिवारी ने स्वागत किया और बोले वाह बाबू साहब आपने तो अपनी बात से हम लोगों का दिल जीत लिया। लेकिन....... ऐसा कहकर तिवारी जी थोड़ा रुक गए उदय प्रताप सिंह तिवारी जी को मौन होते देख बोले अरे दिल खोलकर बोलिए पंडित जी रीना पूरे गांव की बिटिया है आप क्या कहना चाहते हैं कहिए न। तिवारी जी धीरे से मजाक में बोले अरे बाबू साहब हमें दहेज में क्या देंगे यह मजाक सुनते ही उदय प्रताप ने कहा अरे पंडित जी क्या छोटी बात बोलते हैं हम लोग तो कन्यादान को ही दहेज मानते हैं वैसे आप लोगों की जो मन में इच्छा है उसे खुलकर कहें। जयकिशन ने बीच में कहा अरे नहीं बाबू साहब यह सब बातें मजाक में हो रही है रीना बिटिया तो स्वयं लक्ष्मी जैसी है हमारा सौभाग्य है कि यह हमारे घर की बहू बन रही है इस प्रकार कुछ देर तक ऐसे ही यह लोग आपस में हंसी मजाक करते रहे। रोहन और रीना एक साथ दूर खड़े इन बुजुर्गों की बातों को सुनकर खूब हंसे। इसी बीच सुक्खू उठे और रोहन से कहने लगे बेटा अगर तुम लोगों की इजाजत हो तो मेरी देखरेख में ही इस विद्यालय के भवन का निर्माण हो जाए, रोहन कुछ कहता इसके पूर्व ही रीना बोल दी अरे बाबू इससे अच्छी बात क्या होगी एकदम हम लोगों के मन की बात आपने कह दिया रोहन खुश होकर बोला बाबूजी यदि आप यह जिम्मा ले लेते हैं तो मेरा भार बहुत हल्का हो जाएगा मैं इस दौरान और काम भी देख लिया करूँगा।

सुक्खू की देखरेख में केशवपुर में "केशव ज्ञान मंदिर" का निर्माण बहुत तेजी से प्रारंभ हो गया। सुक्खू क्षेत्र के अच्छे राजमिस्त्री माने जाते थे लोग उनसे मकान बनवाने की राय भी लिया करते थे लेकिन अब उन्होंने बेटी और दामाद के सपनों को पूरा करने के लिए अपना पूरा समय इसमें ही दे दिया वे चाहते थे कि विवाह की तिथि तक निर्माण कार्य आधे से ज्यादा संपन्न हो जाए।

अन्ततोगत्वा धीरे-धीरे वैशाख मास की वह तिथि आ गई जिसकी प्रतिक्षा रीना और रोहन लगभग दो-तीन वर्ष पूर्व से कर रहे थे किसी भी स्त्री पुरुष का मन से एक दूसरे का होना एक विषय होता है और शरीर से एक दूसरे का होना एक बिल्कुल ही दूसरा विषय होता है। रीना और रोहन मन से पढ़ने के समय से ही एक दूसरे को चाहने लगे थे लेकिन शारीरिक रूप में मिलन के लिए एक वैवाहिक संस्कार का इंतजार करते रहे, हमारे देश और संस्कृति की यही सुंदरता है जो दुनिया में अन्यत्र कहीं नहीं दिखाई देती है क्योंकि यदि समाज में हम

मर्यादा की रक्षा नहीं कर पाए तो फिर मानव और पशु-पक्षी में अंतर कैसा। किसी भी अच्छाई का इंतजार जितना ही अच्छे ढंग से कर लिया जाए वह उतना ही अच्छा हो जाता है इसलिए धीरज और धैर्य के साथ कष्ट सहने और इंतजार करने कि प्रवृत्ति जीवन में अवश्य होनी चाहिए। रीना और रोहन अपने समस्त परिचितों और मित्रों को विवाह में आमंत्रित किए थे दिल्ली से संजय, नितिन, हरमिंदर सिंह, संगठन के सतीश वगैरह सभी लोग उपस्थित हो चुके थे। इधर काशी से रीना के विभाग के लोग, विश्वविद्यालय के कुलपति व प्रोफेसर मनोज सिन्हा सपरिवार रीना को आशीर्वाद देने के लिए गाँव में आ गए। रीना के मार्गदर्शक प्रोफेसर कृष्णकान्त मिश्र, प्रोफेसर सिन्हा के साथ ही गांव के विशिष्ट जन व रिश्तेदार लोग विवाह की शोभा बढ़ाने में लगे थे।

केशवपुर से बारात हरिहरपुर के लिए प्रस्थान करने की स्थिति में खड़ी थी, रोहन एक शानदार बग्घी में दूल्हे के रूप में सजा संवरा बैठा हुआ बेहद आकर्षक लग रहा था, ढोल-नगाडों की आवाज हरिहरपुर तक पहुँचने लगी। रोहन के परिवार व आसपास की पड़ोसी महिलाएँ मंगल गीत के साथ रोहन की परछन करने लगी, जयकिसन व पंडित अच्युतानंद तिवारी पगड़ी बांधे तिलक लगाए समधी के रूप में आपस में हंसी मजाक करते हुए ठहाका लगा रहे थे। पंडित अच्युतानंद के इशारे पर बारात हरिहरपुर के लिए प्रस्थान कर दी। बारात के बाजे का स्वर जैसे-जैसे हरिहरपुर गांव के समीप आने लगा हरिहरपुर गांव में बारात के स्वागत के लिए चहल-पहल बढ़ने लगी। रीना घर के अंदर एक दुल्हन के रूप में अपनी बाल सखियों के संग मृदु मुस्कान के साथ बैठी सबसे बातें भी कर रही थी और घर वालों को विशिष्ट अतिथियों के स्वागत के लिए निर्देश भी देती जा रही थी। बाबू उदय प्रताप सिंह के द्वार पर ही समस्त लोगों के नाश्ते-पानी व खान-पान की व्यवस्था थी।

द्वार पूजा के बाद मंगल घड़ी में वैदिक मंत्रोच्चार के बीच रीना और रोहन परिणय सूत्र में बंध गए, आज दोनों के जीवन की चिर अभिलाषा पूरी हुई, विवाह के बाद की समस्त औपचारिकता पूरी करने के बाद वर-वधू ने सबसे मिलकर आशीर्वाद लिया सबने दिल खोलकर दोनों को अच्छे वैवाहिक जीवन के लिए ढेर सारी शुभकामनाएँ दी। सुक्खू अपनी पत्नी सुभागी को साथ में लेकर हर आगंतुक से मिले और सबको विवाह में आने के लिए धन्यवाद दिया।

दूसरे दिन विदाई की घड़ी आ गई सुक्खू और उसकी पत्नी सुभागी को आंतरिक संतुष्टि इस बात की हुई कि उनके जीवन का एक बहुत बड़ा दायित्व आज पूरा हुआ, बेटी रीना की शादी संपन्न हुई लेकिन अब उसकी बेटी आज

से उसके लिए पराई हो गई, आज वह हमें छोड़कर अपने नए घर में जा रही है, एक तरफ खुशी तो दूसरी तरफ न चाहते हुए भी एक परायेपन का एहसास उन दोनों को होने लगा वे चाहते हुए भी अपने आंसू नहीं रोक पा रहे थे।

रीना के विदाई के समय मानो पूरा हरिहरपुर गांव उमड़ आया था रीना विदूषी, गंभीर व समझदार थी पर सबका प्यार देखकर अपने को रोक नहीं पाई, वियोग की पीड़ा उसके चेहरे पर आ ही गई, मुंह छुपा कर वह रोने लगी उसे रोते देख वहाँ उपस्थित समस्त नर-नारी भी रोने लगे, लोगों के अंदर यह भाव, यह अपनत्व हमेशा रहता है लेकिन उसका प्रकटीकरण कभी-कभी ही दिखाई देता है। रोहन स्वयं आगे बढ़कर रीना को ढाढ़स दिया और सबका अभिवादन करके उसे गाड़ी में बैठाया और केशवपुर को चल दिया। रीना जिस गांव में पढ़ी-लिखी, खेली-कूदी, बचपन बिताया, बड़ी हुई आज वह उस गांव को छोड़ रही थी और बार-बार अपने हरिहरपुर गांव को देखकर भावुक होती जा रही थी और दूसरी तरफ जिस गांव को कभी पढ़ते वक्त वह दूर से देखा करती थी की उसका मित्र रेहान कब आएगा आज वही गांव केशवपुर उसका अपना ससुराल हो गया। स्त्री के जीवन का यह वियोग और संयोग बड़ा ही अजीब है पर शायद जरूरी भी है। रीना का पैर केशवपुर गांव में पड़ चुका था वह अपने घर जाने के पूर्व सर्वप्रथम रोहन को लेकर गांव के पुराने हनुमान जी के मंदिर गई, पूजा की, आशीर्वाद लिया उसके बाद शंकर जी का दर्शन किया और तब अपने नए घर के द्वार पर आई। प्रवेश के पूर्व उसने गांव के उपस्थित बड़े-बुजुर्गों, सास-ससुर का पैर छूकर आशीर्वाद लिया और तब घर में प्रवेश किया। रीना और रोहन एक दूसरे को पाकर धन्य हो गए उनके नए जीवन की शुरुआत हो गई।

अर्धरात्रि का समय था रोहन रीना का हाथ अपने हाथों में लेकर कहने लगा कि रीना, हम दोनों तो बचपन के साथी हैं पर पढ़ने के समय ऐसा नहीं लगता था कि हम लोग पति-पत्नी भी कभी बन सकते हैं। मेरे जीवन में आकर तुमने मुझे पूर्णतया बदल दिया, सच कहूँ तो आज मैंने अपने को बहुत ही भाग्यशाली पुरुष मान लिया, रीना रोहन की आंखों में झाकते हुए बोली मैं भी भाग्यशाली हूँ रोहन तुम्हें पति के रूप में पाकर, तुमने मेरी बातों को स्वीकार किया और उसे जीवन में उतार भी लिया घर वापसी कर लिया यही मेरे लिए सबसे बड़ी सौभाग्य की बात है और फिर रीना रोहन के कंधे पर अपना सर रखकर धीरे-धीरे बोलने लगी आओ रोहन आज की रात हम दोनों के मिलन की एक यादगार रात बन जाए। रोहन रीना के गालों को अपने हाथों से सहलाते हुए बोला हाँ रीना आओ आज हम अपनी चिर अभिलाषा पूरी करें, इस प्रकार प्यार की

ऐसी ही बातें करते हुए रीना और रोहन एक दूसरे को बाहों में भर लिए। मन तो पहले ही एक था, हृदय पहले ही एक हो चुके थे अब दोनों का शरीर भी एक हो गया, दोनों का यह मिलन जन्म-जन्मांतर के लिए हो गया। कुछ दिन ससुराल में रहकर रीना रोहन के साथ अपने माता-पिता के घर आई और मायके में सबसे मिलने के बाद पुनः ससुराल आ गई और दूसरे दिन सास-ससुर से आज्ञा लेकर विश्वविद्यालय अपने शिक्षण कार्य में लग गई रोहन अभी नौकरी नहीं छोड़ पाया था लेकिन छुट्टी लेकर रीना के साथ ही रहने लगा, विद्यालय निर्माण का कार्य अब जोर-शोर से होने लगा था।

एकादश भाग

स्वतंत्रता संग्राम के दौरान भारतीय राजनीतिज्ञों के द्वारा किए गए अनेक त्याग तपस्या के बावजूद उनके द्वारा जो गलतियाँ की गई थी उन पर रीना द्वारा लिखी जा रही पुस्तक पूरी कर ली गई। यह पुस्तक स्वतंत्रता संघर्ष के दौरान किए जा रहे राजनीतिक आंदोलन का सजीव चित्रण तो नहीं करती है लेकिन उस दौरान अंग्रेजी चाल में फंस चुके नेताओं के कृत्यों को उजागर करने का प्रयास अवश्य करती है। 15 अगस्त 1947 को सत्ता हस्तांतरण के बाद भी राजनीतिक स्तर पर दोहराई जा रही है उन्हीं भूलों पर आश्चर्य भी व्यक्त करती है।

काशी हिंदू विश्वविद्यालय के स्वतंत्रता भवन के बड़े सभागार में रीना की पुस्तक "स्वतंत्रता आन्दोलन की भयंकर भूलें- विभाजन एक सबक" का विमोचन स्वयं विश्वविद्यालय के कुलपति के हाथों संपन्न होने जा रहा था। मंच पर प्रोफेसर मनोज सिन्हा भी उपस्थित थे, श्रोताओं व दर्शकदीर्घा में विश्वविद्यालय के सैकड़ो छात्र विभिन्न विभागों के ख्याति लब्ध प्रोफेसर तथा रीना और रोहन के परिवार वाले भी उपस्थित थे। शहर के विभिन्न दैनिक पत्रों के विख्यात पत्रकार व इलेक्ट्रॉनिक मीडिया के भी बंधु वहाँ आ चुके थे। कुलपति के हाथों से पुस्तक विमोचन के बाद रीना वहाँ उपस्थित लोगों के समक्ष पुस्तक के बारे में अपना विशेष विचार व्यक्त करने लगी।

"परम आदरणीय कुलपति महोदय, गुरुजन वृन्द, पत्रकार बंधुओ व उपस्थित छात्र-छात्राओं, गणमान्य अतिथियों आज मेरे द्वारा लिखी गई इस पुस्तक के औचित्य पर ही मुझे कुछ कहना है मेरे सामने आज मेरा विशाल परिवार उपस्थित है आप सबके समक्ष कुछ कहने का जो अवसर मुझे मिला है उस पर मैं स्वयं गर्वान्वित महसूस कर रही हूँ। पुस्तक लिखने के पीछे मेरी सोच तब प्रारंभ होती है जब इतिहास अध्ययन के दौरान मैंने सत्ता हस्तांतरण के पूर्व भारतीय राजनीति का एक विचित्र भ्रमित चेहरा देखा, सत्ता से बेदखल नेताओं

ने देश विभाजन के बाद भी अपनी नीतियों में राजनीति का वही आत्मघाती स्वरूप आगे भी जारी रखा। प्रश्न यह उठता है क्या हमारे राजनीतिज्ञों को जो हर तरह से सक्षम थे गलतियों से सबक लेने की आदत नहीं थी? क्या वे कथित प्रबुद्ध वर्ग इतने पूर्वाग्रही और आत्म केंद्रित हो चुके थे कि देश हित को सत्ता सुख से ऊपर नहीं रख पाए। वास्तव में संस्कृति और विकृति में एक बहुत बड़ा अंतर होता है जब जिसको जैसी आदत पड़ जाए। इसलिए बालपन से ही हमारे यहाँ विभिन्न संस्कारों के माध्यम से बच्चों को गुरुकुल में शिक्षा संस्कार दी जाती थी, जब मानव के जीवन में ज्ञान के साथ अच्छी आदतें भी आ जाए तभी वह संस्कारवान माना जाता था। दुर्भाग्य है कि हमारे देश की वर्तमान राजनीति का बालपन अंग्रेजी राज्य के विद्रूप वातावरण में गुजरा है तो स्वाभाविक है नेताओं में विकृतियाँ रहेगी। आज के नेताओं के समक्ष सत्ता हस्तांतरण के पूर्व राजनीति की वहीं सत्ता लोलुपता, तुष्टीकरण, गुलामी मानसिकता व समाज विभाजन जैसी नीति के ही सब उदाहरण हैं तो वे त्यागी भाव में आकर व्यवहार में राष्ट्रहित को कैसे सर्वोपरि रख पाएँगे? लेकिन देवीयों और सज्जनों समय परिवर्तनशील है जो अब तक नहीं हुआ है उसे अब करना चाहिए इसीलिए पिछले डेढ़ सौ वर्ष की बीती घटनाओं पर आधारित इस पुस्तक के उन महत्वपूर्ण बिंदुओं को मैं अब रेखांकित करूँगी जिनसे हमें सबक लेकर आगे की नीतियों में परिवर्तन की प्रेरणा मिले।

रीना ने उपस्थित समस्त श्रोताओं के समक्ष ओजस्वी वाणी में आगे कहना जारी रखा जो बिंदुवार इस प्रकार है-

1. पेशवा बाजीराव द्वितीय के पुत्र नाना साहब और उनके सहयोगियों के वर्षों प्रयास से सन 1857 में अंग्रेजों के विरुद्ध जो संग्राम छेड़ा गया था, बाद के दलों और राजनीतिज्ञों द्वारा उसी विचार और प्रयास को आगे बढ़ाना चाहिए था।
2. अंग्रेजों द्वारा 1858 में लाया गया "इंडियन एजुकेशन एक्ट" का पूरे देश में प्रबल विरोध करना चाहिए था और आजादी के बाद उसे तुरंत बदल देना चाहिए था।
3. समाज सुधारकों द्वारा समाज में व्याप्त बुराइयों और रूढ़िवादिता को दूर करने का प्रयास अद्‌भुत रहा पर देश की आजादी बिना देशभक्ति के जागरण और बिना युद्ध के संभव नहीं, इस पर भी देश के मूर्धन्य लोगों को उस समय विचार अवश्य करना चाहिए था।
4. 1885 में कांग्रेस का गठन एक अंग्रेज द्वारा किया गया जिसका मूल

उद्देश्य देश को स्वतंत्र कराना नहीं था, इसलिए इस दल में किसी देशभक्त को सम्मिलित नहीं होना चाहिए था। कांग्रेस के अधिवेशनों में बहुत समय तक इंग्लैंड का राष्ट्रगान गया जाता था जो बहुत ही दुर्भाग्यपूर्ण और अराष्ट्रीय था।

5. अंग्रेजों द्वारा किया गया बंग-भंग और बाद में मुस्लिम लीग का गठन एक राष्ट्र विरोधी कृत्य था, कहा जाता है की बंग भंग का विरोध हिंदू मुसलमान मिलकर किए थे तो सब ने मिलकर मुस्लिम लीग के गठन का विरोध क्यों नहीं किया?
6. अलीगढ़ में 1872 में सैयद अहमद ने अंग्रेजों के सहयोग से एंग्लो मुस्लिम ओरिएंटल कॉलेज की स्थापना मुस्लिम अलगावाद को बढ़ावा देने के लिए ही किया था और अंग्रेजों के कारण ही बाद में उसका नामकरण अलीगढ़ मुस्लिम विश्वविद्यालय के रूप में कर दिया गया। दुर्भाग्यपूर्ण रहा की 1947 में सत्ता हस्तांतरण के बाद भी अलगाववाद को बढ़ावा देने वाले इस शिक्षण संस्थान का स्वरुप नहीं बदला गया।
7. बैरिस्टरी की पढ़ाई पूरी करके दक्षिण अफ्रीका में वकालत का पेशा शुरू करने वाले गांधी को अपने उम्र के 46वें वर्ष में भारत के आजादी की याद आई और 1915 में वे भारत लौटे और अचानक स्वतंत्रता आंदोलन तथा कांग्रेस के सर्वमान्य नेता बन गए। ऐतिहासिक घटनाओं के आधार पर यह कहना पड़ता है कि 1915 के बाद से ही भारतीय राष्ट्रवादी विचार का उत्तरोत्तर गिरावट होना प्रारंभ हो गया, देश के लिए संघर्ष करने की क्षमता नेताओं में समाप्त होती गई।
8. 1916 लखनऊ अधिवेशन में गांधी के नेतृत्व में कांग्रेस ने मुस्लिम लीग से समझौता करके उसे मुसलमानों का नेतृत्व करने की मान्यता दे दी और देश में अलगाववादी मानसिकता को बढ़ावा दिया।
9. 1920 में असहयोग आंदोलन के साथ तुर्की का खिलाफत आंदोलन जोड़ देना कांग्रेस और गांधी के द्वारा देश के साथ किया गया एक अक्षम्य अपराध सिद्ध हुआ। अलगाववादी मुसलमानों को मौका मिला और वे हिंदुओं पर और आक्रामक होने लगे परिणामस्वरूप देश में दंगे-फसाद बढ़ गए। 1921 में केरल का मोपला कांड इनमें से सबसे अधिक भयानक क्रूर और लोमहर्षक था, फिर भी कांग्रेस ने इस घटना से सीख नहीं ली।
10. 1923 कांग्रेस के काकीनाडा अधिवेशन में अलगाववादी मुस्लिम

मोहम्मद अली अध्यक्षता कर रहा था, उसके विरोध पर वंदे मातरम गीत का गान आगे के अधिवेशनों में रोक दिया गया ऐसा केवल कमजोर गांधी के कारण ही हो सका।

11. असहयोग आंदोलन और सविनय अवज्ञा आंदोलन ये दोनों जन आंदोलन होने के बावजूद अपना उद्देश्य पूरा क्यों नहीं कर पाए, गलती कांग्रेस की थी, गांधी की थी या जनता की थी? धन-जन की हानि देखते हुए ऐसे आंदोलनों के औचित्य पर प्रश्न चिन्ह तो खड़ा होता ही है।
12. 1938 कांग्रेस के त्रिपुरा अधिवेशन में अध्यक्ष पद के लिए दोबारा सुभाष चंद्र बोस का चुना जाना गांधी को खल गया, उनके अहंकारी मानसिकता के कारण कांग्रेस अलोकतांत्रिक पद्धति पर चल दी, गांधी और दल के असहयोग रुख के कारण सुभाष बाबू अध्यक्ष पद छोड़ने को विवश हुए और बाद में उन्होंने कांग्रेस पार्टी ही छोड़ दी।
13. आक्रामक और अलगावादी होते मुसलमानों पर कांग्रेस का नियंत्रण नहीं रहा और न ही कांग्रेस और गांधी ने हिंदुओं को स्वाभिमानी और आग्रही होने दिया।
14. 1940 में मुस्लिम लीग देश विभाजन का प्रस्ताव पास करती है और जिसे 1947 में कांग्रेस मान भी लेती है, प्रश्न यह उठता है कि मुस्लिम लीग कौन होती है देश का विभाजन करवाने वाली और कांग्रेस का नेतृत्व इतना कमजोर कैसे हो गया कि उसने ऐसे ऐरे-गैरे लोगों द्वारा पास किया गया राष्ट्र विरोधी प्रस्ताव मान लिया। कांग्रेस को एक वाक्य बोलना था जो मुसलमान राष्ट्र के साथ नहीं वे देश से बाहर चले जाएँ।
15. 1946 में सरदार वल्लभभाई पटेल जब कांग्रेस के अध्यक्ष चुने जा रहे थे तो गांधी सांगठनिक चुनाव में क्यों दखल दिए और जिसे कोई नहीं चाहता था ऐसे जवाहरलाल नेहरू को क्यों अध्यक्ष बनवा दिए? इस ऐतिहासिक गलती की जवाब देही कौन करेगा।
16. देश विभाजन के बाद पाकिस्तान क्षेत्र की संपूर्ण हिंदू आबादी भारत क्यों नहीं लाई जा सकी और अलगाववादी मुसलमान इस देश में क्यों रह गए इसका उत्तर कांग्रेस देगी या शरीर छोड़ चुके गांधी और नेहरू देंगे?
17. महाराजा हरि सिंह ने कश्मीर का विलय बिना शर्त जब भारत संघ में कर दिया तब अलगाववादी शेख अब्दुल्ला से वार्ता किस बात की और फिर कश्मीर में अनुच्छेद 370 के तहत अलगाववादियों के हित को ध्यान में रखकर विशेष सुविधा देना जवाहरलाल नेहरू का देशद्रोह से

कम कृत्य सिद्ध नहीं हुआ है।

18. 1948 में पाकिस्तानी कबायली आक्रमण के बाद जब भारतीय फौज पूरे कश्मीर को अपने नियंत्रण में लेने की स्थिति में आ गई थी तो मुजफ्फराबाद तक सेना के पहुँचते ही भारत ने युद्ध विराम की घोषणा क्यों कर दी? कश्मीर भारत का अभिन्न होने के बावजूद संयुक्त राष्ट्र संघ कौन होता है इस विषय पर निर्णय देने वाला? कूटनीति विषय के अल्प ज्ञानी नेहरू ने अंतरराष्ट्रीय मंच पर भारत हित को हमेशा अपने व्यक्तिगत प्रतिष्ठा से नीचे रखा।
19. 1947 में देश स्वाधीन हुआ लेकिन शासन शिक्षा और न्याय प्रणाली आदि में जब विदेशी गुलामी तंत्र ही रखना था तो फिर स्वतंत्रता किस बात की?
20. देश की शिक्षा व्यवस्था भेदकारी क्यों हो गई एक समान शिक्षा प्रणाली क्यों नहीं विकसित की गई शिक्षा में अनिवार्य रूप से धर्म संस्कृति और राष्ट्रीयता के भाव क्यों नहीं रखे गए शिक्षा का माध्यम मातृभाषा क्यों नहीं रखा गया?
21. बच्चों को गुलामी मानसिकता वाला इतिहास क्यों पढ़ाया जाने लगा अपने गौरवशाली इतिहास से देश के शिक्षार्थी अछूते क्यों रखे गए?
22. सर्व पंथ समभाव वाले देश में अल्पसंख्यक आयोग के गठन की आवश्यकता क्यों? और उन्हें हिंदुओं से अलग विशेष सुविधा क्यों?
23. वामपंथी इतिहासकारों और नेताओं ने राष्ट्र को और हिंदू भाव को हमेशा नीचा दिखाया है फिर उनके क्रियाकलाप पर प्रतिबंध क्यों नहीं लगाया गया?
24. विदेशी पूजा पद्धतियों को अपने पंथ के प्रचार प्रसार के लिए संवैधानिक अधिकार देना राष्ट्रहित के लिए कहाँ से उचित है? संविधान में लिखित ऐसे अनुच्छेदों को तत्काल प्रभाव से प्रतिबंधित कर देना चाहिए।
25. राजनीति में केवल समाजसेवी परोपकारी और देशभक्त ही आवे ऐसी व्यवस्था क्यों नहीं बनाई गई?
25. चुनाव और सत्ता धन कमाने का जरिया क्यों बनने लगा?
27. इतिहास से सीख न लेकर इस देश में बहुदलीय प्रणाली क्यों विकसित की गई जिसके कारण आज देश में क्षेत्रवाद, जातिवाद, वर्ग वाद और भाषावाद को बढ़ावा मिल रहा है।

अपनी पुस्तक की महत्वपूर्ण बिंदुओं पर रीना कुछ और आगे बोलती तभी श्रोताओं में से कुछ लोग इस पुस्तक के साथ-साथ रीना का भी एक स्वर से विरोध करने लगे, श्रोताओं की तरफ से शोर-सराबा होता देख सबका ध्यान उधर चला गया। एक नेता टाइप में दिख रहा युवा कुर्सी पर चढ़कर ऊँची आवाज में बोलने लगा, इस रीना भारती को विश्वविद्यालय से बर्खास्त करो, इसने राष्ट्रपिता महात्मा गांधी, स्वतंत्रता संग्राम सेनानी हमारे प्रथम प्रधानमंत्री जवाहरलाल नेहरू को अपशब्द बोला है उन्हें अयोग्य बताया है, एक वर्ग के विरुद्ध बातें कही है यह घोर सांप्रदायिक है, कट्टर हिंदूवादी है। इसी बीच कुछ नौजवान प्रगतिशील युवा मंच का एक बैनर लेकर हवा में लहराने लगे और उनके द्वारा नारा लगने लगा रीना भारती मुर्दाबाद, वी० सी० मुर्दाबाद, भारत माता हाय-हाय, भारत तेरे टुकड़े होंगे।

दुराग्रही लोगों द्वारा इस तरह के नारों से स्वतंत्रता भवन में अफरा-तफरी का माहौल बन गया, विश्वविद्यालय सुरक्षा विभाग के लोग तुरंत हरकत में आ गए। लेकिन तभी अखिल भारतीय छात्र परिषद का बैनर लेकर छात्रों का दूसरा बड़ा गुट जवाब में भारत माता की जय, अखंड भारत की जय, का नारा लगाने लगा इन छात्रों ने और जोश में नारा लगाया वी० सी० जिंदाबाद, रीना भारती जिंदाबाद, रीना तुम संघर्ष करो हम तुम्हारे साथ हैं। वहाँ उपस्थित गणमान्य अतिथि और पत्रकारों को लगने लगा कि कहीं इन छात्रों का दोनों गुट आपस में भीड़ न जाए। कुछ लोग वहाँ से खिसक लेने में ही अपनी भलाई समझे, विश्वविद्यालय के सुरक्षाकर्मी वी० सी० को वहाँ से सुरक्षित निकाल ले गए लेकिन रीना मंच पर ही थी उसने माइक पर बोलना शुरू किया कि जिसको मेरे विचार के विपरीत कुछ कहना है या उसके पास कोई अन्य तर्क है तो आकर अपनी बात तथ्यों के साथ रख सकता है, लेकिन इस तरह से अनाप-शनाप बोलना या देश विरोधी नारे लगाना ठीक नहीं है।

स्वतंत्रता भवन में रीना द्वारा कही गई इन बातों का उद्दंड छात्रों पर कोई असर नहीं हुआ, वहाँ का माहौल वैसा ही बना रहा, वहाँ उपस्थित प्रबुद्ध वर्ग छात्रों द्वारा उत्पन्न किए गए इस दूषित वातावरण से काफी खिन्न नजर आए, वे भवन से बाहर निकलकर स्टॉल पर रखी गई रीना की पुस्तक को खरीद कर जाने लगे। इसी कोलाहलपूर्ण वातावरण में किसी छात्र ने अचानक एक पत्थर मंच पर खड़ी रीना को लक्ष्य करके चलाया जो सीधे रीना के माथे पर लगा रीना का सर फट गया, उसका चेहरा तेजी से निकल रहे खून से रंग गया, वह बेहोश होकर गिरने की स्थिति में हो गई लेकिन तभी मंच के नीचे खड़ा रोहन कूद

कर मंच पर चढ़ गया और रीना को अपने बाँहों का सहारा दिया। रीना की ऐसी स्थिति देखकर अखिल भारतीय छात्र परिषद के छात्र उत्तेजित हो गए और पत्थर चलाने वाले छात्र को पड़कर मारने करने लगे दोनों गुटों में हाथापाई बढ़ गई यह संयोग था कि उसी समय पुलिस फोर्स वहाँ पर आ गई और दोनों गुटों के छात्रों को हिरासत में ले लिया। थाने में दोनों गुट के छात्रों की तरफ से रिपोर्ट लिखाई गई। रीना के सर पर गहरा घाव हो गया था चिकित्सकिय जांच की आधार पर यह स्पष्ट हुआ कि घाव और गहरा होता तो मस्तिष्क को चोट पहुँच सकती थी, डॉक्टर को कई टांके लगाने पड़े उसने रीना को एक माह तक आराम करने के लिए बोला। पत्थर मारने वाले छात्र व राष्ट्र विरोधी नारा लगाने वालों को पुलिस ने जेल में डाल दिया। पुलिस के बड़े अधिकारियों ने इस संबंध में कुलपति महोदय से भी पूछताछ की कुलपति ने स्पष्ट कह दिया कि नारा लगाने वालों ने और रीना पर जानलेवा हमला करने वालों ने अक्षम्य अपराध किया है, लेकिन लगता है इस घटना के लिए विश्वविद्यालय के छात्रों को किसी बाहरी संगठन वालों ने उकसाया है इसकी जांच करके उन पर मुकदमा चलाया जाना अत्यंत जरूरी है क्योंकि इन सभी ने राष्ट्र विरोधी नारे लगाए हैं।

स्वतंत्रता भवन में उस दिन इतने विघ्न-बाधाओं के बावजूद रीना के पुस्तक की सैकड़ो प्रतियाँ बिक गई, विश्वविद्यालय के प्रोफेसर और शहर के बुद्धिजीवी इस पुस्तक को पढ़ने के लिए काफी उत्साहित दिखे। दूसरे दिन समाचार पत्रों में इस पुस्तक का और घटना को महत्वपूर्ण स्थान दिया गया था इस पुस्तक की सर्वत्र चर्चा होने लगी। रीना को स्वस्थ होने में समय लगा, रोहन रीना के स्वास्थ्य और सुरक्षा के लिए काफी चिंतित हो गया, उसे डर लग रहा था कि ये असामाजिक और राष्ट्र विरोधी ताकते कहीं रीना पर पुनः आक्रमण न कर दें वह इधर बराबर रीना के साथ ही रहा करता था उसके माता-पिता और सास-ससुर कुछ दिन रीना के साथ रहकर गांव आ गए लेकिन रोहन बराबर चौकन्ना रहता था धीरे-धीरे इस घटना के बीते लगभग एक माह हो गया अब सबको लगने लगा कि रीना स्वस्थ हो गई है और उस पर अब किसी प्रकार का खतरा नहीं रह गया है क्योंकि अभी भी उन प्रगतिशील मंच के छात्रों को जो घटना में लिप्त थे उनकी जमानत नहीं हो पाई थी वह सब जेल में ही थे यही सबके लिए राहत की बात थी। रीना ने लगभग दो-तीन सप्ताह बाद अब अपना अध्यापन कार्य प्रारंभ कर दिया एक दिन अपने विभाग में रीना अपने गुरु प्रोफेसर सिन्हा के साथ बैठी कुछ बातें कर रही थी तभी विभाग के चपरासी ने डाक से आया एक लंबा लिफाफा रीना को देने लगा जिस पर इलाहाबाद उच्च न्यायालय की मोहर लगी

थी, रीना लिफाफा को हाथ में लेकर आश्चर्य से प्रोफेसर सिन्हा की तरफ देखने लगी। प्रोफेसर सिन्हा हाथ बढ़ाकर वह लिफाफा रीना के हाथों से ले लिए और खोलकर उसे पढ़ने लगे वास्तव में यह इलाहाबाद उच्च न्यायालय से रीना के लिए आया एक नोटिस ही था। विश्वविद्यालय के ही एक वामपंथी विचारधारा के पोषक प्रोफेसर त्रिभुवन मलिक ने हाई कोर्ट में एक याचिका दायर की है जिसमें उन्होंने रीना द्वारा लिखी गई पुस्तक "स्वतंत्रता आन्दोलन की भयंकर भूलें- विभाजन एक सबक" पर प्रतिबंध लगाने की माँग की है उच्च न्यायालय की एकल पीठ ने पुस्तक पर तुरंत प्रतिबंध तो नहीं लगाया पर इस पुस्तक की लेखिका रीना भारती को इस पर दो सप्ताह के अंदर जवाब देने को कहा है।

रीना एक सीधी-सादी लड़की जिसने गरीबी में ही अब तक अपना जीवन बिताया था प्रतिभाशाली होने के नाते वह विश्वविद्यालय में प्रोफेसर तो हो गई थी लेकिन अपने इस छोटे से जीवन में न्यायालय के कानूनी पेचीदगी का उसे पहली बार सामना हो रहा था नोटिस देखकर उसके माथे पर बल आ गया वह चिंतित अवस्था में अपने गुरु प्रोफेसर सिन्हा की तरफ देखने लगी। प्रोफेसर सिन्हा रीना की चिंता दूर करते हुए बोले घबराओ मत बेटी मैं तुम्हारे साथ हूँ हाई कोर्ट में कुछ वकील हमारे परिचित हैं हम लोग प्रयागराज चलते हैं और उनसे राय लेते हैं इस पर रीना कुछ कहती तभी प्रोफेसर सिन्हा का फोन बजने लगा उन्होंने देखा कि यह तो कुलपति उमेश चंद्रा का फोन है। फोन पर बातचीत से पता चला कि उच्च न्यायालय की एक नोटिस उन्हें भी प्राप्त हुई है कुलपति ने प्रोफेसर सिन्हा व रीना इस संबंध में विशेष बातचीत के लिए अपने आवास पर बुला लिया। प्रोफेसर सिन्हा और रीना जब तक कुलपति आवास पर पहुँचते तब तक कुलपति ने इलाहाबाद हाईकोर्ट के एक वरिष्ठ अधिवक्ता जितेंद्र त्यागी के माध्यम से याचिका की कॉपी प्राप्त कर लिया। कुलपति ने प्रोफेसर सिन्हा को देखते हुए बोला यह कार्य उसी त्रिभुवन मलिक ने किया है अध्यापन में उसका बहुत मन लगता नहीं केवल वामपंथी विचार का फैलाव करके छात्रों को भ्रमित करता रहता है लगता है अब उसके विरुद्ध एक्शन लेना ही पड़ेगा कुलपति ने प्रोफेसर सिन्हा और रीना को बैठाकर याचिका का सारांश बताना शुरू किया।

प्रोफेसर रीना भारती "राष्ट्रीय स्वयंसेवक संघ" से जुड़ी एक सांप्रदायिक विचार की पोषक महिला है जिसे विश्वविद्यालय के वी० सी० उमेश चंद्रा व प्रोफेसर मनोज सिन्हा का संरक्षण प्राप्त है इन्हीं दोनों की कृपा से वह विश्वविद्यालय के इतिहास विभाग में प्रोफेसर पद पर नियुक्त हुई है तथा उनके उकसाने पर ही उसने यह पुस्तक लिखी है जिसका विमोचन स्वयं कुलपति

उमेश चंद्रा ने अपने हाथों से किया है। पुस्तक भारतीय लोकतंत्र की भावना के सर्वथा प्रतिकूल है और देश की एकता अखंडता के लिए खतरा है यह पुस्तक भारतीय संविधान की मूल भावनाओं की धज्जियाँ उड़ाते हुए राष्ट्रपिता महात्मा गांधी और देश के प्रथम प्रधानमंत्री पंडित जवाहरलाल नेहरू को अपमानित करने के लिए ही रचित की गई है। कांग्रेस दल और मुसलमानों की देशभक्ति पर सवाल उठाने वाली इस पुस्तक को तत्काल प्रभाव से जप्त कर लेना चाहिए, साथ ही देश में सांप्रदायिक विद्वेश बढ़ाने जैसे खड्यंत्रकारी कृत्य में लिप्त कुलपति उमेश चंद्रा, प्रोफेसर मनोज सिन्हा व प्रोफेसर रीना भारती को तत्काल प्रभाव से विश्वविद्यालय से बर्खास्त कर देना चाहिए।

कुलपति के मुंह से दावे का सारांश सुनकर प्रोफेसर सिंन्हा व रीना चिंतित अवस्था में एक दूसरे का मुंह देखने लगे, कुलपति ने दावे की कापी एक तरफ रखते हुए सिंन्हा व रीना से बोले देखिए, वकील साहब से मेरी बात हो गई है उन्होंने कहा है कि दावा को मैं सरसरी तौर पर देख लेता हूँ फिर बात करता हूँ आप लोग यथाशीघ्र मुझे वह पुस्तक उपलब्ध करा दीजिए जवाबदेही के लिए दो सप्ताह का समय है तब तक में बिंदुवार उसकी तैयारी कर लेता हूँ। उसके बाद कुलपति महोदय इत्मिनान से अपने चेहरे पर थोड़ा हंसी लाते हुए बोले कि एक बात पर हमें संतुष्ट होना चाहिए कि उच्च न्यायालय ने इस याचिका पर तत्काल एक पक्षीय आदेश देने से इनकार कर दिया है तो संभव है बिंदुवार जवाब देही और वकील साहब के बहस के बाद यह खारिज भी हो जाए।

प्रोफेसर सिंन्हा और रीना कुलपति की उत्साहजनक बातें सुनकर कुछ चिंता से मुक्त दिखने लगे। थोड़ा इत्मीनान में होकर सिंन्हा जी ने कुलपति से पूछा कि सर मलिक किसको वकील रखा है कुलपति ने कहा कि त्यागी जी ने जमील अंसारी नाम बताया है और यह भी बताया है कि वह कम्युनिस्ट पार्टी का सक्रिय सदस्य है प्रोफेसर सिंन्हा एक लंबी सांस लेकर मुख से हूँ......जैसी आवाज निकाले और बोले इसका तात्पर्य है कि इस संगठन ने पूरी साजिश के तहत यह याचिका दायर की है। कुलपति ने कहा कि हो सकता है पर हमें उससे क्या लेना देना है तभी बीच में रीना कुलपति की तरफ देखते हुए बोली क्षमा कीजिएगा सर लेना देना तो है ही क्योंकि इन लोगों द्वारा रचित गहरे षड्यंत्र की जानकारी तो सबको होनी ही चाहिए। हमारा देश और हिंदू समाज अपनी इन्हीं उदार छवि के कारण बार-बार अपनों से ही मार खाता आ रहा है और आज इसी कारण देश में नया विमर्श तैयार भी नहीं हो पा रहा है और हम इतने धोखा खाने के बावजूद उन्हीं घिसी-पीटी पुरानी नीतियों को लेकर आज भी लकीर के

फकीर बने हुए हैं। कुलपति रीना से बोले तुम ठीक कह रही हो हम ऐसी ताकतों से हार भी नहीं मानने वाले हैं लेकिन इस समय हमारा ध्यान इस न्यायिक पेचिदगी से मुक्ति पाने पर अधिक होनी चाहिए। तुम्हारी पुस्तक पर प्रतिबंध लग जाएगा तो बहुत मुश्किल हो जाएगी, रीना कुलपति की बातों से काफी सहमत हुई कुलपति आवास पर कुछ देर तक ऐसे ही बातें करके प्रोफेसर सिंन्हा और रीना अपने-अपने आवास पर आ गए। रीना ने फोन पर रोहन को सारी बात बताई वह विद्यालय निर्माण की व्यस्तता के कारण गांव पर ही रुकना चाह रहा था, विश्वविद्यालय आने जाने के लिए एक कार ले लिया था लेकिन रीना की बात सुनकर तुरंत ही वह विश्वविद्यालय आ गया क्योंकि सबने यह तय किया था कि दूसरे दिन रविवार को सुबह ही सभी प्रयागराज वकील जितेंद्र त्यागी से मिलकर न्यायालय संबंधित समस्त औपचारिकताएँ पूरी कर लेंगे।

रीना द्वारा गणतंत्र दिवस पर अपना विचार व्यक्त करने के बाद इस पुस्तक के विमोचन के साथ ही उसके जीवन में कठिनाइयों का दौर आने की झड़ी लग गई, विश्वविद्यालय परिसर और शहर के कुछ महत्वपूर्ण स्थान के साथ-साथ नई दिल्ली, राजघाट, गांधी समाधि स्थल के पास उसके विरुद्ध कुछ साम्यवादी विचार वालों ने प्रगतिशील युवा मंच के बैनर तले धरने व प्रदर्शन करने लगे, इसमें वामपंथी मीडिया व कुछ अर्बन नक्सली ज्यादा सक्रिय दिख रहे थे। उनकी सरकार से एक ही माँग थी कि काशी हिंदू विश्वविद्यालय से रीना को बर्खास्त करो और उसके द्वारा लिखित पुस्तक "स्वतंत्रता आन्दोलन की भयंकर भूलें-विभाजन एक सबक" पर शीघ्रातिशीघ्र प्रतिबंध लगा दिया जाए।

वास्तव में रीना खुले विचार की एक संस्कारित लड़की थी जिसने अपने प्रतिभा के बल पर और ईश्वर की कृपा से आज यह मुकाम हासिल किया था। रीना स्नातक की कक्षा में पढ़ते वक्त ही तय कर ली थी कि उच्च शिक्षा के बाद अपने शोध कार्य और लेखनी से देश के समक्ष आधुनिक भारत के इतिहास का ऐसा सच उजागर करेगी जिससे लोग अपने नेताओं की करनी को भली-भांति जाने और तद अनुरूप निर्णय लें लेकिन आज उसने महसूस किया की हकीकत में यह कार्य उतना आसान नहीं है जितना उसने सोच रखा था वह विचार करने लगी कि देश में रहने वाले कुछ तथाकथित बुद्धिजीवी इतने असहिष्णु कैसे हो सकते हैं क्या इनका ज्ञान इतना कम है कि यह किसी विषय पर सही ढंग से विचार विमर्श भी नहीं कर सकते हैं। बस धरना प्रदर्शन और हो हल्ला करके सत्य को झुठलाना ही इनके जीवन का मूल मकसद हो गया है।

देर रात आवास पर रोहन के आ जाने से रीना को बहुत ही मानसिक शांति मिली वह अपनी चिंता अपने छोटे भाई-बहन से साझा नहीं कर सकती थी कारण हो सकता था इससे उनकी पढ़ाई बाधित होने लगती इसलिए वह रोहन को हमेशा अपने साथ रखना चाहती थी। दूसरे दिन रविवार को सुबह हल्का भोजन करके कुलपति उमेश चन्द्रा, प्रोफेसर मनोज सिन्हा, रीना व रोहन अपनी-अपनी गाड़ी से दोपहर तक प्रयागराज जितेन्द्र त्यागी के यहाँ पहुँच गए। रीना ने अपनी लिखी पुस्तक वकील साहब को दे दी, सबने वकालतनामा पर हस्ताक्षर कर दिए, वकील जितेन्द्र त्यागी ने रीना और सबसे "राष्ट्रीय स्वयंसेवक संघ" या अन्य हिन्दू संगठनों से उनके सम्बन्ध के बारे में कुछ जानकारी ली और सबको आश्वस्त किया कि मै एक सप्ताह के अन्दर याचिकाकर्ता के दावे का बिन्दुवार उत्तर तैयार कर लूँगा। उसके बाद वकील की अन्य समस्त औपचारिकताओं को पूरा करके ये सभी लोग अंधेरा होते-होते विश्वविद्यालय परिसर स्थित अपने-अपने आवास पर आ गए।

रात्रि भोजन के बाद रीना के भाई-बहन जब अपने-अपने कमरों में सो गए तो रीना रोहन से कहने लगी रोहन अब मुझे अपने जीवन से डर लगने लगा है मुझे अब तुम्हारे साथ की अत्यंत आवश्यकता महसूस होने लगी है। तुम्हारे पास भी बहुत काम है, घर भी आना-जाना होता है, विद्यालय निर्माण का काम है और साथ ही दिल्ली नौकरी पर भी जाना है, इन सबके साथ कैसे सामंजस्य बैठा पाओगे रोहन रीना का सर अपने कंधे पर रखते हुए बोला इस समय मेरे समक्ष एक ही दायित्व है तुम्हारी रक्षा और सुरक्षा का और समस्त काम मेरे लिए आज गौंड हो गए हैं। रीना मैं चाहता हूँ कि तुम मेरे अन्य सभी कामों को मन से निकाल दो और केवल अपने बारे में सोचो मैं हमेशा तुम्हारे साथ ही रहना चाहता हूँ ताकि तुम्हें मानसिक शांति मिलती रहे। रीना बेड पर बैठी रोहन की बातें सुन रही थी उसका सर उसके कंधे पर ही था पति के प्यार भरे स्पर्श को पाकर और उसकी बातें सुनकर वह भावुक हो गई उसके आंख से धीरे-धीरे आंसू निकलने लगे रोहन की बातों ने उसे बड़ा संबल दिया। कुछ देर बाद रोहन ने महसूस किया कि उसके कंधे पर रीना के आंसू टपक रहे हैं वह अपने हाथों से रीना की आंसू पोछते हुए और उसके गालों को सहलाते हुए बोला रीना ऐसे कमजोर मत बनो तुम्हारे साहस का ही तो मैं दीवाना रहा हूँ तुम्हारे विचारों में वह बल है जो किसी के भी अंदर साहस पैदा कर सकता है इसलिए अपना साहस मत छोड़ो वक्त की बात है एक दिन सब ठीक हो जाएगा। रोहन की बात सुनकर रीना ने अपना सर उसके कंधे से उठाया और रोहन की तरफ देखती हुई

बोली तुम ठीक कह रहे हो रोहन मैं अभी भी अपने को कमजोर नहीं महसूस कर रही हूँ बस तुम्हारे प्यार भरे स्पर्श से आज पता नहीं क्यों मेरे अंदर वह भाव आ गया कि तुम्हारा साथ हमेशा मुझे ऐसे ही मिलता रहे। रोहन रीना के भाव को समझकर उसे अपनी बाहों में भरकर लेटते हुए बोला ओह रीना तुम ऐसा क्यों सोचती हो मैं हमेशा तुम्हारे साथ ही हूँ और हमेशा तुम्हारे साथ ही रहूँगा।

दूसरे दिन रोहन ने सोचा कि गांव जल्दी निकल जाता हूँ और निर्माण कार्य के बारे में रीना के पिता और अपने पिताजी को कुछ हिदायत देकर दोपहर बाद जल्दी ही विश्वविद्यालय लौट आऊँगा ताकि रीना विभाग से आने के बाद स्वयं को अकेली ना महसूस करें। नाश्ता करके रोहन जब गांव जाने की तैयारी करने लगा तो रीना उससे बोली रोहन जल्दी वापस आना और साथ में पिताजी से पूछ कर मेरी माँ को भी लेते आना वह रहेगी तो मेरे भाई-बहन की चिंता कर लेगी और उसके रहने से मुझे भी थोड़ा आराम मिल जाएगा। ठीक है बोलकर रोहन जल्दी से कार स्टार्ट करके केशवपुर की तरफ चल दिया। रोहन के जाने के बाद रीना ने हल्का भोजन किया और भाई-बहन के लिए भोजन रखकर क्लास लेक्चर तैयार करने की दृष्टि से लगभग 9:00 बजे विभाग के लिए स्कूटी से निकल गई। विभाग पर अभी सन्नाटा था सफाई कर्मी सफाई करने में व्यस्त थे, वह अपनी स्कूटी एक तरफ खड़ा करके जैसे ही अंदर जाने लगी उसकी निगाह दीवार पर चिपके कई पोस्टरों पर चली गई वह रुककर पोस्टर पर लिखी बातों को पढ़ने लगी उस पर लिखा था रीना भारती को विभाग से निकालो यह जालसाज है इसने अपने प्रेम जाल में फंसा कर एक मुस्लिम से शादी की है यह हिंदू नहीं है यह मुस्लिम हो चुकी है, इसे हिंदुवाद और राष्ट्रवाद पर कुछ भी कहने का अधिकार नहीं है, यह बदचलन है ये वाक्य पढ़ते-पढ़ते रीना का सर चकराने लगा फिर उसकी निगाह दूसरे पोस्टरों पर भी चला गया उन पर भी कुछ ऐसा ही लिखा था रीना भारती को बर्खास्त करो, यह चरित्रहीन है, इसके रहते छात्र-छात्राओं पर बुरा असर पड़ेगा सब पोस्टरों के नीचे प्रगतिशील छात्र युवा मंच का नाम अंकित था।

रीना पोस्टर पर लिखी गई इस तरह की बातों को पढ़ते-पढ़ते क्रोध में आने लगी पर उसने अपने आप को संयत रखा, वह वहाँ के सफाई कर्मियों और चपरासी से कुछ भी जानकारी लेना उचित नहीं समझी वह अंदर अपने कक्ष के पास जाने लगी तभी विभाग का उम्र दराज चपरासी छक्कन रीना के पास आया और धीरे से बोला मैडम जी बहुत ही खराब और आवारा किस्म के कुछ लड़के कल शाम को यहाँ आए थे, पोस्टर यहाँ चिपकाने लगे और आपस में आपके

और प्रोफेसर सिन्हा के बारे में उल्टी सीधी बातें कर रहे थे मैंने पोस्टर चिपकाने से उनको मना किया तो उन्होंने मुझको बहुत धमकाया। रीना ने चपरासी से पूछा वे लोग कौन थे छक्कन भाई, छक्कन बोला पता नहीं बहन जी पर सभी बाहरी दिख रहे थे। रीना चपरासी छक्कन से कुछ और बात न करके अपने कक्ष में चली गई और दरवाजा अंदर से बंद करके अपने लेक्चर की तैयारी करने लगी लेकिन उसका ध्यान बार-बार पोस्टर पर लिखे शब्दों पर चला जाता था। बदचलन, चरित्रहीन, एक मुस्लिम को प्रेम जाल में फसाया है, वह हिंदू नहीं है। इन शब्दों को याद करके उसने अपना माथा पकड़ लिया वह आंखें बंद कर लेटना चाही पर कक्ष में यह संभव नहीं था। कुर्सी पर ही उसने अपना सर पीछे टीका लिया और आंखें बंद कर अपने भविष्य के बारे में और परिवार के बारे में चिंतित होने लगी। वह चैतन्य हो बैठती कुछ पढ़ती लिखती और फिर आंख बंद कर चिंतित हो जाती थी। धीरे-धीरे उसने महसूस किया कि विभाग में चहल कदमी बढ़ रही है शायद प्रवेश द्वार पर मेरे विरुद्ध छात्र-छात्राओं द्वारा नारे भी लगाए जा रहे हैं अभी वह अपने बारे में कुछ और निर्णय लेती तभी उसके कक्ष के दरवाजे पर दस्तक हुई उसने दरवाजा खोला तो सामने उसके गुरु प्रोफेसर सिन्हा तथा वरिष्ठ प्रोफेसर एस के लाल और प्रोफेसर कुंदन आदि खड़े थे उसने सबका अभिवादन किया और सबको अंदर आने के लिए बोला।

प्रोफेसर एस के लाल बोले बेटी हम लोग तुम्हारे बारे में सब कुछ जानते हैं पर इस समय इन सब के दुष्प्रचार के कारण यहाँ के भी कुछ छात्र-छात्राएँ भ्रमवश तुम्हारे विरुद्ध हो गए हैं और वही सब गेट के बाहर तुम्हारे विरुद्ध नारा लगा रहे हैं। हम लोग चाहते हैं कि तुम एक सप्ताह के लिए छुट्टी ले लो कुछ दिन में जब यहाँ शांति हो जाए तो पुनः विभाग आ जाना। रीना अन्य बड़े प्रोफेसर्स की इस बात पर सहमत होते देख थोड़ा धैर्य धारण करके बोली सर आप लोग इस विभाग में मेरे बड़े हैं आपकी राय मेरे हित में उचित ही लग रही है यहाँ पठन-पाठन सुचारू रूप से होती रहे इसके लिए मैं कुछ भी कर सकती हूँ पर क्या मेरे विभाग न आने से इन झूठे और और उद्दंड लोगों का मनोबल नहीं बढ़ जाएगा? क्या ऐसे लोगों का हम मुकाबला नहीं कर सकते हैं आप लोगों का सहयोग रहेगा तो मैं ऐसे लोगों का सामना करने को तैयार हूँ मेरा सबसे बड़ा संबल मेरी सत्यनिष्ठा और चरित्र ही है आज इसी पर इन लोगों ने प्रश्न चिन्ह खड़ा किया है लेकिन मैं इन लोगों के समक्ष झुकूँगी नहीं लडूँगी बस आप लोगों का आशीर्वाद मुझे चाहिए। प्रोफेसर सिन्हा रीना की साहसपूर्ण और दमदार बातों को सुनकर काफी खुश हुए वे अपने विभागाध्यक्ष प्रोफेसर कुंदन से बोले सर

रीना ठीक ही कह रही है अच्छा होगा आप वी सी और चीफ प्रॉक्टर से बात करके फोर्स बुला ले और क्लास को सामान्य रूप से चलने दे। जो बाहरी तत्व है उन्हें गिरफ्तार करवा दिया जाए और जो अपने छात्र हैं उन्हें सख्त चेतावनी देकर क्लास में जाने को मजबूर किया जाए।

प्रोफेसर सिंन्हा के इस बात पर सब की सहमति बन गई विभागाध्यक्ष कुंदन अपने कक्ष में जाकर वी सी और चीफ प्रॉक्टर से बात कर विभाग में सुरक्षा और शांति वातावरण के लिए पुलिस फोर्स की आवश्यकता पर बात कर लिए इसके बाद सभी प्रोफेसर अपनी-अपनी कक्षा में जाने की तैयारी करने लगे। रीना भी क्लास लेने के लिए तैयार हुई पर उसका ध्यान बार-बार पोस्टर पर लिखे शब्दों पर चला जाता था अपने ऊपर लगे इन घृणित और गंदे आरोपो से उसका दिल बैठने लगा फिर भी वह साहस करके क्लास लेने को तैयार हुई। कक्ष में प्रवेश करते ही उसने देखा की कक्षा के आधे से अधिक छात्र अनुपस्थित हैं पूछने पर छात्र-छात्राओं ने बताया कि वे सब विभाग के प्रवेश द्वार पर आपके विरुद्ध नारेबाजी कर रहे हैं। रीना को अपने विद्यार्थियों से इस बात की बिल्कुल भी उम्मीद नहीं थी वह आक्रोश में कक्ष से बाहर निकली और सीधे विभाग के प्रवेश द्वार की तरफ जाने लगी। रीना को उधर जाते देख कक्ष में मौजूद समस्त छात्र-छात्राएँ भी उसके पीछे-पीछे चल दिए। अपने बीच अचानक रीना को उपस्थित देख नारेबाजी करने वाले समस्त छात्र-छात्राएँ जो अधिकतर वहाँ तमासबीन हीं थे भौचक रह गए, वे रीना से नजरे छुपाने लगे लेकिन बाहर से आए प्रगतिशील युवा मंच के सदस्यों पर रीना की उपस्थिति का कोई असर नहीं हुआ उसमें से एक ने आवाज ऊँची की रीना भारती मुर्दाबाद, लेकिन बाद में उस आवाज में सहयोग देने वालों की संख्या कम हो गई क्योंकि विभाग के विद्यार्थी रीना को देखकर अपने आप मौन हो गए थे। रीना ने सख्त आवाज में सबको शांत कराया और बोलने लगी भाइयों जहाँ तक मैं आप लोगों को पहचान रही हूँ इसमें से आधे से भी ज्यादा छात्र इस विश्वविद्यालय के नहीं है और जो मुझे जानते तक नहीं और शेष जो छात्र-छात्राएँ यहाँ उपस्थित हैं अधिकतर मेरे विद्यार्थी हैं और जिनको मैंने पिछले दो-तीन वर्षों से एक छोटे भाई-बहन की तरह शिक्षा दी है अपनत्व भी दिया है फिर भी आप लोगों ने मेरे व्यक्तिगत जीवन में ताक-झांक की है मुझ पर झूठा मनगढ़ंत चारित्रिक लांक्षन लगाया है तों निश्चित ही इसमें आप लोगों का कोई दोष नहीं है कोई ना कोई बाहरी तत्व इसके लिए आपको उकसाया है। रीना की इतनी बात पूरी भी नहीं हुई थी कि विभाग का ही एक छात्र जो प्रगतिशील युवा मंच का एक बैनर हाथ में लिए

हुए था ऊँची आवाज में बोलने लगा रीना तुम बदचलन हो, इस्तीफा दो.... इस्तीफा दो....।

जैसे ही उस छात्र के मुंह से ऐसी आवाज निकली रीना के साथ आए छात्रों के समूह में से चार-पांच छात्र बाह चढ़ाते आगे आगे आए और उस छात्र से भिड़ गए और बोले तुम कौन होते हो इस्तीफा लेने वाले, लेकिन रीना ने उन छात्रों को रोका और उस बैनर लिए हुए छात्र से धीरे से बोली भाई यदि तुम्हारी बहन बदचलन हो सकती है तो मैं भी बदचलन हूँ क्योंकि मैं भी तो तुम्हारी बहन ही हूँ मुझे बदचलन सिद्ध कर दो और ले लो इस्तीफा। रीना की इतनी बात सुनते ही उस छात्र का सर स्वयं लज्जा से झुक गया लेकिन इतनी बातें कहते-कहते रीना स्वयं अर्ध बेहोशी की स्थिति में चली गई। उसके पीछे खड़े छात्र-छात्रा यदि उसे सहारा नहीं देते तो संभव था वह सीधे जमीन पर ही गिर जाती, बेहोशी की स्थिति में भी रीना के मुख से यही निकल रहा था भाई मुझे बदचलन मत कहो........। छात्राओं द्वारा सहारा देते-देते रीना पूर्ण बेहोश होकर जमीन पर निष्प्राण जैसी लेट गई। रीना के बेहोश होने की खबर विभाग में बिजली की तरह फैल गई हर तरफ अफरा-तफरी मच गई। खबर सुनकर प्रोफेसर सिंन्हा विभागाध्यक्ष आदि भागे-भागे प्रवेश द्वार पर आ गए रीना के साथ खड़े छात्र और उत्तेजित हो गए और नारा लगाने वाले प्रगतिशील युवा मंच के लड़कों पर टूट पड़े। संयोग था कि विश्वविद्यालय के सुरक्षाकर्मी वहाँ उपस्थित थे। छात्रों के बीच आपस में झगड़ा होता तब तक वे बीच बचाव करने लगे। चीफ प्रॉक्टर कि सूचना पर पुलिस फोर्स आ गई थी सबको शांत कराई तथा नारेबाजी करने वालों को पड़कर थाने ले गई। प्रोफेसर सिन्हा रीना को तीन चार छात्राओं के सहयोग से अपनी कार में लिटाया और सर सुंदर लाल अस्पताल ले गए इमरजेंसी में रीना को भर्ती कर दिया गया, रीना की स्थिति गंभीर थी प्राथमिक जांच के बाद चिकित्सकों ने उसे आई सी यू में डाल दिया और प्रोफेसर सिंन्हा को जांच रिपोर्ट आने तक इंतजार करने को कहा।

इधर रोहन सुबह विश्वविद्यालय से निकलकर सीधे केशवपुर अपने निर्माणाधिन विद्यालय पर पहुँचा वहाँ पर उसके पिता और ससुर काम की देखभाल कर रहे थे। वह सुक्खू से बोला पिताजी मैं जल्दी ही विश्वविद्यालय जाना चाहता हूँ वहाँ रीना अपने को अकेली महसूस कर रही है उसने माँ को भी साथ में लाने के लिए बोला है। रोहन के पिता रोहन की बात सुनकर बोले बेटा तुम यहाँ की चिंता छोड़ो हम दोनों यहाँ है ना कोई विशेष बात होगी तो सूचित कर देंगे तुम रीना की माँ को लेकर जल्दी विश्वविद्यालय चले जाओ।

हरिहरपुर गांव से अपनी सास को लेकर रोहन शहर की तरफ चलने लगा वह बीच में रीना से बात करना चाह रहा था लेकिन घंटी बजने के बावजूद रीना से उसकी बात नहीं हो पा रही थी। वह कार चला तो रहा था लेकिन उसका ध्यान बराबर रीना पर ही था, रोहन का चेहरा देखकर सुभागी बोली बेटा रीना ठीक तो है न रोहन संयत होकर बोला हाँ माजी रीना ठीक है वहाँ उसे अकेलापन महसूस हो रहा था इसलिए उसने आपको बुलाया है।

लगभग आधे घंटे के सफर में रोहन कई बार रीना को फोन मिलाया पर वह बात करने में असफल रहा। वह दोपहर बाद विश्वविद्यालय रीना के आवास पर पहुँचा देखा तो घर में रीना की छोटी बहन रोमा अकेली थी थोड़ी ही देर में उसका भाई रवि भी विद्यालय से आ गया दोनों माँ को देखकर खुश हो गए पर रोहन का ध्यान रीना पर ही था वह अपनी सास को कार से उतार कर तुरंत रीना के विभाग जाने के लिए कार में पुनः बैठ गया। रोमा बोली जीजा जी पानी पीकर जाइए रोहन बोला नहीं रोमा मैं तुम्हारे दीदी के विभाग जा रहा हूँ थोड़ी ही देर में उसको साथ लेकर आता हूँ तो साथ में ही पानी पिया जाएगा। रोहन रीना के विभाग पहुँचा तो उसका ध्यान वहाँ दीवाल पर लगे पोस्टरों पर चला गया, जिसे वहाँ के सफाई कर्मी फाड़ कर जला रहे थे। विभाग में छात्र बहुत कम संख्या में दिखाई दे रहे थे पोस्टर पर लिखे शब्दों को पढ़कर वह आग बबूला हो गया लेकिन क्या करता उसका ध्यान स्वतंत्रता भवन में पुस्तक विमोचन के समय घटी घटनाओं पर चला गया दांत पीसते हुए उसके मुख से निकला प्रगतिशील युवा मंच माने जाहिल गंवार उजड्ड युवा मंच। ऐसा बोलते हुए रीना के बारे में और चिंतित हो गया और तेजी से चलते हुए सीधे रीना के कक्ष के पास पहुँच गया पर कक्ष तो बाहर से बंद था ताला नहीं लगा था वह उसे खोलना चाहा लेकिन तभी चपरासी छक्कन को देखकर वह उसकी तरफ बढ़ने लगा छक्कन रोहन को पहचान गया लेकिन घटना के बारे में उसे कुछ बताया नहीं। छक्कन रोहन को विभागाध्यक्ष के कक्ष में ले गया जहाँ से घटना की पूरी जानकारी उसे प्राप्त हुई वह तुरंत रीना के कक्ष में गया और वहाँ से रीना का पर्स, बैग, मोबाइल आदि लेकर सीधे अस्पताल आ गया।

अस्पताल के बाहर कुछ छात्र-छात्राओं की भीड़ चिंतित अवस्था में खड़ी आपस में बातें कर रही थी, रोहन उनसे रीना के बारे में जानकारी लेना चाहा तभी उसकी निगाह प्रोफेसर सिन्हा पर पड़ी वह दौड़कर सीधे उनके पास पहुँचा और रीना के बारे में जानकारी लेने लगा। प्रोफेसर सिन्हा ने बताया कि जांच रिपोर्ट आ गई है किसी बात को लेकर रीना को गहरा सदमा लगा है डॉक्टर ने

कहा है कि घबराने की बात नहीं है तीन-चार दिन में ये सामान्य हो जाएगी लेकिन इस दौरान लोग इनसे कम ही मिले, तनाव पूर्ण वातावरण इसके सेहत के लिए ठीक नहीं है आई सी यू में यह अभी दो-तीन दिन रहेगी। आई सी यू में रीना को बेहोशी की अवस्था में लेटे हुए देखकर रोहन बहुत ही दुखी हो गया वह अपने को रोक नहीं पाया फफक-फफक कर रोने लगा। प्रोफेसर सिन्हा ने उसे ढ़ाढ़स बढ़ाया पर रोहन रोते हुए कहने लगा सर यह सब क्या हो गया, इस देवी पर ऐसा घृणित लांछन? कैसे छात्र हैं ये। उनकी सोच कितनी विकृत है क्या जानते हैं ये रीना के बारे में, विश्वविद्यालय में इन सबको यह सब करने की अनुमति कैसे मिल जाती है। सर बहुत दुखद है यह दृश्य, मैं अपने आप को रोक नहीं पा रहा हूँ फिर वह बहुत ही कठोर शब्दों में प्रोफेसर सिन्हा से कहने लगा सर अगर रीना को कुछ हो गया तो मैं इस संगठन के सभी लोगों को चुन-चुन कर गोली मार दूँगा चाहे मुझे फांसी ही हो जाए तो क्या।

ऐसा नहीं होगा बेटे यह आवाज सुनकर दोनों की निगाह अपने पीछे चली गई जहाँ वी सी और चीफ प्रॉक्टर रीना को देखकर उन्हीं की तरफ बढे चले आ रहे थे। इन दोनों हस्तियों को देखकर रोहन की क्रोधित मुद्रा थोड़ा शांत होने लगी कुलपति उमेश चंद्रा ने कहा घबराओ मत बेटा प्रोफेसर रीना के बारे में जितना तुम चिंतित हो उतना ही हम लोग भी चिंतित हैं इसे कुछ नहीं होगा यह बहादुर लड़की है जल्द स्वस्थ हो जाएगी। प्रगतिशील युवा मंच एक अर्बन नक्सली गैंग है पूरा देश इनसे त्रस्त है लेकिन अब विश्वविद्यालय प्रशासन इस परिसर में इनकी सारी गतिविधि बंद करने जा रही है उनसे जुड़े समस्त छात्र-छात्राओं व प्रोफेसर्स पर एक जांच कमेटी बैठा दी गई है रिपोर्ट आते ही इन सबको विश्वविद्यालय से बर्खास्त कर दिया जाएगा।

कुलपति महोदय के साथ मुख्य चिकित्सा अधिकारी और अस्पताल के अन्य सहयोगी भी थे रीना के स्वास्थ्य को लेकर सभी चिंतित थे डॉक्टर बी लाल की देखरेख में रीना की चिकित्सीय सेवा चल रही थी कुछ देर तक उनसे बात करके कुलपति और चीफ प्रॉक्टर लौट गए। प्रोफेसर सिन्हा अभी भी रोहन के साथ रुके थे शाम होने को था उन्हें लगा कि रोहन सुबह से भूखा है इसलिए जबरदस्ती उसे कैंटीन में ले जाकर कुछ नाश्ता पानी कराया। रोहन सब के सहयोगी भाव को समझकर अब धैर्य धारण करके शांत हो गया उसे अब रीना के भाई-बहन और माँ की चिंता हुई फोन करके उसने रोमा को सब कुछ बता दिया और हिदायत दी की माँ को कुछ मत बताना। लगभग 24 घंटे में रीना होश में आई डॉक्टर की सलाह पर दूसरे दिन उसे आई सी यू से निकालकर स्पेशल

वार्ड में भर्ती कर दिया गया। रोहन को पास में देखकर रीना के चेहरे पर थोड़ी प्रसन्नता दिखाई देने लगी अपने बेड के पास उसने माँ भाई बहन और गुरु प्रोफेसर सिंन्हा को देखा सभी तो अपने ही हैं सबके चेहरे पर दुख का भाव देखकर उसने महसूस किया कि एक मेरे लिए सभी इतने चिंतित है। सुभागी अपने बेटी को इस हालत में देखकर उसके गले लिपटकर रोने लगी रोहन अपने सास की यह भावुकता देकर घबरा गया और समझाया माँ जी आप धैर्य धारण करें रीना अब ठीक है। लेकिन माँ तो आखिरकार माँ ही होती है बोली बेटा मेरी फूल जैसी बेटी को किसकी नजर लग गई इसने तो मन से भी किसी का बुरा नहीं चाहा है फिर भी ईश्वर ने इसके साथ ऐसा क्यों किया? रोहन अपनी सास को टोका नहीं माँ ऐसा मत कहिए ईश्वर की ही कृपा से आज रीना सुरक्षित हम लोगों के बीच में है। दानवी शक्ति का अंत होता रहा है माँजी और इस दानवी शक्ति का भी अंत एक दिन होकर रहेगा। हम सभी रीना के साथ हैं देखिए आज पूरा विश्वविद्यालय रीना का हर तरह से सहयोग करने को तैयार है।

सभी लोगों को समझा बूझकर रोहन ने सबको आवास पर पहुँचाकर पुनः रीना के पास आ गया। रात में जब नर्स रीना को दवा देकर चली गई तब रीना रोहन का हाथ पकड़कर अपने पास बेड पर बैठाई और कहने लगी रोहन हम दोनों का पूरा जीवन अब एक अटूट बंधन में बध गया है, मैं अक्सर सोचा करती हूँ कि हम दोनों एक गृहस्थ जीवन जीते हुए गांव, समाज और राष्ट्र को भी कुछ ना कुछ सेवाएँ देते रहें पर इतना शांतिपूर्वक कार्य करने के बाद भी इस तरह की घटनाएँ मेरे जीवन में घटेगी इसकी मुझे कल्पना नहीं थी। भविष्य में आगे और क्या-क्या होगा मेरे साथ इसकी मुझे तनिक भी कल्पना नहीं है लेकिन रोहन यदि मेरे साथ कुछ अनहोनी हो गई मैं सशरीर नहीं रही तो वादा करो कि तुम इस विचार को मूर्त रूप प्रदान करने के कर्तव्य से पीछे नहीं हटोगे, तुम्हें अपनी रक्षा के साथ-साथ मेरे भाई-बहनों की भी रक्षा करनी है। इतनी बातें करते-करते रीना की आंख से झर-झर आंसू गिरने लगे वह एक अज्ञात भय से रोहन को और कसकर पकड़ ली रीना को इतना भावुक होता देख रोहन भी रोने लगा लेकिन तत्काल अपने को संयत कर बोला रीना ऐसा क्यों बोलती हो हमने कोई पाप नहीं किया है और न ही किसी का बुरा चाहा है तो फिर हमारे साथ क्यों अनहोनी होगी। मन को दुखित करने वाली बात इस तरह से मत बोला करो, इस समय तुम्हारा मन जितना शांत रहेगा तुम उतना ही जल्दी स्वस्थ हो जाओगी। ऐसा कह कर रोहन रीना के गाल पर आए आँसुओं को अपने हाथों से पोछने लगा। रीना रोहन का हाथ पुनः पकड़ ली और कहने लगी रोने दो रोहन पता नहीं ऐसा

अवसर जीवन में फिर आए अथवा न आए। बार-बार घट रही इन घटनाओं से अब मैं चिंतित होने लगी हूँ क्योंकि व्यक्तिगत जीवन पर लांछन लगाना एक दूषित मानसिकता का ही द्योतक है और ऐसी दूषित मानसिकता वाले भविष्य में कुछ भी कर सकते हैं मैं ऐसे लोगो से डरती नहीं लेकिन ये होते हैं बहुत धोखेबाज इसलिए चिंतित जरूर हूँ और यही चिन्ता मेरी आंसुओं के रूप में निकल रही है।

रोहन रीना का मन हल्का करने के लिए एक बार पुनः उसे सांत्वना देने लगा और बोला यह दूषित मानसिकता वाले हमारा कुछ नहीं बिगाड़ेंगे रीना यह केवल अड़चन पैदा कर सकते हैं पर हम उनका डटकर मुकाबला करते रहेंगे। रोहन रीना के माथे पर हाथ रखकर कहने लगा देखो उस दिन का लगा चोट तुम्हारा अब ठीक हो गया है तुम्हारे विरुद्ध लगाए गए पोस्टर सब उतार कर जलाए जा चुके हैं, विश्वविद्यालय प्रशासन उन तत्वों पर कार्यवाही भी कर रही है तुम्हारी पुस्तक बाजार में बिक रही है हमारा विचार फैल रहा है अब हमें और क्या चाहिए। तुम तो खुद दूसरों को प्रेरित करने वाली शक्तिदायीनी हो जरा सोचो स्वयं के बारे में रीना। अपने चेहरे पर थोड़ा मुस्कुराहट लाते हुए रोहन आगे ऐसे ही बोलता रहा और कहा रीना कभी-कभी अच्छे काम में इस प्रकार की अड़चनों से और लाभ ही मिलता है अभी जो देख रही हो न उससे और आगे जो देखोगी उससे भी हमें लाभ ही प्राप्त लेने वाला है ऐसा मैं सोचता हूँ। इतना कह कर रोहन रीना की आंखों में झाकते हुए पुनः बोला मेरी रीना रोती हुई नहीं हंसती हुई बहुत अच्छी लगती है ऐसा बोलकर रोहन जब पुनः रीना के आंसू पोछने लगा तब रीना अपने गाल पर ही रोहन का हाथ पकड़ कर मुस्कुराती हुई बोली बचपन के साथी हो न रोहन इसलिए ऐसी सांत्वना मुझे दे रहे हो और सही भी है माता-पिता के बाद एक तुम ही मुझे बेहतर समझ सकते हो इसलिए तुम्हारे साथ मुझे हमेशा सुखदायक रहता है और ईश्वर की कृपा से आगे भी सुखदायक ही रहेगा।

रीना के स्वस्थ हुए लगभग दो माह हो गए एक दिन कुलपति के माध्यम से रीना को यह समाचार प्राप्त हुआ कि दो दिन बाद उच्च न्यायालय इलाहाबाद में मुकदमे में बहस होने वाली है अधिवक्ता जितेंद्र त्यागी ने बहस की बिंदुवार तैयारी पहले ही कर ली थी वैसे कोर्ट का आदेश था कि बहस के समय इस केस से जुड़े समस्त पक्षकार कोर्ट में उपस्थित रहे। निश्चित तिथि को इलाहाबाद उच्च न्यायालय की सिंगल बेंच न्यायमूर्ति अनूपशाही के न्यायालय में इस केस पर बहस प्रारंभ हो गई। मलिक के अधिवक्ता जमील अंसारी ने दावा में जो बातें

लिखी थी उस पर जोर देते हुए रीना के विरुद्ध प्रगतिशील युवा मंच के छात्रों द्वारा जो आंदोलन विभिन्न जगहों पर किए गए थे उसका भी हवाला दिया और बोला कि अगर यह पुस्तक जप्त नहीं की गई इसकी बिक्री पर तत्काल प्रभाव से रोक नहीं लगी तो देश में अशांति फैल जाएगी और साथ ही रीना जैसी सांप्रदायिक व अराष्ट्रीय सोच वाली प्रोफेसर से विश्वविद्यालय के छात्रों में विद्वेष फैलने का डर है इसलिए इसको विश्वविद्यालय से तत्काल प्रभाव से बर्खास्त कर देना चाहिए। रीना के इस देश विरुद्ध कार्य में प्रोफेसर सिन्हा और विश्वविद्यालय के कुलपति का भी सहयोग रहा है अत: इनको भी पद से हटाते हुए इन पर भी तुरंत दंडात्मक कार्यवाही प्रारंभ करना विश्वविद्यालय और देश के हित में होगा। एडवोकेट अंसारी के बहस को सुनकर प्रोफेसर सिन्हा और कुलपति तो शांत बैठे रहे लेकिन रीना का चेहरा एक बार पुन: मलिन होने लगा, संयोग था कि रोहन उसके साथ ही बैठा था उसने रीना को ढाढ़स बधाया और बोला रीना इन बातों में कोई दम नहीं है अभी अपने वकील साहब बहस तुरंत शुरू करने वाले हैं हमारा ध्यान उधर ही होना चाहिए।

अधिवक्ता जितेन्द्र त्यागी ने बहस प्रारंभ किया और बोले की मिलार्ड यह वाद पूर्ण रूपेण संविधान में प्रदत्त अभिव्यक्ति की आजादी के विरुद्ध है, शरारत पूर्ण है और आजाद हिंदुस्तान के किसी भी विचार प्रवाह को रोकने का दुराग्रह पूर्ण कदम है मैं बिंदुवार इस बात का प्रतिवाद कर रहा हूँ।

1. प्रोफेसर रीना भारती अति सामान्य परिवार(दलित) में पली बचपन से एक प्रतिभाशाली छात्रा रही है जिसका शैक्षिक रिकार्ड बेहद शानदार रहा है। लेखन व व्यक्तित्व शैली में यह विद्यालय और महाविद्यालय में काफी नाम कमाई है। महाविद्यालय में अध्ययन के दौरान ही इसने भारतीय राजनीति और आधुनिक इतिहास पर शोध करना प्रारंभ कर दिया था और यह संयोग था कि काशी हिंदू विश्वविद्यालय में इसे प्रोफेसर मनोज सिन्हा जैसे गाइड मिले जिनके संरक्षण में इसने अल्प अवधि में ही अपना शोध पत्र पूरा कर लिया।
2. प्रोफेसर रीना अपने पूरे जीवन में कभी भी "राष्ट्रीय स्वयंसेवक संघ" की कार्यकर्ता नहीं रही अगर वादी उनके विचार के आधार पर इनको आर एस एस का सदस्य बता रहे हैं तो यह रीना के लिए गर्व का विषय है।
3. अब तक के साक्ष्यों के आधार पर यह स्पष्ट है कि प्रोफेसर रीना पूरे इतिहास विभाग में छात्रों के बीच अति लोकप्रिय हैं अपने अध्यापन

शैली और भाषण शैली से यह पूरे विश्वविद्यालय में अपनी एक अलग पहचान बना चुकी है।

4. प्रोफेसर रीना के अध्यापन कार्य से बी एच यू के इतिहास विभाग में पठन-पाठन का माहौल अच्छा है छात्रों को इनसे एक नई जानकारी भी प्राप्त होती जा रही है।
5. प्रोफेसर रीना द्वारा लिखित पुस्तक "स्वतंत्रता आन्दोलन की भयंकर भूलें- विभाजन एक सबक" देश की एकता अखंडता के लिए कोई खतरा उत्पन्न नहीं करती है। उस पुस्तक में लिखी गई बातें अकाट्य हैं और भारत की लोकतांत्रिक प्रक्रिया को और मजबूत करने वाली हैं। इस पुस्तक के लिखने के बाद प्रोफेसर रीना पर विपरीत विचार वालों द्वारा बार-बार आक्रमण हुए हैं और चारित्रिक लांछन भी लगा है पर वह अभी बहादुरी के साथ अपने विचार पर डटी हुई है।
6. प्रोफेसर रीना की पुस्तक भारतीय संविधान के अनुच्छेद 19 में प्रदत्त अभिव्यक्ति की आजादी के आधार पर ही लिखी गई है जो इस देश के प्रत्येक नागरिक का मौलिक अधिकार माना जाता है अतः इस पुस्तक को प्रतिबंधित करना संविधान की मूल भावना के विरुद्ध होगा।
7. मोहनदास करमचंद गांधी सन 1915 के बाद भारतीय स्वतंत्रता आन्दोलन के एक अग्रणी नेता बने स्वाधीनता के लिए उनका प्रयास विचित्र था पर था बहुत। लेकिन न तो वे महात्मा थे और न ही राष्ट्रपिता जैसी संज्ञा उनके साथ जोड़ी जा सकती है। संविधान में भी इसका उल्लेख नही है और न ही ऐसा कोई कानून बना है। राष्ट्रपिता जैसा शब्द अतिगांधीवादी बनने के कारण कुछ लोगो के द्वारा प्रचलन में आ गया, जबकि वास्तव में देखा जाय तो गांधी जी के साथ राष्ट्रपिता शब्द जोड़कर देश का अपमान ही किया जा रहा है। हम भारतीय, राष्ट्र को भारत माता कहते है जो जगतजननी माँ दुर्गा का ही स्वरुप हैं, बंकिम चन्द्र चटर्जी, स्वामी विवेकानंद, महर्षि अरविन्द घोष और श्री माँ जैसी महान विभूतियों के शब्दों से भी ऐसा ही आभास हमें होता है। अतः इस राष्ट्र का कोई पिता कैसे हो सकता है क्योंकि भूखंड और सांस्कृतिक विरासत के आधार पर यह राष्ट्र अति प्राचीन काल से विश्व का मार्गदर्शन करता चला आ रहा है।
8. नेता कोई भी वह हो वह देश से बड़ा नहीं हो सकता अतः उसके कार्यों का गुण दोष के आधार पर समीक्षा हो सकती है उसकी

आलोचना भी हो सकती है। इससे किसी का अपमान नहीं होता है याद रहे व्यक्ति की देशभक्ति इसी में सुनिश्चित होती है कि उसके कृत्यों से देश का अपमान कभी न हुआ हो।

9. सन 1946 में कांग्रेस का नेतृत्व मुस्लिम लीग के देश विभाजन के प्रस्ताव को स्वीकार कर लिया था तो इस राष्ट्र विरोधी कृत्य पर कांग्रेस दल की आलोचना होगी ही।

10. मुस्लिम पंथ इस देश में एक आक्रमणकारी के रूप में आया था और भय दिखाकर बहुत से हिंदुओं का पथांतरण भी कराया फिर ऐसे ही पथान्तरित लोगों के बल पर देश का रक्त रंजित विभाजन कराया गया। अगर देश के बहुसंख्यक मुसलमान आज भी उसी दूषित मानसिकता के वशीभूत हैं तो निश्चित ही उनकी आलोचना बार-बार होगी ही और विरोध भी उनका हर कदम-कदम पर होगा। हो सकता है भविष्य में देश का नेतृत्व देश हित में उनको हर अधिकारों से वंचित भी कर दें।

इस प्रकार बिंदुवार विभिन्न तर्कों के आधार पर वकील जितेंद्र त्यागी ने न्यायालय में अपनी बात पूरी की।

इसके बाद न्यायमूर्ति अनूपशाही ने प्रोफेसर मलिक के वकील जमील अंसारी से कुछ प्रश्न पूछे उनके बीच हुए संवाद इस प्रकार हैं-

न्यायमूर्ति- "राष्ट्रीय स्वयंसेवक संघ" से जुड़ना क्या गलत है?

वकील अंसारी- जी सर

न्यायमूर्ति- क्यों?

अंसारी- इसलिए कि यह हिंदूवादी संगठन है और देश में हिंदुवाद को बढ़ावा देता है।

न्यायमूर्ति- तो हिंदुवाद सांप्रदायिक कब से हो गया?

वकील अंसारी- सर मुझे नहीं मालूम पर ऐसा कहा जाता है।

न्यायमूर्ति- बराबर झूठ कहने से सत्य बदल नहीं जाता है, आपको पता है इस देश का नाम हिंदुस्तान आज से लगभग 2000 वर्ष पूर्व इसकी भौगोलिक इकाई के कारण ही रखा गया था।

वकील अंसारी- सर मुझे नहीं मालूम है।

न्यायमूर्ति- तो आप अपनी जानकारी बढाइये वकील साहब, राष्ट्रीयता की दृष्टि से इस देश का हर नागरिक पहले हिंदू है संविधान में इसे इंडिया भले ही कहा जाता हो लेकिन हिंदू भाव और हिंदू संस्कृति कभी गौण नहीं हो सकती है, क्योंकि यह देश

और हिंदू शब्द संविधान के निर्माण से पूर्व बहुत प्राचीन काल से अस्तित्व में हैं।

वकील अंसारी- सर मुसलमान भी तो इस देश में संविधान निर्माण के पूर्व से ही हैं।

न्यायमूर्ति- याद रहे वकील साहब मुसलमान इस देश में हमेशा से एक आक्रमणकारी के रूप में ही रहे हैं, अगर वे देश को अपना समझते तो देश का रक्त रंजित विभाजन कभी नहीं कराते सोचिए जरा विभाजन के बाद भी उनके समस्त अधिकार यहाँ आज सुरक्षित है।

वकील अंसारी- सर क्या यह अधिकार छिने भी जा सकते हैं?

न्यायमूर्ति- देश हित में कोई भी कदम उठाना वाजिब है, कहा गया है "धर्मो रक्षति रक्षतः" और राष्ट्र रक्षा से बड़ा कोई धर्म नहीं होता।

न्यायमूर्ति- गांधी जी के नाम के पूर्व राष्ट्रपिता शब्द का प्रयोग संवैधानिक है अथवा भावात्मक?

वकील अंसारी- सर संवैधानिक तो नहीं है।

न्यायमूर्ति- प्रोफेसर रीना की पुस्तक में नेताओं की जो ऐतिहासिक भूलों का जिक्र है क्या वह तथ्यों से परे है?

वकील अंसारी- सर मुझे इसकी जानकारी नहीं है लेकिन लेखिका ने जानबूझकर पुरानी बातें उठाकर बड़े नेताओं को अपमानित करने का प्रयास किया है।

न्यायमूर्ति- क्या किसी बड़ी नेता के अपमान की चिंता करके उसके द्वारा की गई ऐतिहासिक गलतियों की आलोचना नहीं करनी चाहिए?

वकील अंसारी- मौन रहे........

न्यायमूर्ति- वकील साहब देश बड़ा या व्यक्ति?

वकील अंसारी- सर कहना पड़ेगा देश बड़ा होता है।

न्यायमूर्ति- कहना पड़ेगा या वास्तव में ऐसा होता है।

वकील अंसारी- सर नीचे करके मौन खड़े रहे।

वकील अंसारी- सर संविधान में सभी धर्म के लोगों को बराबर अधिकार दिया गया है।

न्यायमूर्ति- वकील साहब सभी धर्म नहीं केवल पंथ और वह भी राष्ट्र

के विपरीत जाकर नहीं।

अंसारी- संविधान का अनुच्छेद 30 अपने रिलीजन के प्रचार प्रसार की अनुमति देता है।

न्यायमूर्ति- रिलिजन कोई वस्तु नहीं है कि उसका विज्ञापन करके प्रचारित करने की जरूरत है। यह लोगों का निहायत निजी मामला है उनके मानने और न मानने पर निर्भर है। हमारे देश में वैसे भी अनेक मत-मतान्तर हजारों वर्षों से समाज में फैले हैं पर वे एक दूसरे के विरोधी कभी नहीं रहे लेकिन विदेशी पंथ विशेष कर मुस्लिम पंथ ने इस देश में सदियों से हिंसक भेद करके ही अपने अनुयायियों को बढ़ाया है। फिर भी इस देश में हिंदू इतने सहिष्णु हैं कि उनका सम्मान ही करते हैं अनुच्छेद 30 राष्ट्र के विरुद्ध जाकर किसी पंथ को प्रचार-प्रसार की अनुमति नहीं देता है। वह केवल मानवीय दृष्टि से अपने पन्थानुसार जीवन जीने का अधिकार मात्र है, इस अधिकार का दुरुपयोग कतई नहीं होनी चाहिए। मुसलमानों को इस देश में अपने महान पूर्वजों का अनुसरण करना चाहिए, प्रभु श्री राम और भगवान श्री कृष्ण का जीवन चरित्र इस देश के लिए हमेशा से प्रेरणादाई रहा है मिस्टर अंसारी, प्रश्न यह भी उठना है कि देश के मुसलमान मलिक मोहम्मद जायसी, रसखान, अमीर खुसरो, रहीम दास, कवियीत्री ताज, दाराशिकोह, अजीमुल्ला, अशफाकउल्ला खान, ए पी जे अब्दुल कलाम को अपना आदर्श क्यों नहीं मानते हैं क्या वे मुसलमान नहीं थे इस पर विचार मुसलमानों को और उनके अंध समर्थकों को अवश्य करना चाहिए।

इस प्रकार उस दिन उच्च न्यायालय में इस केस की लम्बी बहस की प्रक्रिया पूरी हुई लगभग एक सप्ताह बाद उच्च न्यायालय इलाहाबाद का निर्णय आ गया। न्यायालय की एकल पीठ ने प्रोफेसर रीना भारती द्वारा लिखित पुस्तक "स्वतंत्रता आन्दोलन की भयंकर भूलें- विभाजन एक सबक" पर प्रतिबंध लगाने से साफ इनकार कर दिया तथा विश्वविद्यालय प्रशासन और राज्य सरकार को स्पष्ट निर्देश दिया कि प्रोफेसर रीना की सुरक्षा की यथोचित व्यवस्था तत्काल सुनिश्चित की जाए। साथ ही निर्णय में न्यायालय ने यह भी जोड़ा की याचिकाकर्ता प्रोफेसर मलिक की गतिविधियाँ और असामाजिक व राष्ट्र के विरुद्ध दिखती हैं अतः उनकी गतिविधियों की जांच कराकर संभव हो तो विश्वविद्यालय में अध्यापन कार्य से उनको विरत किया जाए क्योंकि ऐसे प्रोफेसर छात्रों को गलत शिक्षा देकर उनको असामाजिक और अराष्ट्रीय भी बना सकते हैं।

उच्च न्यायालय के आदेश के बाद कुलपति प्रोफेसर सिन्हा व प्रोफेसर रीना

को काफी राहत मिली कुलपति ने प्रोफेसर मलिक के विरुद्ध एक जांच कमेटी पहले ही बैठा दी थी और अब सरकार की गुप्तचर संस्थाओं का भी उन्होंने इसमें सहयोग लिया। लगभग एक माह बाद जांच कमेटी की रिपोर्ट आई जो बेहद चौंकाने वाली थी प्रोफेसर मलिक और उनकी संस्था प्रगतिशील छात्र युवा मंच एक राष्ट्र विरोधी अर्बन नक्सली का हिस्सा थी जिसका काम देश में फैले आतंकवादी और अलगाववादी गतिविधियों में लिप्त लोगों को वैचारिक सपोर्ट करना तथा किसी भी लोकतांत्रिक व राष्ट्रवादी कार्यों व विचारों के विरुद्ध छात्रों को और युवाओं को उकसाने का रहा है। कुलपति उमेश चंद्रा ने यह रिपोर्ट माननीय उच्च न्यायालय को सौप दी तथा इसी रिपोर्ट के आधार पर प्रोफेसर मलिक को विश्वविद्यालय से बर्खास्त कर दिया गया।

प्रोफेसर रीना की पुस्तक का जब से विमोचन हुआ तब से उसके ऊपर शारीरिक व मानसिक विपत्तियों की झड़ी लग गई थी, वह घायल हुई, बीमार हुई, उस पर चारित्रिक दोषारोपण भी हुआ न्यायपालिका का बार-बार चक्कर उसको लगाना पड़ा इस दौरान लगभग पांच-छः माह तक रीना एक सामान्य मानव के रूप में व्यवहार नहीं कर पा रही थी जब भी अकेले में रहती तो बराबर शून्य में देखती रहती। रोहन का प्रयास रहता था कि वह अकेली ना रहे इसलिए जब भी वह गांव जाता रीना की माँ सुभागी और उसके भाई-बहनों में कोई ना कोई उसके साथ जरूर रहता था। विभाग में क्लास लेने जब वह जाती तो छात्रों से वार्तालाप करके उसका मन थोड़ा अवश्य बदल जाता लेकिन जैसे ही वह अकेली होती किसी ने किसी सोच में पड़ जाती। न्यायालय के निर्णय के बाद हुई कार्यवाही पर उसके चेहरे की चमक लौटने लगी थी उसका आत्मविश्वास अब बढ़ने लगा था लेकिन उसे अब कुछ दिन के लिए स्थान परिवर्तन की जरूरत महसूस होने लगी।

एक दिन क्लास लेने के बाद रीना प्रोफेसर सिन्हा के कक्ष में गई और अभिवादन के बाद बोली गुरुजी यदि आपकी आज्ञा हो तो मैं कुछ दिनों के लिए अवकाश पर जाना चाहती हूँ। प्रोफेसर सिन्हा रीना की तरफ देखते हुए बोले पर क्यों? रीना ने जवाब दिया इधर दुर्गा पूजा और दीपावली की छुट्टी होने वाली है तो उसी में सोच रही हूँ थोडा और समय मिल जाता तो बाहर घूम लेती। इससे मन पर का बोझ थोड़ा कम हो जाएगा। प्रोफेसर सिन्हा थोड़ा मुस्कुरा कर बोले जरूर जाओ मैं भी यही चाहता था, ऐसा करो तुम अपना आवेदन विभागाध्यक्ष को दे दो मैं उनको व्यक्तिगत रूप से बोल दूँगा।

छुट्टी में रीना की माँ सुभागी और उसके भाई बहनों को उनके गांव पहुँचा

कर रोहन रीना को लेकर दिल्ली चला गया। दिल्ली में उसके सभी मित्र संजय, शिवानी, नितिन व उसके परिवार वाले सभी रीना और रोहन को अपने साथ पाकर काफी खुश हुए। रोहन तो एक लंबे समय बाद दिल्ली में इन मित्रों के साथ मिलकर खुश हुआ ही उसे सबसे ज्यादा आनंद रीना के चेहरे पर खुशी आने से हुई क्योंकि रीना यहाँ तनावपूर्ण जिंदगी से अपने को मुक्त महसूस कर रही थी। संजय और नितिन रीना के साथ हुई घटना से पूर्व परिचित थे इसलिए उन्होंने पूरे दिल्ली में रीना को खूब घुमाया भी और नए-नए लोगों से उसका परिचय भी कराया। इतने लोगों का अपनत्व और प्यार पाकर रीना को तो एक नई जिंदगी ही मिल गई।

इसी बीच रोहन ने अपनी कंपनी से त्यागपत्र दे दिया। नितिन और संजय को इस बात का दुख हुआ वे रोहन से पूछ बैठे क्या रोहन हम सबको एकदम से छोड़ दोगे क्या? तुम्हारे बिना तो सब अधूरा-अधूरा सा लगेगा यार। रोहन नितिन और संजय को गले लगाते हुए थोड़ा भावुक हो गया और बोला अरे तुम सब पागल मत बनो तुम लोगों को हमेशा के लिए छोड़ दूँ ऐसा हो सकता है क्या, मैं और रीना दोनों ने तय किया है कि दिल्ली हम लोगों का बराबर आना-जाना होता रहेगा क्योंकि हम लोगों का जो विचार है उसे जमीन पर अभी और फलीभूत कराना है यहाँ से लेकर काशी तक हमें जीवन भर साथ-साथ चलना है भाइयों। रोहन सबके बीच अपनी बात रखते हुए बोला तुम लोग जानते ही हो गांव पर विद्यालय का निर्माण कार्य चल रहा है वहाँ अधिक समय देने के कारण नौकरी संभव नहीं था इसलिए इसे छोड़ा हूँ परंतु तुम लोगों को कभी नहीं छोड़ सकता हूँ, आप सभी मेरे शरीर के अभीन्न अंग है।

लगभग 10 दिन दिल्ली रहकर रीना और रोहन सीधे अपने गांव केशवपुर आ गए। अपने सास-ससुर और परिवार के अन्य लोगों के साथ कुछ दिन मुक्त जीवन बिताना रीना को बहुत अच्छा लगने लगा था। शहर का कोलाहल और विश्वविद्यालय की रोजमर्रा की रूटीन से वह इस समय दूर थी। ससुराल में मंदिर के घंटे की आवाज सुनकर रीना प्रतिदिन ब्रह्म मुहूर्त में उठ जाती रोहन को भी जगाती नित्य क्रिया कर्म के बाद दोनों एक साथ मंदिर दर्शन करने जाते, दर्शन-पूजन के बाद घर आकर रीना एक शुद्ध गृहणी की भांति अपनी सास के निर्देश पर घर का भोजन बनाती और सास-ससुर को खिलाने के बाद दोनों पति-पत्नी एक साथ भोजन करते थे। रीना का यह व्यवहार गांव में चर्चा का विषय हो गया। पंडित अच्युतानंद गांव की बहू-बेटियों को समझाते वक्त रीना का उदाहरण अवश्य रखते की देखो इतनी बड़ी प्रोफेसर होते हुए भी वह घर

में कैसे सारे कार्य स्वयं कर लेती है शायद इसी का नाम भारतीय नारी है जिसके अंदर पद, प्रतिष्ठा व ज्ञान का अहंकार तक नहीं है।

घर में रीना की सास रीना को अधिक काम करने से मना करती तो रीना कहती करने दीजिए माँजी मुझे बचपन से इसकी आदत है। विश्वविद्यालय में इधर कुछ महीनो से घर की ये सब काम छूट गए थे छोटी बहन रोमा या माँ ने घर के सारे कामों का जिम्मा ले लिया था पर अब पुनः करने से मुझे बहुत आंतरिक संतुष्टि मिल रही है। दीपावली के पर्व के दिन रीना घर की साफ सफाई में तल्लीन थी तभी रोहन घर के अंदर आया तो रीना को अकेले काम करते देखा उसके माता-पिता घर के बाहर थे वह तुरंत रीना के काम में सहयोग करने लगा। रीना को हंसी आ गई क्या रोहन मैं इस घर की बहू हूँ, तुम्हारी पत्नी हूँ ससुराल में सेवा करने का अवसर दो। रोहन भी हल्की मुस्कान के साथ बोला मैं भी तो तुम्हारा पति हूँ मुझे भी तो पत्नी की सेवा का अवसर मिलना चाहिए न। रीना उस दिन सलवार सूट में भी हाथ में झाड़ू लेकर सफाई कर रही थी रोहन की हंसीयुक्त बातें सुनकर खड़ी हो गई और बोली क्या रोहन इधर कई माह से तुम मेरी सेवा ही कर रहे हो न मैं तो तुम पर और परिवार पर बोझ ही बन गई थी, रोहन रीना की यह बात सुनकर थोड़ा आवेश में आ गया और झुझलाकर बोला रीना इस तरह की बातें बार-बार बोलकर तुम मेरे मन को क्यों दुखित कर देती हो हम दोनों जब एक दूसरे के लिए ही बने हैं तो इसमें से कोई दूसरे पर बोझ कैसे बन जाएगा। इतनी बात कहते-कहते रोहन रीना के पास पहुँचने लगा रीना को भी लगा कि उसने कुछ गलत कह कर रोहन को दुखित कर दिया है। वह खड़ी एकटक रोहन को प्यार से देखने लगी लेकिन रोहन रीना का चेहरा न देखकर उसके पास आकर उसके हाथ से झाड़ू लेने लगा लेकिन यह क्या........ उसने महसूस किया कि रीना झाड़ू हाथ में लिए ही उसके शरीर पर लुढ़कने लगी है।

रोहन के हाथ से झाड़ू गिर गया वह जल्दी से रीना को अपनी बाहों का सहारा दिया उसने देखा कि वहाँ से चारपाई दूर है वह तुरंत रीना को दोनों हाथों से उठाकर चारपाई पर लिटा दिया और बदहवास अवस्था में बाहर जाकर अपनी माँ को बुला लाया। रोहन की माँ रीना की चारपाई पर बैठकर रोहन को एक गिलास पानी लाने के लिए बोली चेहरे पर पानी की बूँद पड़ते ही रीना कुछ हरकत में आई। माँ की सलाह पर रोहन दौड़कर गांव के स्वास्थ्य केंद्र पर चला गया और डॉक्टर कृष्णावती को बुला लाया। डॉक्टर कृष्णावती सभी पुरुषों को घर से बाहर करके रीना की विधिवत जांच की, जांच से वह संतुष्ट हुई और

रीना की सास से धीरे से बोली माँजी चिंता की कोई बात नहीं है आप दादी बनने वाली है। रोहन की माँ चिंतित अवस्था में थी पर खुशी की बात सुनकर रीना को मन ही मन आशीर्वाद देने लगी। रीना शर्म से अपने चेहरे को ढक ली और चारपाई से उठना चाही उसकी सास ने झट से उसको सहारा दिया और बनावटी क्रोध में बोली बहू इसलिए मैं कहती थी न काम कम किया करो पर मेरी सुनता ही कौन है। उसके बाद डॉक्टर कृष्णावती की तरफ देखकर कहने लगी मेरा बेटा और बहू दोनों अपने मन के हैं। डॉक्टर कृष्णावती रीना का हाथ पकड़कर उसे घर के अंदर ले जाने लगी और रीना के हाथ को दबाते हुए उसकी सास की तरफ देखकर बोली अरे माँ जी अगर बेटा बहू अपने मन के नहीं होते तो आप दादी कैसे बनती? रीना कृष्णावती का मजाक सुनकर मुंह ढापकर हंसने लगी और उसकी सास भी मुंह छुपा कर हंसती हुई घर से बाहर चली गई। द्वार पर रोहन उसके पिता और चाचा बैठे थे उसकी माँ ने सबको अंदर बुलाकर सबको यह बात बताई सभी को राहत मिली घर में त्यौहार की खुशी दोगुनी हो गई। रोहन रीना से तुरंत मिलना चाहता था पर अंदर डॉक्टर कृष्णावती रीना को गर्भावस्था की सारी हिदायते समझा रही थी। रोहन धैर्य धारण किए रहा और रात का इंतजार करने लगा।

दीपावली की शाम देवस्थान, गांव और घर में रोहन और रीना ने मिलकर खुशियों का दीप जलाया यह प्रकाश पर्व उनके जीवन को और अधिक प्रकाशित करने वाला साबित हुआ। दीपावली की अमावस की रात घर में जब सभी लोग सो गए तो रोहन ने रीना को अपनी बाहों में भरकर उसे चूम लिया और कहने लगा रीना तुम्हारे कारण आज मेरे जीवन में कितना बदलाव आ गया। मैं तो तुम्हें पहले से ही प्यार करता था लेकिन तुम्हारा विचार, तुम्हारा कार्य और संघर्ष देखकर अब मैं तुम्हारा भक्त हो गया हूँ। परिवर्तन प्रकृति का नियम है रीना और इसी कारण समय ने हम दोनों के प्यार की निशानी को तुम्हारे गर्भ में ला दिया है। मेरे पास तुम्हें समझाने की बहुत क्षमता नहीं है पर इतना कह सकता हूँ अब तुम जितनी शांत और भक्तिमय जीवन बिताओगी उसका सारा असर गर्भ में पल रहे इस शिशु पर पड़ेगा और मुझे विश्वास है कि आने वाले समय में यह बालक जन्म लेकर एक अद्भुत देशभक्त बनेगा। रीना रोहन की ऐसी बात सुनकर थोड़ा इठलाती हुई बोली अभी से ऐसा कैसे कह सकते हो कि मेरे गर्भ में पलने वाला बालक ही होगा। रोहन रीना की आंखों में झांकते हुए बोला तुम्हारी आंखों की ज्योति और चेहरे की चमक बता रही है कि तुम भविष्य में एक ओजस्वी बालक को जन्म देने वाली हो। रोहन की प्यार भरी बातें रीना के रोम-रोम में बसने लगा

वह रोहन के चेहरे पर हाथ फिराने लगी और कहने लगी लगता है मेरा पति अब अंतर्यामी हो गया है। रोहन रीना की हथेली को अपने गाल पर दबाते हुए बोला तुम्हें पढ़ते-पढ़ते जब मैं तुम्हारा भक्त हो गया तो कुछ भविष्य का अनुमान तो लगा ही सकता हूँ। कुछ देर तक दोनों आपस में ऐसी ही बातें करते-करते बाहों में एक दूसरे को पकड़े ऐसे ही मौन पड़े रहे। 9 माह बाद रीना के गर्भ से एक पुत्र ने जन्म लिया। एक माह बाद एक रात जब दोनों पति-पत्नी एक साथ हुए तो रोहन धीरे से पूछा रीना इस बालक का नाम क्या रखोगी तुम? रीना ने कहा अभी से नामकरण! रोहन बोला हाँ जी ऐसा सोचने में क्या बुराई है। रीना लेटी हुई थी उठ कर बैठ गई रोहन भी उठकर बैठ गया और रीना की तरफ देखने लगा। रीना उसी को देखते हुए बोली रोहन तुम्हारा घर केशवपुर, मेरी ससुराल केशवपुर और हमारे विद्यालय का नाम केशव ज्ञान केंद्र है तो यह नाम मुझे बहुत प्यारा लगता है इसलिए हम दोनों इस बालक को भी केशव को ही समर्पित कर दें रोहन, "केशव चंद्र राव" यह बालक तुम्हारे "घर वापसी" का प्रतीक बनेगा।

(इति शुभम)